B

Beth Harbison écrit depuis l'école primaire. Elle a grandi à Washington et, bien qu'elle en soit partie un certain nombre de fois, elle finit toujours par y revenir. Elle a deux enfants, trois chiens et un mari parfait ! *Shoe Addict* est son premier roman. La suite, *Les Secrets d'une Shoe Addict*, paraîtra au Fleuve Noir (mars 2009).

SHOE ADDICTS

BETH HARBISON

SHOE ADDICTS

Traduit de l'anglais (États-Unis)
par Betty Peltier-Weber

FLEUVE NOIR

Titre original :
SHOE ADDICTS ANONYMOUS

Le papier de cet ouvrage est composé de fibres naturelles, renouvelables, recyclables et fabriquées à partir de bois provenant de forêts plantées et cultivées durablement pour la fabrication du papier.

ISBN : 978-2-266-18537-0

À ma mère, Connie Atkins,
et sa partenaire de shopping, Ginny Russel –
mes premiers contacts avec l'addiction
aux chaussures.
Elles sont probablement dans un magasin
en ce moment même !
Et à Jen Enderlin, mon éditrice et amie.

REMERCIEMENTS

L'écriture est une expérience solitaire, mais vivre, avec un peu de chance, ne l'est pas. Je voudrais remercier quelques-unes de mes amies qui m'ont fait rire, m'ont empêchée de devenir folle et m'ont inspirée pour les amitiés évoquées dans ce livre : mes sœurs Jacquelyn et Elaine McShulskis, mes amies qui ont été là presque aussi longtemps que mes sœurs, Jordana Carmel et Nicki Singer ; mes voisines et copines qui m'ont fait gagner du temps soit en prenant les enfants soit en me versant à boire (ou les deux), Amy Sears et Carolyn Clemens ; et les âmes généreuses qui m'ont lue et relue, m'ont apporté conseil et commisération – souvent en grignotant un morceau – durant de nombreuses années et de nombreux livres, Elaine Fox, Annie Jones, Marsha Nuccio, Mary Blayney, Meg Ruley, et Annelise Robey.

Chapitre 1

Du sexe en boîte. Voilà ce que c'était. Du sexe en boîte… troublant, excitant, décadent.

Lorna Rafferty écarta le papier de soie et aussitôt l'odeur entêtante du cuir envahit ses narines, envoyant un frémissement familier au plus profond de son être. Même après s'être tant de fois soumise à ce rituel, la sensation – cette excitation – ne perdait rien de son pouvoir.

Puis elle effleura le cuir aux coutures serrées et sourit. C'était plus fort qu'elle… un vice délicieux poussé à son paroxysme sensuel, tactile, hédoniste… qui la faisait frissonner de la tête aux pieds.

Elle fit courir ses doigts sur la surface lisse, glissa sur la cambrure gracieuse comme un chat qui s'étire sous le soleil de midi ; sourit à la pointe, affûtée mais gratifiante, du talon aiguille. Oui. Oui…

Le pied.

Elle savait que c'était mal, bien sûr. Passer douze ans dans une école catholique, ça laisse des traces : plus tard, elle devrait payer son péché. Au prix fort.

Eh bien, tant pis ! Elle s'y préparait depuis des *années*.

Cette dette allait devoir rejoindre toutes les autres.

En attendant, Lorna possédait ces sandales à semelle compensée Delman pour se réconforter. À bout découpé, avec une lanière à la cheville, elles étaient sublimes. S'il le fallait, elle pourrait marcher droit dans les flammes de l'enfer avec de telles chaussures, belles à mourir.

L'une des rares choses dont elle se souvenait à propos de sa mère était justement ses chaussures. Des escarpins bicolores noir et blanc. De petites sandales roses à talon bobine. Et celles que Lorna préférait : longues et fines, en satin, avec des talons en forme de virgule Arts-Déco et de petits nœuds aux orteils, légèrement élimées après toutes ces années depuis le mariage.

En fermant les yeux, Lorna revoyait ses propres petits pieds enfoncés dans les pointes de ces chaussures, les talons claquant traîtreusement derrière elle tandis qu'elle foulait le tapis oriental de la chambre de ses parents, en direction de l'image floue d'une chevelure dorée, d'un grand sourire, d'une bouffée du parfum Fleur de Rocaille de Caron, incarnant le souvenir qu'elle gardait de sa maman.

De tout ce qu'elle savait ou dont elle se rappelait de sa mère, et de tout ce dont elle n'avait plus le souvenir, Lorna était certaine d'une seule chose : l'amour inconditionnel pour les chaussures est héréditaire.

Délicatement, elle sortit les Delman de la boîte, repoussant mentalement le souvenir de sa carte de crédit tendue, puis de l'interminable attente – telle une parieuse ayant tout misé sur le rouge – du *oui* ou du *non* de cette lointaine roulette de la Commission d'Approbation des Cartes de Crédit.

Cette fois, le *oui* était sorti.

Elle avait signé la facturette, se faisant silencieusement une promesse : *Bien sûr que je les paierai, ces chaussures. Pas de problème ! J'y consacrerai mon prochain salaire !* Tout en affichant l'expression de quelqu'un qui payait immédiatement toutes ses factures à chaque relevé et dont la vie entière ne pouvait être confisquée en un clin d'œil par l'intraitable Visa.

Pffffft !

Elle ignora l'autre voix : *Je ne devrais pas agir ainsi, et je vais faire la promesse, ici et maintenant, à Dieu et à n'importe qui d'autre, que si cette interrogation bancaire passe, je ne dépenserai plus jamais l'argent que je n'ai pas sur mon compte.*

Mieux valait ne pas penser aux conséquences.

Si repousser des pensées désagréables à propos d'argent permettait de brûler des calories, Lorna ne porterait qu'une taille 36.

Pendant quelques minutes, elle contempla les chaussures dans ses mains, puis les enfila.

Ahhh…

Un plaisir absolument magique.

Un plaisir qui, entretenu comme il se doit, durerait toute une vie. Un plaisir dont elle pourrait jouir avec délices en *toutes* circonstances, quelle que soit son humeur.

Eh bien, tant pis si elle devait les acheter à crédit ! Dès son prochain salaire, elle pourrait mettre un peu d'argent sur son compte débiteur. Et dans quoi… deux ans ? Peut-être trois… ? Éventuellement, quatre au *pire*… ? La dette aurait complètement disparu !

Et ces Delman seraient toujours aussi stupéfiantes qu'elles le sont maintenant. Et vaudraient au moins deux fois plus cher. Peut-être même plus. C'était un modèle classique. Indémodable.

Un bon investissement.

Lorna songeait à tout cela, installée dans le salon de son petit appartement de Bethesda, dans le Maryland, lorsque toutes les lumières s'éteignirent.

Immédiatement, elle se dit que la compagnie d'électricité avait dû lui couper le courant. Impossible… puisqu'elle avait payé sa facture récemment ! Un orage qu'elle n'aurait pas remarqué ? Dans les environs de

D.C.[1], les étés avaient pour réputation d'être chauds, lourds et humides et cette journée de début d'août ne faisait pas exception. Et dire que les citadins comme elle payaient tous les mois leur électricité pour que celle-ci leur fasse défaut au plus chaud de l'été, pendant des *heures*, voire pendant une journée entière !

Lorna se leva et, perchée sur ses Delman, se dirigea cahin-caha vers le guéridon de l'entrée où son portable était en charge. Elle allait appeler la compagnie d'électricité, certaine qu'on lui répondrait que tout le monde avait forcé sur l'air conditionné et que le courant serait rapidement rétabli.

Je peux toujours tuer une heure ou deux dans l'air frais du centre commercial avant d'aller travailler, pensa-t-elle avec insouciance en composant le numéro sur le vieux téléphone rose de princesse dans lequel elle chuchotait ses secrets depuis l'âge de douze ans.

Dix minutes et peut-être quatorze touches d'orientation automatique plus tard, une employée de la compagnie d'électricité s'était présentée, sous le nom de Mme Sinclair, sans donner son prénom, et avait répondu à Lorna ce que celle-ci, tout au fond d'elle-même, craignait d'entendre.

— Chère madame, votre électricité a été coupée à cause d'un impayé.

Bon, primo, ce *Chère madame* était parfaitement condescendant. Et secundo… un impayé ? Impossible ! Cela ne faisait-il pas deux semaines à peine qu'elle avait récolté de bons pourboires à son service du soir, lui permettant de payer toute une pile de factures ? Quand était-ce, déjà ? Mi-juillet ? Début juillet ? Quoi qu'il en soit, c'était après la fête nationale du 4 Juillet !

Euh… une minute… à moins que ce ne soit juste

1. *District of Colombia*, où se trouve Washington, capitale des États-Unis. *(N.d.T.)*

après le Memorial Day, fin mai ? C'était en tout cas un de ces jours fériés où tout le monde fait des pique-niques et des barbecues. Elle avait d'ailleurs mis ses adorables sandales Gucci roses…

Lorna jeta un coup d'œil dubitatif à la pile de courrier qui trônait sur la table de l'entrée, et qui grandissait à vue d'œil chaque jour, puis demanda avec un air pincé :

— De quand date le dernier paiement reçu ?

— Du 28 avril.

Son esprit remonta le temps comme sur les éphémérides dans les mauvais films des années trente. Bon, d'accord, il y avait eu le mois de juillet, et peut-être n'avait-elle pas payé la facture d'électricité cette fois-là. Mais sans doute l'avait-elle fait la fois d'avant. Quand était-ce ? En juin, peut-être ? Était-il possible que cela remonte aussi loin que mai ?

En tout cas pas en *avril* ! Non ! Sûrement pas ! Elle était certaine qu'il y avait une erreur.

— C'est impossible ! Je…

— Nous avons envoyé un rappel le 15 mai puis un autre le 1er juin, lui précisa Mme Sinclair sur un ton désapprobateur. Et le 9 juillet, nous vous avons fait parvenir un avis d'interruption de service, vous prévenant que nous vous couperions le courant si nous ne recevions pas votre paiement à la date d'aujourd'hui.

Tout juste. Elle se rappelait vaguement le jour où elle s'était enfin décidée à payer ses factures. Mais Nordstrom avait envoyé des invitations pour les soldes de mi-saison et…

Une journée fabuleuse ! Une super affaire, ces deux paires de Bruno Magli. Tellement confortables qu'elle aurait pu courir des kilomètres avec ces chaussures.

Cela dit, elle avait forcément payé la facture le mois suivant.

Forcément.

N'est-ce pas ?

— Attendez un instant, s'il vous plaît. Je vais vérifier quelque chose dans mes dossiers.

Lorna tituba jusqu'à son ordinateur et appuya sur le bouton pour le mettre en marche. Elle attendit plus de cinq secondes avant de se rendre compte que l'ordinateur, qui contenait les traces de ses paiements, fonctionnait grâce à cette même électricité que cette femme sarcastique, à l'autre bout du fil, lui confisquait.

— Je suis sûre que je m'en souviendrais si vous m'aviez envoyé un avis de coupure.

— Mmmm.

Il n'était pas difficile de s'imaginer Mme Sinclair en méchant petit troll assis sous un pont, avec un visage aux traits tirés et des cheveux frisés. *Vous voulez de l'électricité ? Vous devrez d'abord passer par moi et répondre à la devinette suivante : à quand remonte le dernier paiement de vos factures d'électricité ?*

Lorna laissa échapper un soupir exaspéré et prit son portefeuille. Ce n'était pas la première fois qu'elle se retrouvait dans cette situation.

— Bon, laissez tomber ! Dites-moi seulement combien il vous faut pour faire rétablir le service. Puis-je payer par téléphone ?

— Oui. Huit cent dix-sept dollars et vingt-six centimes. Nous acceptons les cartes Visa, Mastercard ou Discover.

Lorna mit un moment pour digérer. Une erreur. Une erreur. Il y avait forcément une erreur.

— Huit cents dollars ? répéta-t-elle stupidement.

— Huit cent dix-sept dollars vingt-six.

— C'est incroyable, j'ai même été absente pendant une semaine, en juin.

Ocean City. Une semaine en espadrilles et en spartiates qui lui avaient donné l'impression de passer ses vacances au bord de la Méditerranée.

— Comment aurais-je pu consommer pour huit cents dollars d'électricité ? Cela ne peut pas être exact.

Il y avait forcément une erreur. Ils avaient dû confondre sa facture avec celle d'un autre. Inévitablement.

Peut-être était-ce même la facture de l'étage au complet.

— Cela inclut cent cinquante dollars de frais de branchement et un dépôt de garantie de deux cent cinquante dollars en plus des trois cent quatre-vingt-dix-huit dollars et quarante-trois centimes que vous deviez. Sans parler des frais de recouvrement de dix-huit dollars et…

— C'est quoi ces frais de branchement ?

Ils ne lui avaient jamais facturé cela, auparavant.

— Les frais pour remettre votre courant une fois qu'il a été coupé.

Hallucinant !

— Mais pourquoi ?

— Nous avons dû couper votre courant et maintenant nous devons le remettre.

— C'est quoi ? Une espèce de commutateur que vous éteignez et allumez ?

Elle s'imaginait très bien Miss Coincée, assise à côté d'un énorme interrupteur de dessin animé avec une pancarte MARCHE/ARRÊT.

— Et vous voulez que je paie huit cent cinquante dollars pour *ça* ?

— Chère madame…

Encore ce ton condescendant !

— … faites comme bon vous semble ! Si vous voulez qu'on rétablisse votre courant, cela vous coûtera huit cent dix-huit dollars et trois centimes.

— Hep ! Une minute ! Il y a une seconde, vous parliez de huit cent dix sept et des poussières…

— Nos ordinateurs ont été réactualisés à l'instant et les intérêts d'aujourd'hui viennent juste d'être ajoutés à votre compte.

Il commençait à faire chaud dans l'appartement. Difficile de dire si c'était à cause de l'air conditionné qui avait été coupé ou de cette insupportable Mme Sinclair, sans doute une vieille fille acariâtre profitant de l'occasion pour ajouter du *madame* à son identité alors qu'elle n'avait pas fait l'amour depuis des années, à tous les coups…

D'ailleurs, Sinclair était probablement un nom d'emprunt, un pseudonyme afin d'éviter que les gens la recherchent pour la trucider chez elle après ce genre de conversation.

— Pourriez-vous me passer votre supérieur ? demanda Lorna.

— Je peux demander à quelqu'un de vous rappeler dans les vingt-quatre heures, chère madame, mais cela ne changera rien à votre facture.

Rien… à part les intérêts qui s'accumulent !

Résignée, Lorna extirpa sa carte Visa de son portefeuille. Elle était presque encore tiède de l'achat de ses Delman.

— Bon.

La bataille était terminée. Lorna avait perdu. Doux Jésus ! C'était toute la guerre qu'elle venait de perdre !

— Je vais utiliser ma Visa.

En espérant que celle-ci supporte une dépense de plus…

Une onde de satisfaction sembla crépiter sur la ligne, fusant allègrement de cette maléfique Mme Sinclair.

— Pourriez-vous épeler le nom, tel qu'il apparaît sur votre carte ?

Après avoir raccroché, Lorna décida de jeter un coup d'œil à la pile de courrier dans l'entrée pour vérifier s'il y avait vraiment un avis de coupure. Jusque-là, en effet, elle pouvait encore, dans une certaine mesure, s'autopersuader qu'il s'agissait d'une erreur.

Et il y avait bien erreur. En fait, le temps d'ouvrir toutes les enveloppes, elle dut se rendre à l'évidence qu'il y avait une énorme pile d'horribles erreurs. Toutes siennes.

Pour être honnête, Lorna savait déjà depuis un bon bout de temps qu'il fallait s'occuper de… *cette chose*. La pile attendait là, tapie près de la porte, prête à bondir. Et pourtant, Lorna avait essayé de l'ignorer, tout comme elle essayait d'ignorer la douleur sourde qu'elle ressentait au creux de l'estomac en passant dans le couloir. *Cette chose* venait même la hanter au milieu de la nuit, durant ses insomnies. Lorna n'avait pas un sou pour payer ces satanées factures, mais avait toujours l'impression qu'elle en aurait bientôt. Un autre chèque de salaire, un soir de gros pourboires… Le problème, c'est que ces dépenses devenaient incontrôlables, et elle le savait.

Bon sang, qu'achetait-elle donc avec tout cet argent ?

Et pourquoi ressentait-elle toujours ce vide ?

D'autant qu'elle ne faisait pas vraiment d'extravagances ! Elle sortait rarement et ce n'était pas comme si elle passait tout son temps à boire du Dom Pérignon. Les seuls achats qu'elle s'autorisait, et qui pourraient, éventuellement, être considérés comme un luxe, étaient quelques paires de chaussures de temps à autre. À condition, bien sûr, de considérer les chaussures comme un luxe superflu !

Certes, à l'occasion, quand elle en trouvait une paire vraiment géniales, elle en prenait une seconde paire, au cas où. Comme avec les Magli, l'été dernier. Mais sérieusement, ces merveilles coûtaient à peine une fraction de son loyer. Comment cela pouvait-il s'additionner au point d'atteindre des dizaines de milliers de dollars ?

Jusque-là, Lorna avait toujours pensé qu'elle pourrait rembourser son découvert. L'argent rentrerait, elle paierait ses factures et tout finirait par s'arranger. Quelquefois, elle touchait 250, voire 300 dollars de pourboire en une soirée. Dans la restauration, le mois d'août était toujours un mois calme mais dès la rentrée de septembre les affaires reprendraient et elle gagnerait forcément beaucoup d'argent.

En épluchant ses factures, elle dut faire l'amère constatation qu'elle n'en gagnerait jamais assez pour venir à bout de ses dettes. Il y avait tous ces frais, ces agios, ces intérêts… Deux de ses cinq cartes de crédit avaient augmenté le taux de leurs intérêts de près de 30 %. Sur l'un des prélèvements mensuels minimum de 164 dollars, elle avait dû payer 162 dollars d'intérêts ! Même Lorna savait qu'en remboursant le capital au rythme de 2 dollars par mois, il lui faudrait des dizaines d'années pour tout régler.

À condition de ne *plus jamais* se servir de cette carte !

Elle avait un sacré problème.

C'était une dette sérieuse. Très très sérieuse !

Tout cela avait commencé gentiment : avec une carte de magasin que Sears lui avait envoyée au début de sa première année de fac. Après une enfance douillette à Potomac, une banlieue pourtant assez huppée du Maryland, elle avait toujours été persuadée de pouvoir dépasser ce genre de niveau de vie très *classe moyenne*. À ses yeux, ce n'était là que le point de départ de sa vie et non pas l'apogée.

Alors, lorsqu'elle avait reçu cette carte de crédit, il lui avait semblé tout à fait normal de faire quelques petites courses qu'elle paierait de sa poche.

Son premier achat avait été une paire de Keds rouges. Elles les avait aperçues sur le stand Lucite et s'était immédiatement fait tout un film : sur les quais de Chesapeake Bay, la peau délicieusement dorée par le soleil, ses cheveux blonds brillant comme sur l'emballage d'un flacon de Clairol Hydrience Blondeur Plage n° 02, en compagnie de son nouveau petit ami – le fils unique d'une riche famille possédant toutes les concessions de voitures de la région – tellement amoureux d'elle qu'il la demanderait en mariage et qu'ils vivraient heureux et auraient beaucoup d'enfants.

À seulement 11,99 dollars, plus 5 % de TVA et à peine 16 % d'intérêts sur la carte Sears, ces Keds semblaient être un bon investissement. Elle les aurait remboursées avant même de recevoir le premier relevé.

En sortant du magasin, cependant, son regard avait été attiré par d'autres petites bricoles : le nouveau Walkman Sony à 99 dollars était l'*affaire du siècle* ! Et qui aurait pu lui reprocher l'achat d'une seule paire de *minuscules* boucles d'oreilles en argent ? Franchement ! Elles avaient la forme de petites tongs adorables et…

Malheureusement, quand il avait fallu payer la première mensualité, le moral de Lorna était tombée en dessous de zéro. Comme son compte, d'ailleurs. De plus, son petit ami l'avait laissée tomber quelques semaines plus tard, après l'avoir honteusement trompée avec sa meilleure amie au cours de sa propre soirée d'anniversaire ! Sans oublier qu'elle avait passé l'été à faire des petits boulots en intérieur et n'avait donc pas pu bronzer comme prévu. Et que dire de ses cheveux qui avaient tourné au châtain clair terne et raplapla à cause de l'atmosphère confinée des bureaux ! Ils n'avaient plus rien à voir avec les jolies boucles dorées qu'elle avait imaginé faire virevolter autour de son visage tandis qu'elle se tenait à la proue d'un magnifique bateau en partance pour le bonheur éternel.

Bref, l'échec sur toute la ligne !

Dès l'automne elle avait fait la connaissance d'un autre garçon, absolument irrésistible, qui adorait danser la salsa. Il lui avait fallu immédiatement s'équiper de magnifiques talons aiguilles, d'une petite robe à bretelles… Oh, ce n'était pas bon marché, mais tout le monde sait que le rêve n'a pas de prix.

Bien sûr, le rêve prit fin, Lorna retrouva ses esprits et termina son année en célibataire. Ce qui ne voulait pas dire qu'elle ne croisait pas de jolies chaussures sur son chemin. Lorna s'était inscrite à un cours de ballet, ne s'était pas équipée de demi-pointes… mais les ballerines étaient adorables. Puis ce fut au tour du cours de jazz. Il lui avait bien entendu fallu des chaussures souples et des bottines. Et pour le cours de claquettes, des semelles en cuir bien bruyantes étaient incontournables. Elle-même s'était révélée une piètre danseuse, mais alors les chaussures… les chaussures !

Ainsi, pas à pas, Lorna avait régulièrement progressé vers son avenir, chaussures après chaussures, caressant toujours le rêve de rencontrer enfin le Prince charmant assorti auxdites chaussures. À son tour, Lorna mènerait la vie des classes supérieures avec deux ou trois enfants, un golden retriever, un dressing à côté de sa chambre et aucun souci d'argent.

Les choses ne se sont pas déroulées ainsi. Les petits amis défilaient. Et défilaient. Et défilaient…

Les proches avaient cessé de dire : « Tu es jeune, profite de la vie… » Ils commençaient à la harceler avec des : « Alors… quand est-ce que tu te poses ? » Lorsqu'elle avait plaqué son dernier petit ami George Manning – un notaire gentil, mais tellement, tellement, tellement ennuyeux ! – sa collègue de bureau, Bess, n'avait pas manqué de lui dire qu'elle était stupide, ajoutant : « Il est peut-être barbant, mais il s'habille chez Brooks Brothers et paie tes factures ! »

Cela ne suffisait pas à Lorna. Elle ne pouvait pas rester avec un garçon uniquement parce qu'il lui apportait la sécurité financière, même si ladite sécurité financière était bigrement tentante. Alors elle vivait comme si une quelconque solution, un miracle qui effacerait son ardoise, allait poindre son nez au coin de la rue.

Dans son esprit, une solution finirait toujours par se présenter.

C'est pourquoi Lorna ne s'était jamais donné la peine de chercher ses propres solutions et de mettre fin à ses problèmes de dépenses inconsidérées avant qu'ils ne deviennent ingérables. Comme un parieur qui continue à doubler ses mises, persuadé que le gros lot finira forcément, *statistiquement*, par tomber, Lorna continuait à doubler ses difficultés. Jusqu'à ce qu'elle se rende finalement compte, *aujourd'hui*, qu'elle tenait une main perdante. Quoi qu'elle fasse.

Elle était vraiment dans de sales draps. Si elle n'y remédiait pas, et vite, elle serait ruinée.

Pas seulement ruinée au point de ne plus pouvoir acheter ces adorables petites sandales, ni au point de devoir se contenter de riz et de haricots rouges pour les mois à venir… Non, elle serait ruinée au point de devoir faire les poubelles de Sears pour récupérer un gros emballage de frigo bien solide. Tout le monde sait, en effet, que le carton ondulé tient plus chaud que le contreplaqué quand la température descend au-dessous de zéro.

Bref, il lui fallait prendre des mesures drastiques.

Et vite !

Chapitre 2

— Donc, tu prends la pilule tout en lui faisant croire que tu essaies de tomber enceinte ?

Hélène Zaharis sortit de sa rêverie. La question ne lui était pas adressée, mais cela aurait très bien pu être le cas. En fait, cela sonnait tellement vrai qu'un instant elle crut même que quelqu'un avait découvert le pot aux roses et s'était installé à sa table pour la faire chanter.

Non, c'était une conversation entre deux jeunes femmes dans la vingtaine, installées à la table voisine au Café Rouge, où Hélène attendait Nancy, l'épouse du sénateur Cabot, avec laquelle elle devait déjeuner.

Nancy était en retard, ce qui tombait à merveille. Hélène trouvait en effet la conversation de ses voisines bien plus intéressante que l'inévitable discussion qui l'attendait, à savoir *qui* se rendrait aux prochaines courses hippiques d'octobre à Middleburg ou quel acteur politique proposerait une baisse d'impôt absolument ri-di-cule.

Ou une augmentation d'impôt tout aussi débile.

Ou toute autre nouvelle marotte qui passionnait en ce moment les milieux fermés de Washington.

Rien de tout cela n'intéressait Hélène.

— Ce n'est pas comme si c'était vraiment pénible ! gloussa la jeune femme apparemment sous pilule avant de prendre une gorgée de sa boisson rose. Il faut simplement qu'il se donne un peu plus de peine… un peu plus longtemps, c'est tout !

Son amie sourit, sans doute ravie de partager ce secret particulièrement croustillant.

— Et ensuite tu arrêteras de prendre la pilule ?

— Éventuellement. Quand je serai prête.

La seconde femme secoua la tête en souriant à son tour.

— Tu es sacrément gonflée, chérie ! Espérons qu'il ne trouvera pas les plaquettes d'ici là.

— Aucun risque.

— Où les as-tu cachées ?

Scotchées à l'arrière du tiroir de ma table de nuit, pensa Hélène.

— Dans mon sac à main, répondit miss Rose en haussant les épaules. Il ne chercherait jamais là-dedans.

Geste malheureux. Grossière erreur. Les hommes respectaient cette limite bien précise… jusqu'à ce qu'ils aient un doute. Alors c'était le premier endroit qu'ils fouillaient. Même les plus stupides d'entre eux.

Si Hélène cachait quelque chose dans son sac, Jim le trouverait immédiatement. Il y avait belle lurette qu'il avait dépassé ce stade de courtoisie.

En pensant à sa réaction s'il découvrait qu'elle déjouait ses tentatives de reproduction, elle eut la chair de poule.

Mais Hélène était résolue. Elle ne voulait pas d'enfant, point final. Pas dans ces conditions. Car si Jim désirait un bébé, c'était uniquement pour être entouré de la petite famille idéale lors des prochaines élections.

Autrefois, elle avait eu des envies de bébé. Un besoin de tenir un petit corps tiède, d'embrasser des petits doigts et des petits orteils potelés. De préparer des sandwiches au beurre de cacahuète avec de la gelée pour les déjeuners de chaque jour et de glisser un petit message « je t'aime » dans son sac.

Oh, oui. Hélène avait eu des envies de bébé. Elle avait eu le désir de fonder une famille. Et bien d'autres rêves encore qui avaient tous été déchiquetés et recrachés comme de vulgaires déchets par la Machine Politique de Washington.

Plus jamais elle ne voudrait donner la vie à un enfant innocent dans cet univers impitoyable.

— Puis-je vous servir une boisson, maintenant ? demanda la jeune serveuse.

Celle-ci se comportait avec la nervosité de quelqu'un qui commence un nouveau travail et qui veut le faire de son mieux. Hélène reconnaissait ce syndrome. Quinze ans plus tôt, c'était elle qui jouait ce rôle.

— Non, je vous remercie. Je vais attendre mon…

— Hé ! Mademoiselle ! aboya un homme d'affaires saoul quelques tables plus loin.

Il claquait ses doigts comme s'il appelait son chien.

— Combien de fois va-t-il falloir que je commande un Irish Coffee pour que vous me l'apportiez ?

Les larmes aux yeux, la serveuse regardait tour à tour Hélène, l'affreux bonhomme, puis de nouveau Hélène.

— Je suis désolée, monsieur. Je suis allée voir mais il n'était pas encore prêt.

— Les bonnes choses demandent du temps, vous savez ! commenta Hélène en affichant son plus beau sourire.

Ce mufle ne méritait pas la moindre indulgence mais si personne n'intervenait, cette pauvre gamine allait perdre son travail.

— Et nous sommes nombreux à passer des commandes aujourd'hui, ajouta-t-elle pour faire bonne mesure. Ce n'est pas sa faute.

L'homme éclata de rire, révélant d'affreux chicots jaunes. Hélène aurait parié son dernier dollar qu'il fumait le cigare.

— Oh, vous êtes une sacrée bonne femme ! Permettez-moi de vous offrir un verre.

Hélène lui adressa encore un sourire comme si elle était absolument ravie d'avoir attiré l'attention de ce beau mâle viril.

— Si je bois un verre de plus je ne serai plus en état de conduire, mentit-elle. Cette brave petite a fait des allers et retours au bar si souvent qu'elle doit avoir le tournis.

Puis, se tournant vers la serveuse, elle ajouta :

— Je n'ai besoin de rien, pour l'instant. Merci.

En s'éloignant, la fille eut l'air gênée mais profondément reconnaissante.

— Hé ! Dites donc ! Et si on se retrouvait tous les deux plus tard ! suggéra encore le malotru.

Il fut interrompu par l'arrivée de Nancy Cabot.

— Oh, je regrette, Hélène chérie ! Je suis en retard. J'ai mis un temps fou à traverser Georgetown, aujourd'hui.

Hélène se leva et son amie embrassa l'air à côté de ses deux joues pour épargner son rouge à lèvres, répandant dans la foulée des effluves lourds et surannés de Shalimar. L'homme aux dents jaunes avait dû reconnaître Nancy car il fit une grimace et lança un clin d'œil complice à Hélène.

— Ce n'est vraiment pas un problème, répondit celle-ci en invitant son amie à s'asseoir. Je profitais de l'atmosphère des lieux, en t'attendant.

— C'est un endroit merveilleux, n'est-ce pas ?

Nancy regardait par la baie vitrée, en direction du Washington Monument qui se dressait sous un ciel d'un bleu pâle.

Un instant, Hélène pensa que son amie allait lui sortir une phrase philosophique au sujet de la majesté de cette ville tant son regard fixait le lointain d'un air inspiré.

Mais ce ne fut pas le cas.

— Si seulement on pouvait démolir ces vieux immeubles délabrés, là-bas !

Elle indiqua le sud, montrant un quartier de logements

vétustes que les occupants s'efforçaient de remettre en état.

— Donne-leur un peu de temps, dit Hélène sur un ton détaché afin de ne pas montrer combien elle était affectée par cette remarque : elle désapprouvait la politique proposée par son mari. Tu sais, le programme de réhabilitation de la ville semble extrêmement bien engagé.

Nancy éclata de rire, persuadée de toute évidence qu'Hélène était sarcastique.

— À propos, j'ai oublié de t'en parler. Je crois que nous avons enfin trouvé l'endroit parfait pour la collecte de fonds concernant les DAR[1].

— Ah ?

Hélène s'efforça de paraître concernée malgré le profond détachement qu'elle ressentait. Elle n'était pas plus intéressée par les DAR que ne l'était Nancy par le renouveau urbain. À la seule différence qu'Hélène était obligée de feindre un semblant d'intérêt alors qu'elle aurait nettement préféré pouvoir éclater d'un gros rire franc comme venait de le faire Nancy.

— Et où pensez-vous l'organiser ?

— À Hutchinson House, à Georgetown. Tu connais ? C'est à l'angle de Galway et de M.

— Ah, oui ! C'est superbe !

Elle ne connaissait pas le lieu mais savait qu'en avouant son ignorance elle aurait à subir une conférence sur ceux qui l'avaient habité, les meubles qui s'y trouvaient et bien sûr leur coût. Franchement, Hélène n'aurait su dire combien de temps elle aurait pu afficher une expression polie sans se trahir.

— Bon. Alors pour ce qui est des enchères silencieuses..., commença Nancy.

1. *Daughters of the American Revolution* : organisme à tendance nationaliste et conservatrice regroupant des femmes descendant des patriotes de la guerre d'Indépendance. *(N.d.T.)*

Elle fut interrompue par l'arrivée de la serveuse.

— Je vais prendre un Manhattan, commanda Nancy.

Puis elle souleva un sourcil pour faire comprendre à Hélène qu'elle n'avait nullement l'intention de boire seule.

— Un cocktail au champagne, annonça Hélène tout en s'avouant que c'était là la dernière boisson au monde dont elle avait envie pour l'instant. Et un verre d'eau, ajouta-t-elle avec la ferme intention de se concentrer sur l'eau plutôt que sur le champagne. Merci !

Un autre serveur passa devant leur table et ses grands yeux dévorèrent Hélène du regard.

— Les hommes te remarquent, fit Nancy sur un ton nettement désapprobateur.

Pendant quelques instants, les bruits sourds des couverts contre la porcelaine, les murmures étouffés des voix commentant les derniers potins de la capitale emplissaient l'air qui semblait enfler, enfler, enfler…

— C'est seulement parce que j'ai commandé du champagne, expliqua Hélène avec légèreté. Les gens se demandent toujours ce qu'il y a à fêter, c'est tout.

Cela sembla satisfaire Nancy.

— Revenons-en à ce que nous disions. Ah, oui ! Nous fêtions l'endroit idéal pour le gala de charité. Bon, maintenant parlons du rôle que tu vas jouer dans tout cela. D'accord ?

Hélène n'était pas du tout d'humeur à ça. Elle avait toujours détesté ce genre de conversation concernant une cause qu'elle n'avait pas envie de soutenir et un coup de main qu'elle n'avait pas envie de donner. Mais comment agir autrement que de faire de son mieux, d'offrir le maximum pour ne pas entacher la réputation de Jim Zaharis ?

Parfois, elle l'en détestait d'autant plus.

Quand la serveuse apporta leurs boissons, Hélène

et Nancy portèrent un toast à l'actuelle présidente des DAR, une femme à face de crapaud qui avait déclaré un jour à plusieurs personnes qu'Hélène *avait été une vendeuse et le resterait toute sa vie*. Elle but une gorgée, bien déterminée à ce que ce soit la dernière.

Après vingt minutes d'un soliloque ininterrompu de Nancy au sujet des présidentes successives du DAR, Hélène jeta les armes et ingurgita le reste du cocktail.

Après tout, pourquoi pas ? Cela lui donnait autre chose à faire que de hocher stupidement la tête aux propos de Nancy et de glousser bêtement à ses blagues idiotes.

Le nombre de conversations ennuyeuses de ce genre que subissait Hélène était surprenant. Plus surprenante encore était l'indifférence que ressentaient les autres devant son ennui. Cependant, les banalités occupaient une grande partie de sa vie et, puisque Jim continuait à grimper les marches vers les hautes sphères de la politique, il lui semblait que cela serait sans fin.

Ainsi donc, Hélène acceptait son sort aussi paisiblement que possible. Dans l'univers de Jim, les gens se comportaient de manière terriblement égocentrique et ambitieuse. Il était très rare d'y rencontrer quelqu'un, quels que soient son âge, son sexe, son origine ou ses penchants sexuels, qui ne tuerait pas père et mère pour parvenir à ses fins.

Quiconque oserait affirmer qu'Hélène ne payait pas le prix fort pour son statut d'épouse serait injuste.

Nancy continuait à pérorer.

Et Hélène se contentait de sourire tout en faisant signe à la serveuse de lui apporter une autre coupe de champagne.

Plus tard, elle se ferait sûrement maudire d'avoir coupé son portable.

Hélène se laissa aller dans le fauteuil inconfortable en faux cuir du rayon chaussures d'Ormond's – récompense tout à fait méritée après avoir subi ces deux heures de conversation avec Nancy Cabot – et, dans son esprit, elle retournait en tous sens la colère inévitable de son mari, tel un bijou qu'elle envisagerait d'acheter.

Il détestait ne pas pouvoir la joindre.

Elle, en revanche, ne supportait plus qu'il y parvienne. Ces derniers temps, d'ailleurs, il y réussissait de plus en plus souvent. Où qu'elle soit, quoi qu'elle fasse, le téléphone sonnait systématiquement au plus mauvais moment.

En passant à l'église orthodoxe grecque afin d'y déposer des boîtes de conserve dans le cadre de la collecte alimentaire, elle s'était arrêtée un instant pour admirer la beauté reposante du nouveau vitrail décoré d'un médaillon représentant l'Annonciation, et le téléphone l'avait tirée de sa contemplation.

Alors qu'elle portait en équilibre quatre sacs en papier remplis de légumes bio – les seuls que Jim acceptait de manger ces derniers temps, du moins jusqu'à une nouvelle mode – tout en tenant son sac à main et ses clés et remontant l'interminable allée en brique rouge qui menait à leur porte d'entrée, son téléphone avait sonné. Mais la vibration soudaine l'avait tellement fait sursauter qu'elle en avait laissé tomber le sac contenant les œufs.

Comme lors de la distribution du potage poulet-vermicelles fait maison aux malades alités du Foyer du Sacré-Cœur. Elle était juste en train de passer un bol de soupe brûlante à une vieille patiente diabétique quand le téléphone avait sonné. Surprise, elle avait renversé le bouillon sur cette pauvre femme et sur ses escarpins Bally, ce qui était moins important, certes, mais non moins exaspérant.

Même aujourd'hui, il avait appelé pendant son entrevue avec Nancy, transformant cette conversation sans intérêt en un double pensum. Tout cela pour lui dire qu'il avait une réunion tardive et qu'il ne rentrerait à la maison qu'après le dîner et qu'elle allait devoir se débrouiller sans lui.

Nancy ne cessait de répéter à Hélène à quel point son mari était adorable et prévenant. Autant préciser que Nancy ne parlait pas le même langage que Jim. Elle ignorait en effet que « réunion tardive » signifiait qu'il allait rentrer avec une haleine chargée d'alcool et, sur sa peau, les traces du parfum d'une autre.

Cette hypocrisie mériterait presque une étude psychologique approfondie.

Le charismatique Jim Zaharis (son vrai prénom était Demetrius, mais il lui trouvait une consonance trop ethnique pour une carrière dans la politique américaine) se trouvait être le plus jeune sénateur du Maryland et se préparait à une belle bagarre en vue de fonctions plus importantes. Dans une ville comme Washington, les moindres faits et gestes d'une personnalité officielle, y compris ceux de son épouse, représentaient une proie idéale. Jim ne voulait *surtout pas* qu'Hélène le mette dans une situation gênante.

Cependant, comme de nombreux hommes brillants mais stupides avant lui, il croyait que ses propres indiscrétions restaient invisibles alors qu'il se montrait extrêmement tatillon sur ce que pouvait faire Hélène lors de ses sorties.

Depuis qu'elle était mariée avec lui, elle n'avait encore jamais, au grand jamais, fait quoi que ce soit qui puisse prêter à scandale. Pas de maître nageur, pas de relation lesbienne, pas de malversation… strictement rien !

Cela ne voulait pas dire qu'elle n'avait pas de secrets. Au moins les gardait-elle profondément enfouis.

En l'épousant, Hélène avait pourtant signé un pacte mais, trop naïve, elle n'y avait pas pris garde. Ce n'était pas le contrat de la bonne épouse, c'était pire. C'était le contrat de la femme trophée. Un contrat qui l'obligeait à toujours se montrer élégante, à s'investir occasionnellement dans des œuvres caritatives très en vue, à se joindre régulièrement au Déjeuner des Dames au country club, à sponsoriser une bonne œuvre locale et, le plus important de tout, à ne pas faire de bruit pendant que des petits morceaux de son âme se désagrégeaient.

Hélène était devenue redoutablement douée pour ce genre d'exercice.

— Hélène !

Une voix joyeuse et pleine d'entrain la tira de sa rêverie. Quand elle se retourna, elle aperçut Suzy Howell, l'adjointe au maire, accompagnée de son adolescente de fille.

— Suzy !

— Tu te souviens de Lucy, n'est-ce pas ?

Elle désigna une silhouette aux cheveux noirs devenus filasse après trop de ces teintures aux couleurs bizarres en vogue chez les ados branchés.

La gamine semblait tout à fait déplacée dans ce rayon de chaussures plutôt guindé et elle en était parfaitement consciente.

— Oui, bien sûr !

Hélène avait oublié son prénom et était soulagée que Suzy le mentionne.

— Comment vas-tu Lucy ?

— Je… euh…

— Elle va merveilleusement bien ! l'interrompit sa mère en lui jetant un regard qui aurait été beaucoup plus efficace si elle n'avait pas botoxé les expressions de son visage. En fait, elle s'est inscrite à Miami of Ohio. Tu étudiais également là-bas, n'est-ce pas ?

Oh, non… Ce n'était vraiment pas le genre de conversation qu'Hélène avait envie d'entamer. Surtout pas maintenant, alors qu'elle était encore un peu pompette après son déjeuner avec Nancy Cabot.

— C'est exact, répondit-elle en articulant lentement.

Pourvu que son haleine ne sente pas le champagne.

Puis, comme il semblait probable que Suzy et Lucy en sachent bien plus qu'elle-même sur cette université, elle s'empressa de préciser :

— En partie, du moins.

— Tu n'y as pas passé ton diplôme ?

— Non, j'y suis seulement restée pour ma première année. Il y a une éternité !

Suzy eut l'air déçue.

— Ah, bon. Et de quelle université es-tu diplômée ?

Hélène savait qu'elle aurait dû prendre des notes sur son passé inventé.

— Marshall University.

En fait, David Price y avait étudié et elle lui avait rendu visite là-bas assez souvent pour en connaître le campus.

David Price, qui avait été l'amour de sa vie jusqu'à ce qu'elle s'imagine pouvoir faire mieux et le quitte.

Et voilà ! Elle n'avait eu que ce qu'elle méritait !

— West Virginia, précisa Hélène sur un ton dont elle-même entendait la mélancolie.

À voir l'expression ahurie de Suzy, on aurait dit qu'Hélène avait fait ses études dans un pays du tiers monde.

— West Virginia ? Mon Dieu ! Comment la reine du campus d'Ohio a-t-elle pu atterrir dans un endroit pareil !

Hélène sourit sans une ombre de sincérité.

— C'est vraiment une bonne question.

— Je ne veux pas aller à West Virginia, grimaça Lucy avec dégoût.

Aucun égard pour Hélène qu'elle venait potentiellement d'insulter. Eh, oui ! C'était ainsi que les gens du coin considéraient West Virginia, persuadés que cette université était uniquement fréquentée par des balourds édentés qui se mariaient entre cousins.

En entendant les protestations de sa fille, Suzy éclata

de rire, montrant sans ambiguïté qu'elle partageait tout à fait son mépris.

— Ne t'en fais pas, ma chérie. Tu n'auras pas besoin d'y aller.

Puis, adressant un sourire particulièrement éblouissant à Hélène, Suzy demanda :

— Pourrais-tu écrire une lettre de recommandation pour Lucy ? Pour Miami of Ohio, bien sûr !

— Je serais ravie de le faire.

Que pouvait-elle répondre ? Rien. C'était son devoir de dire oui.

— Mais tu sais, ajouta rapidement Hélène, une recommandation émanant de Jim serait sûrement plus efficace.

Une lueur brilla dans les yeux de l'adjointe.

— Tu crois qu'il ferait cela pour nous ?

De toute évidence, c'était ce à quoi elle pensait depuis le début. Hélène n'avait vraiment pas à craindre qu'elle vienne fouiller dans son passé.

— Oh, j'en suis certaine.

Pour Jim, toutes les occasions étaient bonnes pour étaler son nom. Il apposait sa signature partout, sans se poser la moindre question.

Sur leur contrat de mariage, par exemple.

— Je demanderai à sa secrétaire de te passer un coup de fil, promit Hélène.

— Oh, mille fois merci ! s'exclama Suzy sur un ton mielleux.

Puis, labourant les côtes de sa fille avec son coude, elle ajouta :

— Mme Zaharis est vraiment adorable ! N'est-ce pas, ma chérie !

— Merci, concéda Lucy d'un ton morne.

Hélène leur adressa son sourire le plus policé.

— Oh, ce n'est rien.

Elle les regarda s'éloigner en se disant que sa vie, en ce moment, était remplie de ce genre d'échanges artificiels et insipides. Les gens voulaient se servir d'elle à cause de ses relations haut placées, mais cela ne la gênait pas outre mesure car son mari profitait de ces occasions pour élargir son propre réseau d'influence. Et Hélène avait depuis longtemps, depuis très longtemps, accepté ce contrat tacite, jouant le jeu afin de gagner une certaine tranquillité d'esprit sur le plan financier.

Ainsi, tout le monde y trouvait son compte.

Enfin, tout le monde sauf Hélène, tout bien réfléchi.

Dix ans plus tôt, si quelqu'un lui avait prédit ce que deviendrait sa vie, elle ne l'aurait pas cru. Or les choses avaient changé imperceptiblement au fil des ans jusqu'à ce qu'elle se réveille un jour en découvrant qu'elle vivait un conte de fées complètement moribond.

Constat horrible. Mais l'alternative, la vie qu'elle menait avant Jim, aurait été encore plus atroce.

Cela lui donnait sans doute un point faible. Pourtant Hélène se sentait prête à tout pour éviter de revenir en arrière. Et si Jim avait su la vérité sur ce passé, il aurait assurément payé le prix pour que cela ne se sache pas.

En échange, Hélène pouvait, quant à elle, acheter tout ce qu'elle désirait. C'était d'ailleurs ce qui l'avait conduite ici, au rayon chaussures d'Ormond, où elle échouait au moins trois fois par semaine.

Le plaisir qu'elle trouvait en ce lieu était fugace. Parfois il durait à peine le temps du trajet du retour grâce à tous ces sacs et toutes ces boîtes. Mais les premiers frissons de l'achat ne lui avaient jamais fait défaut.

Elle avait vécu trop longtemps sans les connaître pour les considérer maintenant comme allant de soi.

Pourtant, tandis qu'elle attendait dans son fauteuil que le vendeur aux cheveux châtains revienne avec la pile de chaussures qu'elle avait choisies en pointure 7½[1], elle se demandait si sa vie avait vraiment un sens.

1. 7½ correspond à une pointure 39.

Certes, pouvoir acheter absolument tout ce qu'elle voulait n'était pas négligeable, surtout après avoir supporté ces années de privation. Maintenant c'était facile. Et d'un grand réconfort.

Hélène n'achetait pas seulement des *choses*. Ça, elle en avait conscience, même légèrement pompette après tout ce champagne.

Hélène s'achetait de bons souvenirs.

Dans une vie dépourvue de chaleur émotionnelle, elle faisait de son mieux pour se créer des moments dont elle se souviendrait avec plaisir.

Dont elle se souviendrait autrement que comme une perte de temps entre naissance et mort.

Tant de fois, elle avait été enthousiasmée par la fragrance d'un parfum hors de prix ou par une robe de couturier irrésistible ou, plus souvent encore, par une paire de chaussures *belles à mourir*… se laissant transporter dans des exaltations inavouables, aussi bien au sens propre que figuré.

— Excusez-moi, madame Zaharis.

Une voix venait d'interrompre ses pensées. Le vendeur. Louis ou Luis… Ou peut-être se trompait-elle complètement. À moins que ce ne soit Bob.

— Oui ?

— Je regrette, mais je crains que votre carte ne soit refusée.

Il lui tendait la carte American Express avec une certaine circonspection, comme s'il tenait au bout des doigts une araignée morte trouvée dans sa salade composée.

Refusée ? C'était impossible.

— Il doit y avoir une erreur. Essayez encore une fois.

— J'ai essayé trois fois, madame.

Il sourit d'un air gêné et elle remarqua que l'une de ses dents, au fond de la bouche, était d'un gris assez foncé.

— C'est le montant qui ne passe pas, précisa-t-il.

— Six cents dollars ne passent pas ? demanda-t-elle, incrédule.

Incroyable. Normalement, cette carte autorisait les paiements illimités.

— Votre carte a peut-être été déclarée perdue et vous oubliez d'utiliser la nouvelle…

— Non, non.

Elle plongea la main dans son sac et en retira son portefeuille. Il était bourré de billets de un et de cinq dollars, une vieille habitude qui remontait à l'époque où ce genre de billets lui donnait l'impression d'être riche, ainsi que d'autres cartes de crédit. Elle choisit une Master Card argent et la lui tendit.

— Je m'en inquiéterai plus tard. Essayez celle-ci. Elle ne devrait pas poser de problème.

La voix d'Hélène était empreinte d'une brusquerie qu'elle ne se connaissait pas. Un ton impatient dont elle ne s'expliquait pas l'origine. Était-ce un reflet de son insatisfaction personnelle devant le sens profond de sa propre vie ou d'une simple frustration provoquée par les petits inconvénients pratiques du quotidien ?

Le vendeur – pourquoi ne portaient-ils pas des badges avec leur prénom, ici ? – s'éloigna d'un pas sautillant, la carte de crédit platine à la main, et Hélène s'adossa de nouveau dans son fauteuil, certaine qu'il reviendrait rapidement avec un coupon à signer. Ensuite, elle pourrait enfin partir avec ses achats.

Ou plutôt avec sa *proie*, comme aimait à plaisanter sa thérapeute, le docteur Dana Kolobner.

Une proie. C'était en effet l'impression que cela lui donnait. Elle le reconnaissait volontiers. Elle la choisissait pour satisfaire une faim. Puis, quelques heures plus tard, l'appétit revenait et elle avait besoin de plus. Ou plutôt… non. *Besoin* était un terme un peu fort. Hélène était assez réaliste pour savoir que tout cela était une affaire de *désir* et non de *besoin*.

Parfois, elle pensait tout laisser tomber pour aller rejoindre les Peace Corps[1]. Mais peut-être était-elle trop vieille avec ses trente-huit ans. Ou peut-être était-ce encore une autre occasion ratée alors qu'elle gâchait sa vie avec un homme qui ne l'aimait pas.

Et qu'elle n'aimait pas. Ou bien n'aimait *plus*.

Le vendeur revint, interrompant le fil de ses pensées. Dans son expression, quelque chose avait changé. Tout vernis de cordialité avait disparu.

— Je crains que celle-ci ne fonctionne pas non plus, annonça-t-il en lui tendant la carte du bout des doigts.

— Ce n'est pas possible.

Une sensation de peur, à la fois ancienne et familière, s'immisça dans son estomac. Elle sortit une autre carte, une carte qui débitait le compte professionnel de Jim. Réservée aux urgences.

Et de toute évidence, c'en était une.

Deux minutes plus tard, le vendeur était revenu. Cette fois, son visage exprimait le dégoût. Il lui tendit la carte… Elle était coupée en huit morceaux parfaitement égaux.

— Ils m'ont ordonné de la couper, dit-il sèchement.

— *Qui* vous a dit ça ?

Il haussa ses épaules maigrichonnes sous son veston gris mal coupé.

— La banque. Ils m'ont assuré qu'elle était volée.

— *Volée* !

Il acquiesça et souleva un sourcil exagérément épilé.

— C'est ce qu'ils m'ont affirmé.

— Je pense que je serais au courant si ma propre carte était volée !

1. Organisation américaine de coopération, spécialisée dans l'aide au tiers monde. *(N.d.T.)*

— Oui, sans doute, madame Zaharis. C'est cependant le message que l'on m'a transmis. J'ai dû agir en conséquence.

Elle ressentit sa condescendance de manière disproportionnée et s'efforça de ne pas laisser exploser sa colère.

— La moindre des choses aurait été de m'en parler avant de couper cette carte !

Il secoua la tête.

— Je crains que non. Ils ont exigé que je la détruise sur-le-champ sans quoi le magasin serait pénalisé.

N'importe quoi ! Hélène était absolument certaine que le vendeur avait pris un malin plaisir à découper la carte et se régalait encore plus en lui rapportant les morceaux. Elle connaissait ce genre d'attitude !

Elle le fusilla du regard et extirpa son portable de son sac.

— Excusez-moi, je vous prie, il faut que je passe un coup de fil.

— Bien sûr.

Quand il s'éloigna, elle le suivit des yeux, craignant qu'il ne revienne, au bout de cinq secondes, pour se pencher au-dessus d'elle et lui assener des commentaires désobligeants. Mais quand il arriva au fond du rayon, une fille passa la tête par la porte et dit :

— Xavier est au téléphone, Luis. Il paraît que tu as une fuite d'eau chez toi.

Luis. Hélène s'efforça de se rappeler son nom afin de savoir exactement à qui se référer dans la lettre cinglante qu'elle avait l'intention d'écrire au directeur du magasin.

Elle sortit de son portefeuille l'une des cartes qui avaient été refusées et composa le numéro inscrit sur le dos, appuyant d'un geste impatient sur les touches qui l'envoyèrent de menu en menu jusqu'à ce qu'un être humain lui réponde enfin.

— Wendy Noelle à votre écoute. Puis-je vous aider ?

— J'espère que oui, Wendy, répondit Hélène avec la voix

la plus mielleuse possible étant donné la situation. Pour je ne sais quelle raison, ma carte a été refusée dans une boutique, aujourd'hui. Je n'arrive pas à comprendre pourquoi.

— Je serais heureuse de vous aider. Veuillez attendre un instant, je vous prie.

— Très bien.

Hélène attendit, le cœur battant, pendant deux interminables chansons de musique country.

— Madame Zaharis ?

— Oui ?

— Cette carte a été déclarée volée, madame. Elle a été désactivée.

La jeune femme semblait sincèrement désolée.

— Mais je n'ai pas signalé de vol ! s'insurgea Hélène. Je suis actuellement dans le magasin et ils refusent de l'accepter.

— Vous ne pouvez pas l'utiliser si elle est déclarée volée.

Hélène secoua la tête même si son interlocutrice ne pouvait pas la voir.

— Ce doit être une espèce d'abus d'identité, non ? Qui a appelé pour déclarer ce vol ?

C'était la seule explication plausible.

— Un certain Deme-et-tris…

— Demetrius ? demanda Hélène, incrédule.

— Oui, Demeter Zaharis, bafouilla la jeune femme. Il a appelé pour déclarer que la carte avait été volée.

— Pourquoi ?

La question avait échappé à Hélène, même si elle savait pertinemment que personne, ici, ne pourrait lui donner de réponse satisfaisante.

— Je ne sais pas.

Une légère panique commençait à la gagner.

— A-t-on fait envoyer une carte de remplacement ? Pourriez-vous autoriser mon achat sur le numéro de ma nouvelle carte ?

— Monsieur Zaharis a demandé que nous n'envoyions pas d'autre carte, cette fois.

Abasourdie, Hélène hésitait. Elle aurait voulu protester, dire qu'il s'agissait d'une erreur, que quelqu'un avait dû appeler et annuler la carte en se faisant passer pour Jim, mais quelque chose, tout au fond d'elle-même, lui murmura qu'il n'y avait certainement pas d'erreur. Jim lui avait infligé cela délibérément.

Elle remercia son interlocutrice, coupa la communication et composa immédiatement le numéro de la ligne directe de Jim.

Il répondit à la quatrième sonnerie.

— Pourquoi as-tu appelé pour signaler que ma carte de crédit avait été volée ?

— Qui est à l'appareil ?

Elle pouvait imaginer son air suffisant et satisfait du vilain tour qu'il lui jouait.

— Pourquoi, répéta-t-elle d'une voix un peu plus sèche, as-tu résilié toutes mes cartes de crédit ?

Elle entendit son fauteuil grincer quand il changea de position.

— Permets-moi de te poser une question, demanda-t-il d'une voix sarcastique. N'aurais-tu pas quelque chose à me dire ? Quelque chose que tu m'aurais caché ?

L'estomac d'Hélène se serra comme un nœud coulant.

Qu'avait-il découvert ?

— Où veux-tu en venir, Jim ?

Doux Jésus ! Cela pouvait être tant de choses…

— Oh, je crois que tu sais très bien de quoi je parle.

Trop de possibilités lui vinrent à l'esprit.

— Non, Jim, je ne vois vraiment pas ce que j'aurais pu faire d'assez répréhensible pour que tu me coupes les vivres et que tu m'humilies en public. Penses-tu que ce soit positif pour ton image que ta femme passe pour quelqu'un qui se sert de cartes de crédit douteuses ?

— Positif pour mon image comme… euh… je ne sais pas… une *famille*, par exemple ?

Un silence tomba entre eux comme une balle de ping-pong, rebondissant hors d'atteinte.

Jim fut le premier à la frapper au bond.

— Ça ne te rappelle pas quelque chose ?

Son siège grinça de nouveau et elle l'imagina en train de remuer sur son postérieur, agité.

— Je croyais, poursuivit-il, que tu essayais de tomber enceinte. En fait, on se contentait de…

Elle pouvait presque le voir remonter les épaules d'un air contrarié.

— … de baiser ! lâcha-t-il après quelques secondes d'hésitation.

La manière dont il venait de cracher le mot la fit grimacer.

— Tu n'avais pas l'air de t'en plaindre !

Il ne se laissa pas aussi facilement détourner de son objectif.

— Tu m'as menti, Hélène.

— Et à quel sujet t'aurais-je menti ?

— Comme si tu ne le savais pas.

— Tu es fou, rétorqua-t-elle, persuadée que la meilleure défense était une attaque déterminée et convaincante.

— Je ne crois pas, non.

— Alors explique-toi, Jim.

Elle était prête à considérer son accusation comme pur bluff, mais il ajouta :

— Je suis au courant pour la pilule.

Culpabilité et colère la submergèrent aussitôt.

— Depuis quand fouilles-tu ma table de nuit ?

— Ta table de nuit ? J'ai dû passer à la pharmacie de G Street aujourd'hui pour acheter des médicaments et ils m'ont demandé si je voulais en profiter pour prendre le renouvellement de tes pilules.

Oh, merde. *Merde, merde et remerde*. Elle aurait

toujours pu s'en sortir avec un petit mensonge, prétendre qu'il s'agissait d'une vieille ordonnance ou que le pharmacien s'était trompé, mais elle avait dévoilé trop d'informations. Elle était fichue.

— Attends, Jim ! dit-elle, trop tard. Quelles pilules ?

— Les pilules contraceptives. Cela fait des mois que tu en prends, alors n'essaie pas de me raconter des histoires.

Quel dilemme ! Devait-elle essayer de nier ou carrément lui raconter la vérité ?

— Je les prends pour raisons médicales, dit-elle en mentant avec autant d'aplomb que si elle disait la vérité. Pour pouvoir être enceinte, je devais d'abord régulariser ma production d'hormones.

En entendant cette réponse, il laissa échapper un rire affreux.

— Si cela avait été le cas, tu m'en aurais parlé avant.

— Parce que tu es un mari gentil et ouvert ? railla-t-elle d'une voix dure.

— Tu es une menteuse, Hélène.

— C'est ce que tu prétends. Alors tu me punis.

— Je vais me gêner !

Devant tant de froideur, elle ne put réprimer un frisson.

— Pendant combien de temps ?

— Combien de temps penses-tu mettre pour tomber enceinte ?

— Tu plaisantes ? Tu vas me couper les finances jusqu'à ce que j'attende un bébé ?

C'était hors de question. Elle allait trouver un travail. Elle n'allait pas compromettre l'avenir d'un enfant pour le plaisir de faire du shopping.

— Je te verserai une petite rente, répondit-il. Pour les trucs vraiment nécessaires. Disons cent dollars par semaine.

— Cent !

— Je sais, c'est très généreux de ma part.

Cela faisait environ soixante centimes de l'heure pour supporter d'être mariée avec lui.

— Tu es ignoble !

Sur ce, elle coupa la communication.

Elle promena son regard autour d'elle, considéra les clientes riches et indifférentes qui s'affairaient dans le magasin, ignorant tout ce qu'elle avait enduré ces dernières années à se faire passer pour une femme bien dans sa peau, riche et insouciante. Cela dit, certaines devaient probablement partager son triste sort.

Comme cette femme, là-bas. Jolie. Trop jolie pour être née riche. Elle avait été achetée. On pouvait pratiquement voir son numéro de série tatoué sur son adorable petit derrière. Après tant d'années, Hélène était devenue experte pour faire la différence entre la vraie riche et l'imposture. Comme elle-même, d'ailleurs.

Les impostures portaient généralement une légère ombre d'incertitude sur leur joli minois.

Comme Hélène. D'une certaine manière, en dépit du compte en banque qu'elle partageait avec Jim, elle n'avait jamais pu ressentir ce sentiment désinvolte de pouvoir dépenser sans compter dont tant de clients d'Ormond's semblaient jouir. Il y avait toujours une espèce de menace qui planait au-dessus de sa tête.

La menace de la désapprobation de Jim.

Bon, mieux valait ne plus y penser ! Elle n'allait tout de même pas vivre à sa merci, satisfaire ses moindres désirs de paternité. Il était hors de question qu'elle lui obéisse au doigt et à l'œil !

Comme dans un rêve, elle se pencha en avant, fourra ses Jimmy Choo dans la boîte des Bruno Magli et referma le couvercle.

Elle se leva avec l'impression, par ce simple petit geste, de s'opposer à la force désapprobatrice de Jim. Oui, il l'avait rabaissée. Il l'avait humiliée, même, et avait laissé un vendeur lui annoncer la nouvelle. Mais elle ne le laisserait pas gagner cette manche. Jim ne la tiendrait pas en laisse en lui confisquant ses cartes de crédit.

Elle fit un pas, pensant bien plus au symbole de la distance mise entre elle et l'autorité de Jim qu'au fait, on ne peut plus concret, qu'elle portait toujours aux pieds des chaussures qu'elle n'avait pas achetées.

Mais je reviendrai, se dit-elle en avançant d'un autre pas. Ormond's ne se rendrait compte de rien, elle le savait d'expérience grâce au rayon costumes qu'elle avait tenu chez Garfinkels. Rayon où, d'ailleurs, le hasard lui avait fait rencontrer Jim. Dans les grands magasins, les détecteurs se trouvaient à mi-hauteur des portes parce que c'était là que les voleurs portaient généralement le fruit de leurs larcins.

Et puis Hélène ne se considérait nullement comme un vulgaire voleur à l'étalage. En tant que cliente fidèle, elle enrichissait les coffres d'Ormond's par dizaines de milliers de dollars. Doux Jésus ! Elle avait même abandonné une paire de Jimmy Choo en parfait état à l'endroit où elle avait essayé les Magli.

Cet acte était une nécessité incontournable. Elle trouvait les Bruno Magli tellement agréables à porter. Ce qui n'était sûrement pas le cas pour tout le monde. Certaines femmes les trouvaient inconfortables, mais celles avec des pieds *adéquats* les adoraient. Alors, pourquoi ne pas continuer à marcher ?

Bon. Soit. C'était peut-être un peu exagéré. Hélène ne marchait pas parce qu'elle se sentait particulièrement à l'aise dans ces chaussures. Elle marchait parce que cette échappée lui faisait un bien fou.

Elle les paierait plus tard. Sans problème. Dès qu'elle serait passée à la maison, où elle pourrait mettre la main sur du cash ou persuader Jim de lui donner de nouveau accès à ses cartes de crédit, elle reviendrait et expliquerait qu'elle était accidentellement repartie avec les Magli aux pieds et réglerait sa facture.

Pas de problème.

Ce n'était pas comme si elle les *volait*, tout de même ! À cette pensée, elle faillit pouffer de rire. Cela faisait plus de trente ans qu'elle n'avait rien volé et, même si elle était plutôt douée pour cela, elle n'était pas prête à reprendre cette fâcheuse habitude.

Son cœur battait à tout rompre et elle sentit ses joues rosir de plaisir. Cette fois, Jim n'allait pas gagner ! Comme c'était exaltant… Elle devrait sauter dans sa voiture, passer acheter une bouteille de champagne pour aller le boire à Haines Point en regardant décoller les avions au Reagan National Airport. Qui donc l'avait invitée à faire cela quelques années plus tôt ? Woody ? Oui, c'était bien lui. Il était tellement mignon. Il conduisait une Porsche 914, à l'époque où on trouvait cela branché. Tiens, qu'était donc devenu ce garçon ?

Hélène était presque dehors. Elle pouvait voir le ciel du crépuscule criblé d'étoiles au-dessus de l'horizon orange et rose, et une légère brise caressait déjà ses joues quand le système d'alarme se mit à hurler.

Pendant une seconde, elle fut déconcertée. C'était tellement bruyant ! Et ces lumières qui flashaient…

La culpabilité submergea Hélène et sa démarche se fit plus hésitante, mais elle s'efforça de poursuivre son chemin, essayant d'ignorer ce bruit strident du mieux qu'elle put. Après tout, dans la plupart des magasins, c'était un son que les clients, tout comme les vendeurs, ignoraient un nombre incalculable de fois par jour.

Mais comment rester indifférente à la deuxième alerte ? Derrière elle des pas s'approchaient et une voix d'homme l'apostropha :

— Madame, excusez-moi. Nous avons un problème. Pourriez-vous me raccompagner dans le magasin, s'il vous plaît ?

Chapitre 3

— Je porte mes talons aiguilles en cuir rouge…

Pieds nus, le téléphone collé contre l'oreille, Sandra Vanderslice traversa son appartement situé dans Adams Morgan, le quartier le plus vivant de Washington, à quelques pas de la Maison Blanche. Elle entra dans la cuisine pour y ouvrir la porte du frigo le plus discrètement possible.

— *Ooooh, bébé*, dit le type à l'autre bout de la ligne. *Je t'adore en rouge. Est-ce que tu portes aussi ton petit string rouge ?*

Avec mille précautions, Sandra sortit le jus d'orange du frigo et roucoula :

— Oui, exactement comme tu l'aimes.

Elle pencha le verre afin qu'il ne l'entende pas verser le liquide. Quinze centilitres. C'est tout ce qu'elle pouvait prendre. Elle remplit le reste du verre avec de l'eau.

— *Grrr… je te l'arrache avec les dents.*

Sandra laissa échapper un gémissement complaisant et revissa le bouchon sur la bouteille.

— Oh… oh… oh oui !

Gorgée de jus de fruits.

— *Tu me rends fou !*

Elle revint vers la télé, dans le salon.

— Mmmmm. Oui.

— *Et maintenant, je lèche ta chatte mouillée.*

— Mmmmm.

— *Tu aimes ça ?*

— Oh, bébé ! C'est tellement bon.

Elle avait répété ces mots tellement souvent qu'ils étaient devenus automatiques. Ils n'avaient plus aucun sens. C'était comme un mantra qu'elle répétait pour gagner un dollar quarante-cinq par minute en tant qu'opératrice de téléphone rose pour *Petites Amies Chic*.

Tu parles d'un chic !

Elle poussa un autre gémissement, espérant se montrer assez convaincante et s'installa sur le canapé.

— Ahhh... ahhhhh...

Puis, saisissant la télécommande, elle appuya sur la touche silence afin de faire défiler les chaînes jusqu'à la rediffusion du « Daily Show » qui était passé la veille au soir.

— C'est parfait, dit-elle en s'adressant plus à elle-même qu'à son interlocuteur.

Puis elle se mit en devoir de produire un peu plus de ces incontournables gémissements et grognements qu'affectionnaient tant ses clients tout en lisant les sous-titres d'une interview de Jon Stewart au sujet d'un politicien récemment impliqué dans une fraude.

— *Tu es tellement bonne...*, haleta-t-il. *Je pourrais... faire... ça... toute... la putain... de journée !*

— Oh, mais ne t'en prive pas, mon chou ! répondit-elle en pensant aux superbes bottes Pliner qu'elle avait repérées sur Internet.

À 175 dollars, c'était l'affaire du siècle !

— Continue... encore... encore...

Couleur chameau ou noire ? Ce type restera peut-être assez longtemps pour que je puisse me permettre d'acheter les deux. N'importe quoi... Il lui faudrait au moins deux heures pour en payer une paire. Aucun de ses clients ne pouvait durer aussi longtemps. Il fallait qu'elle le fasse tenir le plus possible et prier pour qu'il y ait deux autres appels aussi longs avant de fermer boutique pour aujourd'hui.

— Viens, viens…, répéta-t-elle en haletant.

Cela lui valut d'attirer l'attention de Merlin, son chat persan, qui sauta sur ses genoux, renversant le verre de jus d'orange sur ses vêtements.

— Merde ! hurla-t-elle, bien malgré elle.

Heureusement, son ami Burt trouva ce mot à son goût.

— *Oh, oui... sois vulgaire !* grogna-t-il. *Veux-tu que je te grignote encore la chatte ? Hein ? Comme ça, tu aimes ? Je te suce le clitoris.*

À une certaine époque, ce genre de langage aurait mis Sandra mal à l'aise. Elle avait grandi dans une famille très stricte où *zut* avait été le seul gros mot toléré, et encore ! Il fallait le réserver pour les grandes occasions…

Maintenant, tout comme son dialogue téléphonique, ce vocabulaire n'était plus qu'un simple bruit. Un bruit qui servait une fin : loyer, nourriture, factures d'électricité et nombreux achats en ligne.

Dans l'ensemble, Sandra gagnait assez bien sa vie.

— Oh ! cria-t-elle en retirant son T-shirt mouillé qui lui collait à la peau. Oh ! Oooooh !

C'était sans doute la première fois qu'elle ôtait un vêtement durant un appel.

— *Oh, tu es tellement bonne !*

Avec le petit coin encore sec, elle s'essuya.

— C'est vrai, je suis toute mouillée. Et j'ai un goût de fruit…, ajouta-t-elle pour s'amuser.

— *Mmmm, c'est bon…*

Elle simula un chapelet de soupirs, couronnés d'un gémissement bien senti.

— *Maintenant, je vais te baiser, salope ! Te baiser à fond !*

Sandra leva les yeux au ciel. Ce type jouait au gros

dur alors qu'en réalité, il ne devait être qu'une petite souris timide. Elle l'imaginait avec une épouse dominatrice ou, mieux encore, une responsable de service qui le terrorisait au travail.

Alors il payait pour qu'on lui fasse des compliments.

Et Sandra les lui faisait. Pour une somme assez rondelette.

— Ooooh, Burt. Tu es tellement fort. Tellement puissant.

— *Oh, dis-le-moi encore.*

C'est ce qu'elle fit, ajoutant quelques extras pour faire bonne mesure, puis elle posa le téléphone pour enfiler des vêtements secs. Elle attrapa la première chose qui lui tomba sous la main – une petite blouse taille 34 qu'elle voulait jeter depuis longtemps mais qu'elle continuait à garder en espérant qu'un jour elle lui irait parfaitement bien. Calant le combiné entre l'oreille et l'épaule, elle la boutonna. À vrai dire, pourquoi se donnait-elle la peine d'enfiler un vêtement ? Sandra était seule. Elle était seule *tout le temps* et pourrait probablement rester nue pendant trente-six heures d'affilée sans jamais se trouver en situation de devoir s'habiller.

Sauf, peut-être, pour se protéger des griffures de Merlin.

Le seul être qui lui tenait compagnie… Quelle tristesse ! Mieux valait ne pas y penser…

Burt monta en crescendo juste au moment où elle attachait le dernier bouton, qui resta en place quelques secondes puis céda.

Elle en aurait pleuré.

Au lieu de cela, elle se lança dans ce qu'elle faisait toujours pour se remonter le moral dans ce genre de situation.

Du shopping.

D'un geste décidé, elle mit son ordinateur en marche, lâchant encore quelques gémissements, un encouragement occasionnel, tandis que son interlocuteur atteignait enfin l'extase finale. Quand Burt en eut terminé, il fut pressé de raccrocher. Sans doute craignait-il de se faire surprendre par la responsable de service que Sandra avait imaginée un peu plus tôt. Elle arrêta donc le compteur.

Vingt-sept minutes.

Ce n'était pas extraordinaire, mais elle avait eu affaire à de petits jeunes qui tenaient bien moins longtemps que cela. C'était déjà pas mal.

Elle vérifia l'heure sur l'écran. Il n'était que midi quarante-cinq. Son prochain rendez-vous ne serait pas avant seize heures. Avec un peu de chance, elle pourrait remplir les trois heures suivantes avec des appels et commander les Pliners avant la fermeture de FedEx, le service d'envoi.

Heureusement, son travail était plutôt lucratif. Les hommes adoraient « Pénélope ». C'était sous ce nom qu'ils la connaissaient. Rien d'étonnant à cela : la photo qu'elle avait utilisée pour la biographie du catalogue était une merveille ! Pénélope avait les lèvres d'Angelina Jolie, le nez de Julia Roberts, la forme du visage et les yeux de Catherine Zeta-Jones, la tignasse blonde de Farrah Fawcett des années quatre-vingt et le corps irrésistible de la Cindy Crawford de 1991.

Sarah avait assemblé Pénélope toute seule, à l'aide de Photoshop, ajoutant une petite touche personnelle en remplaçant le lobe d'une oreille de Catherine avec le sien. Une manière de s'identifier un peu à cette Pénélope.

C'était tout de même génial d'être grande, mince et sublime, au moins dans sa propre imagination et dans celle d'innombrables hommes solitaires alors qu'elle-même était affublée, depuis toujours, d'une taille plutôt moyenne et d'un tour de taille… hum… bien au-dessus de la moyenne.

Le fait que sa famille soit très aisée et vive dans le quartier huppé de Potomac Falls n'avait jamais joué en faveur de l'intégration sociale de Sandra. En classe primaire, son physique lui avait valu le gentil sobriquet de

Mère Noël et, après une sortie de classe à la campagne, on l'avait même appelée miss Meeuuh !

De plus, les gens la comparaient infailliblement à sa très jolie sœur aînée Tiffany. Inutile de préciser que ce n'était pas en sa faveur. Tiffany la majorette, Tiffany la reine du campus, Tiffany l'étudiante super brillante dont se souvenaient tous les professeurs à la fac sans oublier ses admirateurs qui ne tarissaient pas d'éloges sur son sourire éblouissant et sa personnalité absolument ââââ-dorable.

Là où les cheveux de Sandra arboraient un brun fadasse, style pelage mulot commun, Tiffany pouvait se vanter d'une magnifique crinière blonde relevée d'une gamme de subtils reflets allant du blé doré au blond vénitien. Le nez de Sandra était droit et parfaitement quelconque alors que celui de Tiffany était fin et discrètement retroussé. Plutôt le type de profil que les femmes réclament à leur chirurgien esthétique. Les yeux de Sandra étaient couleur café brûlé, ceux de Tiffany vert prairie. Une fois de plus, le genre de nuance qu'on peut seulement obtenir de manière artificielle, avec des lentilles colorées.

Grandir à côté de sa sœur revenait à être piégée en permanence dans une publicité pour régimes minceur avec comparaison « avant/après ».

À ces injustices criantes de la nature venait s'ajouter une affection inégalement répartie de la part de leurs parents. Sans doute avaient-ils maintes fois affirmé à Sandra qu'elle se faisait des idées, mais rien ne pouvait tromper l'œil d'une adolescente en mal d'attention, jalouse d'une sœur particulièrement gâtée par les dieux.

Maintenant, Tiffany était enceinte et Sandra croisait les doigts pour que cela commence à se voir au moment des fêtes de fin d'année. Pour une fois, au moins, Sandra ne se sentirait pas grosse et ronde de façon exagérée lors des réunions familiales. Cela irait peut-être même jusqu'à changer sa relation avec ses parents. En fait, ce serait assez étonnant puisque leur fifille dorée à l'or fin allait avoir un bébé platine.

Courageuse, Sandra s'était tout de même inscrite au programme en ligne des Weight Watchers. Pendant que Tiffany allait grossir, Sandra allait mincir.

Un changement plutôt sympa, non ?

Elle y pensait, justement, en préparant une recette Weight Watchers : gnocchis de patate douce au gorgonzola et aux noix. Un plat délicieux. Le seul problème, c'était que les quantités recommandées semblaient bien chiches.

Sandra était pratiquement certaine de ne pas être la seule Weigt Watcher à partager cet avis. Même Tiffany, avec sa taille 34 quand elle n'était pas enceinte, dévorait quatre fois plus sans prendre le moindre gramme. Et pourtant, Sandra allait devoir respecter cette portion ridicule alors que Tiffany n'aurait jamais à rentrer dans ce genre de considération.

Depuis longtemps, Sandra avait compris que la vie n'était pas toujours juste. Et si elle voulait perdre un peu de poids, ou faire quoi que ce soit dans la vie, elle devrait respecter ces règles stupides, injustes, partiales et mal arbitrées.

La sonnerie du téléphone retentit deux fois.

Un autre client. Tant mieux.

Sandra saisit une fourchette en plastique, qu'elle gardait sous la main pour ce genre d'occasion car cette matière était nettement plus silencieuse que l'inox contre les parois de la jatte, et se précipita vers l'endroit où elle avait laissé son téléphone.

Prenant une profonde inspiration, elle se mit aussitôt dans la peau de Pénélope et appuya sur la touche verte.

— Pénélope à l'appareil…

Eh oui ! Pénélope minaudait parfois ainsi, tellement ravie de recevoir un coup de fil qu'elle devenait aussi suave et sensuelle que Marilyn Monroe.

— … et vous, comment vous appelez-vous ? s'enquit-elle, alanguie.

— Salut, Penny, répondit une voix familière. C'est Steve. Steve Fritz.

Ah, Steve ! Pourtant, elle lui avait répété plus de cent fois de ne pas donner son vrai nom, au téléphone, à des gens qu'il ne connaissait pas.

Mais ce n'était peut-être pas son vrai nom.

— Oh, salut, Steve !

Avec un certain soulagement, elle avait pu abandonner sa voix sexy. Steve était plutôt du genre bavard. Il voulait de l'attention, jamais d'érotisme. Elle appréciait ses appels mais culpabilisait tout de même de lui faire débourser 2,99 dollars la minute pour juste un peu de conversation…

— Encore une de ces sales journées, soupira-t-il.

Sarah s'installa confortablement sur une chaise.

— Oh, je suis vraiment désolée, mon chou. Que s'est-il passé ?

Pendant ces appels, elle n'était pas Pénélope. Ni Sandra non plus, d'ailleurs. Elle était… hum… difficile à dire… Elle incarnait quelqu'un qui n'était pas vraiment maternel, mais tout de même attentif et compatissant. Quelqu'un qui avait de l'assurance. Quelqu'un qui avait navigué avec succès sur les eaux tumultueuses de la vie, avait réussi à atteindre l'autre rive et était devenue plus sage et plus sereine.

Tout sauf la véritable Sandra.

— Je vous avais parlé de Dwight, vous vous rappelez ? Le gars du service courrier qui fait toujours des commentaires débiles chaque fois qu'il m'apporte le catalogue des jeux vidéo ?

Elle avait horreur des types comme celui-là. Elle en avait rencontré des centaines à l'école.

— Oui, cette espèce d'imbécile… Que s'est-il passé ?

— Eh bien… Je crois qu'il a inscrit mon nom sur

la liste d'envoi d'une lettre d'information pour transsexuels, souffla-t-il d'une voix tendue.

— Oh, non !

Quel crétin ! Quel épouvantable crétin ! Des types comme Dwight s'en prenaient à de braves gars comme Steve pour compenser la taille ridicule de leur zizi !

Peut-être l'avait-elle même déjà eu au téléphone.

Peut-être était-il de ceux qui adoraient qu'on leur « donne la fessée » parce qu'ils avaient été « un méchant garçon ».

Steve n'avait pas fini de s'épancher :

— Aujourd'hui, il a provoqué tout un cirque en apportant le journal au bureau. Ce qui veut dire que je vais me retrouver sur toutes sortes de listes d'envoi bizarres et que Dwight va se faire un plaisir de le crier sur tous les toits chaque fois que je recevrai du courrier.

Pauvre Steve. Si seulement elle pouvait lui conseiller de prendre des cours d'arts martiaux pour flanquer enfin une bonne raclée à ce misérable petit crétin. Mais elle avait entendu trop d'histoires aux infos au sujet de pauvres bougres qui avaient fini par se faire massacrer pour avoir suivi ce genre de conseils. Steve avait l'air d'être un gentil garçon, mais il avait sans doute de bonnes raisons d'appeler une inconnue du téléphone rose plutôt qu'un ami.

— Il faut que vous en parliez à votre patron.

— Si j'en parle à mon patron, j'attire son attention sur ma présence sur la liste d'envoi. Et s'il refuse de croire que Dwight est derrière tout ça ? Je ne peux rien prouver.

— Je sais, mais si vous êtes vraiment sur ces listes et que des lettres douteuses commencent à vous parvenir, votre patron sera de toute façon au courant, que vous le lui disiez ou non. Ne pensez-vous pas que ce serait mieux qu'il l'apprenne de votre bouche ?

Il y eut un silence. Un silence qui serait facturé à Steve. Entrer en contact direct avec les clients était cependant contraire au règlement et, si Sandra le faisait parfois pour aider Steve à économiser un peu d'argent, elle craignait de se faire pincer et d'avoir des problèmes.

— Il risque de ne pas me croire.

— Peut-être, mais si c'est vous qui faites le premier pas, ce sera plus crédible. Réfléchissez-y ! Si vous vouliez vraiment dissimuler un truc comme ça, est-ce que vous attireriez volontairement son attention dessus ?

Silence.

— Steve ?

— Vous avez sans doute raison…

— Il va forcément s'en rendre compte, non ?

— Je ne sais pas, Penny. Il n'est pas très intelligent.

Elle soupira. Ce pauvre bougre travaillait dans un bureau grouillant de Dwight. Niveau intellectuel zéro garanti !

C'était surtout pour cette raison qu'elle avait choisi ce travail un brin marginal pour gagner sa vie, plutôt que de se joindre aux rats qui sévissaient dans les bureaux de Washington.

— Steve ? Avez-vous déjà songé à chercher un autre job ?

Encore un silence.

— Oui, l'idée m'a déjà effleuré.

— Peut-être devriez-vous y penser un peu plus sérieusement. Vous n'avez aucune raison de supporter ce harcèlement. Vous travaillez pour une compagnie de télécommunication, n'est-ce pas ?

— Nous mettons en place des réseaux informatiques et des bases de données, essentiellement pour des grosses entreprises de distribution.

Sandra n'était pas trop sûre des compétences exigées par cette profession, mais elle n'ignorait pas que c'était un domaine de haute technologie.

— Alors je parie que vos compétences sont très recherchées. Surtout dans cette ville.

Steve lui avait déjà avoué habiter à Washington D.C. sans pour autant préciser où.

— Quittez cette boîte et présentez-vous aux entreprises qui recrutent.

— Je ne sors pas souvent.

— Vous devriez ! dit-elle avec superbe, consciente de sa propre hypocrisie. C'est important ! Ne vous enfermez pas dans des situations inextricables.

Le tout, c'était en effet de sortir de chez soi.

Enfin, pour certains…

Pour d'autres, comme Sandra, l'important, c'était surtout de rester chez soi, à pantoufler. Si elle n'avait pas ce travail-là, elle en aurait choisi un autre sans trop d'interactions sociales. C'était sa façon d'être. Elle était toujours étonnée quand ses parents lui racontaient qu'enfant elle adorait jouer avec ses petits amis. Pourtant, aussi loin que remontait sa mémoire, elle évitait toujours les goûters et fuyait les surprises parties, préférant se réfugier dans sa chambre. Elle aimait mieux lire que jouer à chat perché.

D'un autre côté, si elle préférait lire, c'était peut-être parce qu'elle n'aimait pas qu'on se moque d'elle.

Depuis toujours Sandra était mal à l'aise en compagnie de ses semblables. L'avait-elle ressenti principalement à l'école, confrontée aux vacheries de ses petits camarades… ou en famille, quand on ne pouvait s'empêcher de la comparer à la trop parfaite Tiffany… ? Elle n'aurait su le dire.

Certains affrontaient les traumatismes de leur enfance en leur faisant face, les traversant tête la première pour en émerger si différents qu'on s'émerveillait de leur métamorphose.

D'autres les abordaient plus calmement, en fonctionnant de façon normale, voire remarquable, en essayant de ne pas penser aux problèmes du passé.

Il y avait aussi ceux qui s'étaient tellement enfoncés

qu'ils ne parvenaient plus à retirer la boue de leurs chaussures. Ils pouvaient *sembler* normaux si les circonstances étaient normales, mais il demeurait toujours une faille en eux qui les fragilisait.

Certains cas extrêmes, vraiment extrêmes, glissaient même vers les meurtres en série ou le cannibalisme. Et puis il restait ceux qui combattaient leurs propres démons intérieurs sans que personne d'autre n'en souffre.

Cela se traduisait alors par une phobie des chiens, la crainte de parler en public ou une peur bleue des loutres.

Sandra n'avait pas de problème avec les loutres.

Non, Sandra avait peur de quitter la sécurité de son logis, d'affronter l'espace du dehors.

L'agoraphobie.

En fait, grâce à la magie du shopping sur Internet et aux livraisons à domicile, elle n'était pas sortie de chez elle depuis trois mois.

Oh, oui ! Sandra avait de vrais problèmes.

Aucun d'entre eux n'était trop gros, trop obscur, trop sérieux mais comme ils venaient s'ajouter à ses ennuis de poids, à sa timidité maladive et au sentiment que ses parents préféraient sa sœur en tout… cela faisait d'elle une personne névrosée qui risquait dangereusement de devenir une ermite accro aux jeux télévisés.

Sandra ne voulait pas de cela.

Elle savait qu'elle devait changer.

Elle ignorait seulement comment y parvenir.

Chapitre 4

Lorna traversa Montgomery Mall avec une paire de chaussures qui représentaient douze ans de remboursement, à raison de 2 dollars par mois, sans compter les intérêts.

C'était plutôt moche.

La galerie commerciale était fraîche, animée, et le brouhaha des conversations se mélangeait gaiement à la musique d'ambiance. Un doux mélange d'odeurs de cookies au chocolat, de frites, de hamburgers et de plats chinois venait titiller ses narines. Habituellement, cet environnement familier remontait le moral en berne de Lorna mais, aujourd'hui, en revenant vers le rayon chaussures d'Ormond's, elle avait l'impression de porter un bloc de granit sur ses épaules.

Il fallait qu'elle rende les Delman.

Elle n'avait guère le choix.

— Il faut que je rende celles-ci, dit-elle en arrivant au rayon chaussures.

C'était Luis, le même vendeur que la fois précédente. Un type grand et sec, aux traits coupés à la serpette, de petits yeux, des cheveux noirs coiffés en arrière et gominés dans un pur style mafiosi des années quarante.

Pourtant, elle n'avait pas souvenir de l'avoir senti

aussi menaçant quand il lui avait présenté les Delman avec une réduction de 30 %.

— Mais vous venez à peine de les acheter !

— Je sais ! Mais il faut que je les rende. Elles ne me conviennent pas, précisa-t-elle avec un sourire du style « je-n'y-peux-rien ».

— Qu'est-ce qui ne va pas ?

De toute évidence, Luis n'était pas un simple vendeur de supermarché qui suivait les procédures sans se poser de questions. Non, Luis allait s'impliquer, aller au fond du problème, sans doute de la manière la plus effroyable en mettant le doigt sur les dérapages financiers de Lorna, avant de la laisser repartir avec un crédit de caisse.

Même si son attitude arrogante ne la surprenait pas – grande spécialiste du shopping, elle reconnaissait de loin les vendeurs qui s'accrochent à leur commission – elle l'irritait prodigieusement. Mais le pire pour elle était de se sentir obligée de se justifier devant cette petite fouine qui ne manquerait pas de la juger.

— Elles ne vont pas avec la tenue que j'avais en tête.

Il souleva un sourcil noir dubitatif et Lorna l'imagina en train de s'épiler chaque matin, devant son miroir grossissant.

— Mais elles sont en cuir noir !

— Oui, justement.

Elle se força à ravaler toute explication supplémentaire. *Une robe bleue*, pensa-t-elle sans le dire. *Le noir ne convient pas. Il faudrait mettre de l'argent. Et en plus mes bijoux sont en or…* Des tonnes de mensonges, aussi minables les uns que les autres, lui vinrent à l'esprit mais elle ne pipa mot.

Hors de question de s'expliquer comme une gamine. Il en tirerait trop de satisfaction !

Avec un regard méprisant, il tendit la main pour prendre la note et son reçu de carte de crédit.

Mortifiée, Lorna attendit, priant Dieu que la transaction se fasse au plus vite afin de pouvoir sortir du magasin et ne plus jamais y revenir. D'ailleurs, que se passait-il chez Ormond's ? Pourquoi semblaient-ils n'avoir qu'un seul vendeur au rayon chaussures ? Et toujours le même ! Chaque fois qu'elle y mettait les pieds, elle espérait tomber sur un autre vendeur et 90 % des fois, c'était lui : Luis.

Il remplit le petit formulaire des retours, tendit le reçu et récupéra la boîte sur le comptoir en jetant à Lorna un regard qu'elle ressentit comme un châtiment. Peut-être était-elle particulièrement susceptible parce qu'elle se sentait abattue de devoir rendre ces chaussures… Quoi qu'il en soit, en sortant du magasin elle faillit se mettre à pleurer.

Et elle se détesta de réagir ainsi alors que des gens avaient des problèmes bien plus graves dans le monde.

Mais Lorna n'était pas complètement idiote, même si sa dette était la preuve du contraire. Maintenant qu'elle savait *où* elle en était et quelle erreur monumentale elle avait commise, elle était absolument déterminée à reprendre le droit chemin. Elle détruirait toutes ses cartes de crédit, ferait des heures supplémentaires… Bon sang, elle était même prête à manger du riz et des fayots pour économiser de l'argent et rembourser ses cartes de crédit.

La seule chose qui l'inquiétait, et elle se rendait bien compte que c'était pitoyable et terriblement égoïste, c'était le mal qu'elle aurait à se priver d'acheter des chaussures.

Les chaussures la rendaient heureuse.

Elle n'allait pas s'excuser pour cela, tout de même !

Certains buvaient, d'autres se droguaient, se comportaient comme de vrais obsédés sexuels ou faisaient subir des sévices atroces à des gens pour leur seul plaisir… Comparées à tout cela, une nouvelle paire de Ferragamo ici, des Ugg là… ce n'était vraiment pas très grave !

Bientôt, toutes ses chaussures ne tarderaient pas à être *très* usées… Qu'allait-elle devenir ?

Pauvre Lorna, une va-nu-pieds, trop fauchée pour faire ressemeler ses escarpins…

Quand elle arriva chez elle et interrogea son répondeur, elle trouva le message d'une collègue de travail qui lui demandait de la remplacer au restaurant où elles servaient toutes les deux le soir. Ravie d'avoir l'occasion de mettre immédiatement en action son programme de réduction de dette, elle accepta le remplacement.

Neuf heures plus tard, elle s'occupait du dernier client, Rick, un fanfaron qui était resté attablé près du bar pendant toute la soirée sans commander autre chose qu'une limonade par heure et un panier de chips. Elle avait déjà eu l'occasion de le servir. Assez souvent, d'ailleurs. Il venait au moins une fois par semaine et réussissait toujours, Dieu sait pourquoi, à prendre une table dans sa section. Ce n'était pas de chance. Ce pingre ne laissait pratiquement pas de pourboire.

Pire : c'était un bavard impénitent. Parler. Parler. Parler… Il voulait connaître tous les détails sur les clients du restaurant et du bar. Elle se dit qu'il devait être en train de se chercher une nana, mais la chance n'était pas au rendez-vous. Pas étonnant ! Ce radin n'avait probablement jamais offert un verre à une fille de sa vie !

Et pour le moment, Rick empêchait Lorna d'aller se reposer et elle lui en voulait deux fois plus. Quand il demanda enfin la note, elle soupira, soulagée.

— Puis-je vous apporter autre chose ? fit-elle pour le principe tout en souhaitant qu'il dise non.

— Non. Juste la note.

Elle la tira de sa poche et la posa devant lui.

— J'encaisserai quand vous serez prêt, dit-elle.

— Une minute, mon chou. Je suis prêt tout de suite.

Il jeta un coup d'œil au papier, ouvrit son portefeuille et en sortit un billet de dix, suivi de deux billets de un dollar.

— Gardez la monnaie, ajouta-t-il, grand prince.

Elle avait horreur qu'on se fiche d'elle mais son éducation lui imposait de rester polie à tout prix.

— Merci beaucoup.

Résignée, elle glissa l'argent dans sa poche. Tant pis, elle rembourserait ses dettes centime après centime s'il le fallait.

Plus tard, dans la soirée, Lorna installée au bar, ses pieds en compote posés sur un autre tabouret, comptait les pourboires.

— Pas terrible ? demanda Boomer, le barman.

C'était un type baraqué de près de deux mètres avec un visage taillé à la serpe, mais ses yeux d'un bleu délavé semblaient toujours très compréhensifs. On prétendait qu'il avait été sélectionné par les Redskins[1] quelques décades plus tôt, mais qu'il s'était blessé lors d'un entraînement. Depuis, il travaillait comme barman dans différents établissements.

Lorna ignorait si c'était vrai car Boomer ne parlait jamais de lui-même ni de son passé mais, vu sa taille impressionnante, c'était fort probable.

— Voyons voir..., dit-elle en entassant les billets sur le zinc parfaitement reluisant du comptoir. La table des minettes qui ont reluqué les musiciens toute la soirée en descendant pour 300 dollars de bellinis a laissé 5 dollars. Et cet imbécile de Earl Joffrey, le reporter télé qui a la réputation de ne laisser que des pourboires ridicules, m'a honorée de sa petite monnaie : 77 cents.

— Comment lui as-tu rendu sa monnaie ? demanda Bommer en plongeant quelques tasses dans l'évier. Les gros billets, ça l'énerve.

— Je sais bien ! Je lui ai refilé *dix-sept* billets de un dollar.

1. Équipe de football américain de Washington. Leur logo est une tête de Peau-Rouge. *(N.d.T.)*

Boomer vida une bouteille de bière entamée et la jeta dans le panier de recyclage dans un gros *clang*.

— Et 77 cents.

Lorna laissa échapper un petit rire amer.

— Oui, et 77 cents. Quel grippe-sou ! Ne regarde jamais Channel Six News !

— Dieu m'en garde !

Tod, l'un des collègues de Lorna, s'arrêta à leur hauteur et posa une note sur le bar.

— La dernière de la soirée. Trente-quatre pour cent de pourboire. Quand j'ai vu entrer Earl Joffrey, j'ai vite fait une petite prière pour qu'il ne s'assoie pas dans ma section.

Puis, envoyant un coup de coude affectueux dans les côtes de Lorna, il jouta :

— Désolé, ma belle.

— Tu parles ! Je sais que tu ne l'es pas ! plaisanta-t-elle en passant le bras autour de sa taille de rock star.

— Tu as raison. Mais figure-toi que *moi* j'ai un rencard ce soir. Ta daaa !

— Maintenant ? Mais il est super tard !

— Pas pour tout le monde, Mémé !

Tod éclata de rire.

Lorna se souvint d'avoir ressenti cette même énergie quand elle avait des rendez-vous avec ses amoureux. Il devait y avoir des siècles de cela.

— J'ai rencontré le type le plus incroyable, continua Tod. Nous nous retrouvons à Stretson's à une heure et demie. Et ensuite… qui sait ?

— *Moi*, je sais.

— Hé ! Le principe des quatre B, c'est ça ? Bois, Bouffe, Bidonne-toi et Baise[1]…

Tod était de ces garçons qui n'avaient aucun com-

1. Correspond aux *Four big L* anglais : *Live, Love, Laugh and get Laid. (N.d.T.)*

plexe. Lorna fit un rapide inventaire des principes qu'elle n'appliquait pas en ce moment et se sentit encore plus déprimée. Mais elle embrassa Tod, lui souhaita de bien s'amuser et de boire un verre à sa santé, ce qu'il ne ferait sans doute pas.

— Très bizarre, ce garçon, commenta Boomer quand Tod fut parti. J'espère qu'il se montre prudent.

— Ne t'inquiète pas, j'ai abordé LE sujet avec lui. C'est un sacré coquin mais un coquin prudent. Moi, en revanche, je suis une nonne épuisée.

Boomer lui adressa un sourire affectueux.

— Au moins tu ne prends pas de risques pour ta santé.

— On peut voir ça comme ça, soupira-t-elle en glissant l'argent dans son porte-monnaie. Je vais rentrer chez moi. Fais passer le message comme quoi j'accepte tous les remplacements, tu veux bien ? N'hésite pas à leur donner mon numéro de téléphone.

Boomer, qui était en train d'essuyer un verre, s'arrêta et la considéra un instant.

— Est-ce que tu as un problème, ma petite ? En dehors d'être épuisée et célibataire ?

Lorna sourit.

— Non, tout va bien. Vraiment.

Il n'eut pas l'air très convaincu.

— Alors pourquoi ces heures supplémentaires ? Si tu as besoin que je te prête de l'argent, je pourrais…

— Oh, mon Dieu, non ! dit-elle en riant. Boomer, tu es trop adorable, mais non, je te remercie.

Comment faisait-il pour maintenir une telle stabilité financière ? Ça restait un mystère pour elle. C'était certainement grâce à ses rapports avec la Fédération nationale de football plutôt qu'à ses petits jobs de barman.

— Il faut que je travaille davantage pour essayer de rembourser mes dettes.

Il hocha la tête d'un air entendu.

— Ah ! Les cartes de crédit ?

— Exact !

— Je ne voudrais pas me mêler de ce qui ne me regarde pas, mon chou, mais un type est venu ici il y a quelques semaines. Il travaille comme conseiller en crédit. Tu as déjà entendu parler de ça ?

Un conseiller en crédit. Le genre de bonhomme qui allait lui coûter cent cinquante dollars de l'heure et accepter les cartes de crédit.

— Et que fait exactement un *conseiller en crédit* ?

Boomer sourit.

— Une chose est sûre, c'est qu'il boit beaucoup de gin. Mais il dit que son agence aide les gens à mieux contrôler les dettes et à obtenir de meilleurs taux d'intérêt.

Lorna songea aux deux cartes de crédit qui lui prélevaient vingt-neuf pour cent d'intérêt et se rassit.

— Vraiment ? Comment ?

— Il m'a tout expliqué. Absolument tout. Ils négocient un contrat avec les banques. Je suppose que celles-ci préfèrent toucher un cinq pour cent sûr au lieu de ne jamais voir la couleur de leur quinze pour cent et des poussières...

Quinze pour cent ? Cela semblait déjà un beau cadeau. Mais cinq ? Lorna n'eut pas à sortir sa calculette pour savoir qu'un taux d'intérêt plus bas lui permettrait de rembourser plus vite ses dettes et de sortir de cet engrenage.

— Tu sais comment s'appelle cette boîte ?

— Il m'a laissé sa carte de visite. Elle doit être par là, quelque part.

Boomer alla vers la caisse, l'ouvrit et sortit une carte de l'un des compartiments. Il la tendit à Lorna.

PHIL CARSON – CONSEILLER EN CRÉDIT SENIOR.
ENTREPRISE À BUT NON LUCRATIF.

— Garde-la, ajouta-t-il sur un ton tellement insistant qu'elle ne put refuser.

— Bon, d'accord. Je te remercie.

Elle glissa la carte dans son sac à main en même temps que ses maigres gains de la soirée tout en sachant qu'elle l'oublierait probablement avant même d'arriver à l'appartement.

— Et pourquoi t'a-t-il donné sa carte ?

Boomer éclata de rire.

— Il voulait que je la passe à Marcy. Je crois qu'il a le béguin pour elle.

Bien sûr ! Tous l'avaient ! Marcy était une superbe poupée blonde qui repartait systématiquement avec cent dollars de pourboire tous les soirs et parfois même avec de vieux messieurs qui trouvaient son 90 D siliconé digne d'un joli supplément. Elle tarifait ses nuits et sa discrétion, ce qui convenait parfaitement à ces coquins. Et ce n'était pas un prix que ce brave Phil Carson, conseiller à but non lucratif, était prêt à payer.

Lorna replongea la main dans son sac.

— Tu devrais peut-être essayer de la lui donner quand même.

Il l'arrêta d'un geste de la main.

— Je l'ai fait. Elle a daigné y jeter un coup d'œil rapide avant de dire que c'était hors de question.

Puis, après un clin d'œil complice, il ajouta :

— Ce doit être le côté « à but non lucratif » qui a dû la refroidir.

Lorna éclata de rire.

— Bon, merci. C'est peut-être un signe du destin. N'oublie pas de penser à moi pour les remplacements.

— Promis ! Et toi, n'oublie pas de venir me parler si tu as des soucis, d'accord ? Nous vivons dans un monde impitoyable et cela me ferait vraiment de la peine qu'une chouette fille comme toi galère toute seule.

Lorna sourit malgré les larmes qui vinrent mouiller ses yeux. Elle se pencha impulsivement par-dessus le bar et serra Boomer dans ses bras.

— Merci, Boomer. Tu es le meilleur.

En reculant, elle remarqua qu'il avait rougi jusqu'aux oreilles.

— C'est bon, dit-il en faisant un geste avec le verre à vin qu'il essuyait. Fiche le camp d'ici.

Il était plus de deux heures du matin quand elle arriva chez elle. Dès qu'elle alluma la lumière – soulagée que l'électricité soit rétablie – elle se dirigea vers l'ordinateur et le mit en marche malgré sa fatigue.

Il fallait absolument qu'elle décommande quelques chaussures sur divers sites Internet.

La gorge serrée, elle engagea son moteur de recherche vers Shoezoo.com, un site sur lequel elle avait passé des heures merveilleuses ces derniers temps. Un clic sur MON COMPTE et les mots BIENVENUE LORNA s'affichèrent à l'écran.

Cela la faisait sourire d'habitude, mais ce soir elle éprouvait seulement une profonde tristesse. De se sentir triste pour une raison aussi futile n'arrangea rien.

Elle remonta jusqu'à sa dernière commande – tâche pour le moins compliquée étant donné qu'il y en avait au moins une vingtaine d'affichées – et chercha longuement la touche ANNULER COMMANDE.

Minuscule. Comme si les dirigeants du site connaissaient suffisamment bien leurs clientes pour savoir qu'elles hésiteraient à appuyer sur cette petite touche traîtresse.

Lorna cliqua sur le lien hypertexte de sa commande. De jolies mules roses avec un nœud. Elle pouvait déjà les imaginer à ses pieds à l'occasion d'un agréable déjeuner au soleil, quand les hommes portent l'incontournable tablier EMBRASSEZ LE CUISINIER pendant que les femmes boivent du mousseux en se moquant de leurs compagnons machos et que les enfants poussent des cris aigus en jouant à chat.

Ce n'était pas très glamour, mais c'était la *vraie* vie.

Jadis, il y a très longtemps, Lorna avait dû être l'un de ces enfants heureux. L'idée que ce soit *cela* être adulte restait encore profondément enracinée dans son for intérieur. Impossible de s'en débarrasser.

Ces chaussures, soudain plus importantes que jamais, coûtaient à l'origine 380 dollars. Aujourd'hui, sur Internet, elles n'étaient plus qu'à 75 dollars. Ce n'était pratiquement rien pour de tels chefs-d'œuvre impérissables de l'art portable… Elles symbolisaient une époque dans l'histoire. Sans elles, Lorna ressentait la certitude irrationnelle de passer à côté de quelque chose. Annuler une commande revenait pratiquement à renoncer à un investissement très prometteur. Comme si elle disait à un Bill Gates des années soixante-dix que son idée semblait trop risquée.

Peut-être ferait-elle mieux d'y réfléchir ? Peut-être n'était-il pas absolument nécessaire d'annuler ces commandes-là, étant donné l'extraordinaire opportunité qu'elles représentaient ? Au lieu de cela, elle devrait s'engager solennellement à ne plus continuer à regarder les chaussures, aussi bien dans les vitrines que sur Internet.

Laissant le curseur clignoter sur son écran, elle se leva et se mit à arpenter la pièce, envisageant les différentes possibilités. Il n'y avait aucun doute sur la question : ces 75 dollars représentaient une dépense intelligente. En fait, théoriquement, elle pourrait garder ces merveilles dans leur boîte, impeccables, et les revendre un jour en tant que *vintage*, modèle d'époque. Ce serait vraiment une opération très censée.

Elle décida de consulter son courrier pour vérifier s'il n'y avait rien d'urgent qui l'empêcherait de s'offrir cette toute petite gâterie. La facture d'électricité était payée. Elle était pratiquement certaine que celle du gaz l'était aussi. Et, étant donné que West Bethesda avait accepté son paiement pour l'électricité, quelques-unes au moins de ses cartes de crédit devaient encore fonctionner.

Elle se dirigea donc vers la petite pile de courrier dans l'entrée pour les passer au crible.

Une adresse d'expéditeur attira son regard :

CREDIT AUTO & CO.

Son estomac fit un looping.

Cela faisait effectivement au moins un mois ou deux qu'elle n'avait pas réglé les traites de sa voiture. Crédit Auto & Co se montrait toujours tellement tolérant qu'elle laissait volontiers passer un ou deux paiements. Avec un taux d'intérêt de moins de six pour cent, le remboursement ne semblait pas des plus urgents.

Lorna déchira l'enveloppe, s'attendant au plus à deux mois de retard. Deux cent soixante-dix… multiplié par deux. Cinq cent cinquante-six dollars… Elle les aurait bientôt.

Mais quand elle sortit la lettre, des mots en gros caractères se jetèrent sur elle comme dans un film d'épouvante :

TROISIÈME AVIS : SAISIE DU VÉHICULE.
Le 22 juillet.

Le 22 juillet ? C'était aujourd'hui !

Ils allaient saisir sa voiture !

Dépitée, Lorna mit le papier en boule et le jeta contre le mur en hurlant des mots qui lui auraient valu des mois de colle dans son école catholique.

Comment cela avait-il pu arriver ? Le cœur battant, elle fit les cent pas, éperdue. Finalement, elle se laissa choir dans son canapé – celui-là même qui serait sûrement saisi le mois prochain – et cacha son visage dans les mains.

Qu'allait-elle devenir ?

Impossible de faire appel à sa belle-mère. Lucille lui avait bien fait comprendre que le prêt de dix mille dollars qu'elle lui avait accordé à la mort de son père serait le premier et le dernier. C'était la seule chose dont Lorna hériterait dans sa vie. Normal puisqu'une partie de l'argent de l'assurance vie avait été engloutie par le remboursement de l'emprunt de la maison de son père.

Sept ans plus tôt, ces dix mille dollars avaient été comme une bouée de sauvetage, bien que Lorna ait répugné à s'en servir pour éponger ses dettes frivoles. Elle avait alors juré de ne plus jamais faire aucun achat avec une carte de crédit pour le restant de ses jours.

Comment s'était-elle débrouillée pour recommencer encore, et encore et encore ? Elle aurait été incapable de le dire. Cependant, il y avait quelques dépenses justifiées dans tout cela : des honoraires de médecin, de la nourriture… juste assez pour qu'elle replonge. Juste assez pour qu'elle retombe mentalement dans le « quelques billets de plus ne feront pas de différence ».

C'était une mort financière à coups de dollars.

Plongée dans ses réflexions, Lorna se tordait nerveusement les doigts. Il fallait absolument qu'elle trouve une solution. N'importe laquelle. Vendre ses bijoux, faire des heures supplémentaires, cambrioler une supérette…

Elle allait perdre sa voiture !

Comment diable allait-elle se déplacer ?

La réponse lui parvint avec une aisance effrayante. Elle aurait besoin d'une *très* bonne paire de chaussures de marche.

Cette pensée fut suivie d'un long silence, immédiatement troublé par une terrible prise de conscience.

Cette situation était ridicule.

Elle avait un sérieux problème.

Sans se donner le luxe de reconsidérer la question, elle passa d'un site à l'autre, annulant des commandes en pleurant comme un enfant à qui l'on retire ses cadeaux de Noël.

Quand Lorna en eut fini avec les sites spécialisés en chaussures, elle sortit la carte que lui avait confiée

Boomer un peu plus tôt. Celle dont elle pensait ne jamais devoir se servir un jour.

PHIL CARSON – CONSEILLER EN CRÉDIT SENIOR

Faisant appel à la prudence dont elle se servait en tout, sauf pour l'achat des chaussures, elle engagea une recherche sur ce nom dans Internet, vérifiant s'il était digne de confiance.

Son agence était répertoriée par le Better Business Bureau, un organisme garantissant une certaine déontologie dans le monde des entreprises. C'était bon signe. Mieux encore, son nom n'apparaissait pas dans les plaintes enregistrées pour une quelconque fraude. Apparemment, il était irréprochable. Elle l'appellerait demain, à la première heure.

Enfin, après avoir joint Crédit Auto au sujet de l'emprunt pour sa voiture. Elle paierait par téléphone avec sa carte de crédit.

Puis, du plus profond des ténèbres, aussi malheureuse que si elle avait perdu un être cher, Lorna eut une idée.

Elle entra sur le site du bulletin des informations de quartier, où étaient affichées des petites annonces allant du baby-sitting aux heures de ménage en passant par la vente de têtes réduites et celles de matelas d'occasion. Non, aucun intérêt.

Elle se rendit alors sur une adresse qu'elle affectionnait tout particulièrement : Gregslist.biz et survola toutes les offres, que ce soit celles d'objets insolites ou de groupes de soutien pour accros aux barres chocolatées Twinkies. Elle était même prête à parier qu'il devait y avoir un club pour les *aficionados* des fraises Tagada.

Cela faisait de ce site l'endroit idéal pour passer une annonce qui, avec un peu de chance, remettrait une petite partie de sa vie sur de bons rails.

Shoe Addicts Anonymes : *Êtes-vous comme moi ? Vous aimez les chaussures mais ne pouvez pas continuer à en acheter ? Vous chaussez du 7½ médium et êtes prête à échanger – entre autres ! – vos Manolo contre des Magli… Les mardis soir dans le quartier de Bethesda, e-mail : Shoegirl2205@aol.com ou appelez le 301-555-5801. Nous pouvons peut-être nous entraider.*

Chapitre 5

Aussitôt rentrée chez elle ce soir-là, Hélène resta pendant près d'une heure sous sa douche, essayant désespérément d'effacer le souvenir, et surtout l'odeur, de son après-midi passé dans le bureau de la sécurité d'Ormond's. L'endroit empestait le mauvais café, le polystyrène chaud, la peinture humide et les relents d'urine.

Elle était restée prostrée, immobile comme une pierre, pendant que le jeune milicien boutonneux tapait son rapport, se sentant terriblement agressée par des mots comme *vol à l'étalage* et *arrestation* qui jaillissaient de son écran pour lui sauter en pleine figure.

Il est vrai qu'elle aurait pu dire beaucoup de choses. Qu'elle avait été troublée par la débâcle des cartes de crédit et s'était trompée en enfilant les chaussures, qu'elle retournait seulement à la voiture pour y chercher une autre carte et n'avait pas pensé à d'abord retirer les escarpins. Elle aurait même pu prétendre qu'elle avait eu besoin de prendre l'air à cause d'un malaise, laissant exprès l'autre paire de chaussures pour indiquer qu'elle allait revenir aussitôt.

Mais Hélène ne voulait pas s'accorder ces excuses. Peut-être plus tard. Tout d'abord, elle avait gardé le silence, sans réfuter ni alléguer les accusations. Elle s'était sentie tellement abattue qu'elle avait été incapable de faire autre chose que d'attendre.

Elle ne reprit vie que lorsque le directeur du magasin entra et la reconnut. Il savait *qui* était son mari et imaginait parfaitement les répercussions que cet incident pourrait avoir sur sa carrière politique, et même sur le magasin. Prudent, il l'avait laissée partir en marmonnant qu'il s'agissait sans doute d'un malentendu.

Le directeur, l'agent de la sécurité, l'épouvantable vendeur, quelques autres clients et bien sûr elle-même, savaient pertinemment que ce n'était pas le cas.

Hélas, la maison se révéla un piètre refuge. Jim ne s'y trouvait pas et, quand elle franchit le seuil, leur bonne Teresa l'accueillit avec son habituelle courtoisie glaciale.

Hélène était directement montée dans sa chambre que Jim appelait son *boudoir*. C'était son espace bien à elle tandis que lui s'en était réservé un au rez-de-chaussée.

Dès qu'elle eut ôté ses vêtements, elle passa sous une douche brûlante, se savonna vigoureusement, se lava les cheveux et se débarrassa des poils superflus d'un coup de rasoir jetable avant de s'offrir un luxe bien mérité : laisser couler l'eau bien chaude sur sa nuque raidie par le stress.

Puis elle enfila son peignoir, démêla ses cheveux et les sécha, mit sa chemise de nuit, se brossa les dents, appliqua sa crème de nuit préférée et rangea le tout avant de s'autoriser enfin à s'asseoir sur le bord de son lit.

Et pleurer.

Elle s'accorda dix bonnes minutes. Puis, elle se redressa, s'aspergea le visage d'eau froide, et reprit ses occupations.

Pourvu que la nouvelle ne se soit pas ébruitée ! Elle alla chercher son ordinateur portable, le mit en marche et consulta les sites de tous les journaux locaux : Washingtonpost.com, Gazette.net, UptownCityPaper.net, etc., tapant son nom dans chaque fenêtre de recherche, attendant de voir s'il y avait des échos récents de l'affaire.

Fort heureusement, elle ne trouva rien ! Rien dans aucune des rubriques qui auraient pu mentionner ce genre de potin. Même les plus impitoyables n'y faisaient pas allusion. Tant mieux !

Avec un soulagement indicible, elle laissa échapper un profond soupir et se connecta sur le site Gregslist.biz pour s'abandonner à un autre de ses passe-temps favoris : consulter les annonces d'appartements situés dans ses quartiers préférés. Si seulement elle pouvait se trouver un petit nid bien à elle, s'échapper loin de Jim et des obligations fastidieuses liées à son statut de « femme de... ».

Un jour, qui sait, ce rêve pourrait se réaliser et... peut-être aurait-elle l'occasion de se lancer dans un projet innovant qui lui permettrait de gagner sa vie sans compromettre la réputation de Jim dans la haute société de Washington ?

Elle tapa « Adams Morgan », l'un de ses quartiers préférés du Columbia District, puis « Tenleytown », Woodley Park » et enfin « Bethesda ».

Comme d'habitude, des offres d'appartements ou de maisons s'affichèrent pour tous ces quartiers mais elle connaissait déjà la plupart d'entre elles. En revanche, sous la rubrique « Bethesda », une annonce qu'elle n'avait jamais vue auparavant attira son attention.

Shoe Addicts Anonymes.

Tiens, tiens...

L'ironie de ce titre frappa immédiatement Hélène et sa première réaction fut d'en vérifier la source pour s'assurer qu'elle n'était pas tombée sur un compte rendu de son petit larcin. Ridicule. Cela n'avait rien à voir avec elle. C'était simplement une coïncidence.

Quand il s'agissait de vaudou, de cartomancie ou de divination, Hélène se montrait plutôt sceptique, mais cette fois... difficile de le nier : c'était forcément un signe !

Cette trouvaille tellement à propos provoqua le premier éclat de rire spontané qu'elle ait eu depuis des siècles. Encore tout étourdie, elle décida de noter le renseignement sur un bout de papier avant qu'il ne disparaisse à jamais dans les limbes obscurs des archives de Gregslist.biz.

Oh, ce n'est pas qu'elle allait y adhérer ! Hélène avait toujours été un peu sauvage. Mais elle garderait l'information à portée de la main.

Au cas où.

Peut-être Hélène était-elle une femme blasée, mais elle trouvait les fonctions officielles de la Maison Blanche particulièrement fastidieuses. Pourtant, ce n'était rien à côté de l'incommensurable ennui que lui inspirait la kyrielle de réceptions organisées par les anciens membres de la Maison Blanche, auxquelles Jim et elle devaient immanquablement participer.

Ils étaient en chemin pour la soirée de Mimi Lindhofer, au cœur de Georgetown, quand le soulier de vair d'Hélène explosa en mille morceaux et qu'elle se retrouva les quatre fers en l'air sur son trottoir karmique.

— Tiens, j'ai reçu un coup de fil très intéressant ! commença Jim, comme s'il allait lui annoncer que son courtier lui suggérait d'investir dans la poitrine de porc.

— Ah, oui ?

L'attention d'Hélène était ailleurs, absorbée par les paysages pittoresques de Georgetown qui défilaient derrière sa vitre. Elle se demandait souvent comment était la vie dans ces propriétés cossues.

Cela dit, pour y habiter il fallait beaucoup d'argent et, s'il y avait une chose qu'Hélène avait apprise au cours des dix dernières années, c'était que les gens riches n'étaient pas toujours faciles à vivre.

— Avais-tu l'intention de me parler de cet incident dans le magasin ? poursuivit-il.

Jim avait posé la question sur un ton tellement détaché qu'Hélène se demanda ce qu'il savait, *exactement*, de cette histoire.

Son cœur se mit à battre la chamade à une allure frénétique.

— Ah ! Doux Jésus ! J'avais complètement oublié cette affaire, mentit-elle. Imagine que ces gens pensaient que j'allais *voler* une paire de chaussures ! N'importe quoi !

Il lui jeta un regard interminable qui lui glaça le sang.

— C'était avant ou après notre conversation au sujet des cartes de crédit ?

— Oh, après, répondit-elle sur un ton distant, en parfaite harmonie avec le regard froid qu'il fixait sur elle. J'allais à la voiture pour y chercher du cash. J'étais sans doute encore tellement déstabilisée par ta petite crise d'autorité que j'avais gardé les chaussures aux pieds.

Le visage d'Hélène était aussi écarlate que lorsque l'alarme du magasin s'était déclenchée. Heureusement qu'il faisait sombre dans la voiture !

— Le plus stupide, c'est que j'avais laissé mes chaussures *bien plus chères* dans le magasin. Il était donc *évident* que j'allais y revenir.

Cela la gênait de dire que le personnel avait été stupide de la prendre sur le fait mais, dans la vie qu'elle menait, c'était tuer ou se faire tuer.

— Quelle bande de crétins, marmonna-t-elle avec mépris.

— Je pensais bien qu'il devait y avoir une explication logique, concéda Jim, l'air soulagé. Je vais m'assurer que mon attachée de presse connaît les faits exacts, au cas où.

Il tapota sur le volant avec les doigts.

— Mais je dois avouer qu'en entendant la nouvelle, j'ai d'abord eu peur que ton passé… Enfin tu sais…

Quel salaud ! Oui, elle savait.

Il craignait que tout le monde ne découvre ce que lui n'ignorait pas : qu'elle n'était pas assez bien pour lui.

Hélène remarqua qu'un photographe, déjà présent à la soirée des Rossi, se trouvait également à celle des Lindhofer. Il y avait toujours une ribambelle de ces messieurs dans ce genre d'événement. C'était assez étrange car ces soirées n'étaient mentionnées aux informations que lorsqu'il ne se passait rien d'important par ailleurs. Généralement, on retrouvait une ou deux photos dans la rubrique « People » du *Washington Post* et occasionnellement, quand une soirée était particulièrement brillante ou qu'une vedette de cinéma se présentait pour promouvoir une cause quelconque, leurs photos étaient publiées dans *Vanity Fair.*

De même, lorsqu'on retrouvait une stagiaire morte dans le canal ou qu'une assistante prétendait avoir des taches d'ADN d'un politicien sur sa robe, on se servait parfois des photos d'archives de ce genre de soirées. Mais dans l'ensemble, ces clichés suivaient le sort de toutes les photos de célébrités de bas étage et finissaient dans la poubelle.

Il était donc particulièrement étrange de voir le même photographe assister à deux réceptions différentes un même soir. Ce qui était encore plus étrange, c'était qu'il était plutôt beau garçon, du style beau blond… ce qu'on ne pouvait dire de la plupart d'entre eux.

Ainsi, quand il s'approcha d'Hélène après quelques heures d'ennui et quelques coupes de chardonay, elle se sentit momentanément flattée.

— Madame Zaharis, dit-il en hochant la tête.

Elle leva un sourcil interrogateur.

— Vous êtes… ?

— Gerald Parks.

— Monsieur Parks.

Elle tendit la main, consciente d'être complètement pompette. Raison de plus pour flirter un peu…

— Et vous êtes photographe, n'est-ce pas ?

— C'est exact.

Il leva son appareil et appuya sur le déclencheur, l'éblouissant brièvement de son flash.

Elle cligna des paupières et la silhouette floue du photographe flotta un instant devant elle. Son geste était-il arrogant ou flatteur ? Étant donné la semaine épouvantable qu'elle venait de passer, elle préféra croire que c'était à son avantage.

— Ne trouvez-vous donc rien de plus intéressant que moi à photographier ?

— En fait, madame Zaharis, je vous trouve *très* intéressante.

Elle attrapa une coupe de champagne sur le plateau qui passait à leur hauteur.

— Sans doute ne sortez-vous pas assez.

Gerald Parks n'eut pas le temps de répondre car Jim venait d'apparaître à leurs côtés.

Prenant d'autorité Hélène par la taille avec un « ma chérie » pour le moins surprenant, il l'embrassa sur la joue en l'égratignant de sa barbe naissante. En public, ils offraient maintenant l'image parfaite du bonheur conjugal.

— Qui est ton ami ?

Elle aurait aimé lui demander s'il était venu parce qu'elle parlait à un autre homme ou parce que l'autre homme tenait à la main un appareil photo avec lequel il pourrait, éventuellement, accélérer l'ascension de Jim vers les hautes sphères politiques. Au lieu de cela, elle se contenta d'un sourire automatique d'épouse de candidat et déclara :

— Je te présente Gerald Parks. Il est photographe.

— C'est ce que j'ai cru comprendre, répondit Jim en raffermissant sa prise sur la taille d'Hélène. Vous faites un reportage sur les décideurs politiques ou sur leurs femmes ?

— Certains des décideurs politiques *sont* des femmes, fit remarquer Hélène.

Elle regrettait de ne pas avoir une autre coupe de champagne à portée de main. Celle qu'elle venait de prendre était déjà vide.

Jim laissa échapper un petit rire :

— Tu as raison, ma foi ! Tu marques un point.

Puis, adressant un hochement de tête entendu à Gerald Parks, il ajouta :

— Tout comme les infirmières et les hôtesses de l'air peuvent être des hommes.

— Des stewards.

Le sourire de Jim se figea.

— Quoi ?

— Si les hommes sont des hôtesses de l'air, dit Hélène, ce sont des stewards.

Elle-même entendit la structure indigente de sa phrase mais, une fois prononcée, comment la rectifier ?

Il était temps pour elle de rentrer à la maison et de se mettre au lit.

— Ha ! Ha ! Ha ! Très fort, chérie ! Fais-moi plaisir, veux-tu ? Pourrais-tu aller me chercher un scotch ?

Et voilà ! On la congédiait. Avec deux coupes de champagne, elle avait franchi la ligne et embarrassé Jim. Celui-ci venait de lui « suggérer » de s'éloigner.

Surtout, ne pas faire de vagues… Rester parfaitement dans les clous et tenir des discours convenus… C'est tout ce qu'on attendait d'elle.

Sans doute avait-il raison. Comme il n'y avait aucun moyen de retrouver instantanément un peu de sobriété et qu'elle était à deux doigts de se lancer dans un karaoké, il était plus prudent de se retirer de cette conversation.

— Bien sûr, dit-elle en ôtant le bras de Jim avec un peu plus de force que nécessaire.

Puis, tournant son sourire vers Gerald, elle le regarda

avec insistance, comme si tous deux venaient d'avoir une grande conversation qui ne regardait en rien son mari.

— Si vous voulez bien m'excuser, monsieur Parks.

Il acquiesça et Hélène remarqua son doigt calé sur le déclencheur de l'appareil photo, mais il n'appuya pas.

Ce serait leur petit secret à eux…

Mon Dieu, n'importe quoi ! Elle était complètement pompette.

Avec quelques difficultés, elle parvint à se frayer un chemin jusqu'au bar où elle commanda un verre de vin pour faire passer le champagne qu'elle venait d'ingurgiter. Inutile de préciser que Jim ne voulait pas vraiment de scotch. Il ne buvait jamais dans ce genre d'endroit. Il aimait juste faire semblant de prendre un verre afin que personne ne puisse l'accuser d'être un alcoolique repenti ou, pis encore, qu'il ne soit pas assez viril. Le style John Wayne avait porté chance à Ronald Reagan et allait également réussir à Jim Zaharis, qu'on se le dise !

Hélène prit une gorgée de vin et inspecta les alentours, en quête de quelqu'un de supportable à qui parler. Elle repéra immédiatement une dizaine de personnes au moins qu'elle aurait aimé éviter et du coup, lorsque Pam Corder, la jeune assistante de Jim passa à sa hauteur, elle lui mit le grappin dessus.

— Pam !

Pam s'arrêta, se tourna vers Hélène et parut blêmir.

— Madame Zaharis.

— Il faut absolument que vous me sauviez de tous ces gens impossibles ! déclara Hélène en lui prenant le bras d'office. Enfin je veux dire… je sais que vous travaillez pour mon mari, mais si pouviez me faire éviter une de ces sempiternelles conversations de Carter Tarleton sur les joies de la pêche dans le Maine, je vous serais éternellement reconnaissante.

— Bon… bon d'accord, répondit Pam non sans jeter un regard hésitant autour d'elle.

Cette fille manquait totalement de personnalité. Plutôt mignonne, il faut bien l'avouer, elle ne semblait pas briller par son intelligence. Hélène se demandait souvent pourquoi Jim la gardait dans son équipe au lieu d'embaucher quelqu'un de plus efficace, du genre Betty Curie au lieu de Betty Boop.

Hélène prit une autre gorgée de vin. En fait, engager une conversation intéressante avec Pam risquait d'être plus laborieux que d'écouter les exagérations d'un pêcheur impénitent comme Carter.

— Bon… Alors, comment ça se passe ? commença-t-elle courageusement pour jeter les premiers jalons.

Pam recula d'un tout petit pas. C'était à peine perceptible, sauf pour une femme de politicien qui préférerait qu'on ne remarque pas son état d'ébriété avancée. Hélène pensa d'abord que Pam fuyait son haleine chargée d'alcool.

Puis elle s'aperçut que Pam avait quelque chose de coincé entre ses dents.

Hélène pointa le doigt en direction de sa bouche.

— Vous avez un truc…

— Pardon ? demanda Pam en la considérant d'un air ahuri.

Hélène plissa les yeux et se pencha vers l'assistante pour voir de plus près.

— Vous avez un truc pris entre les dents de devant.

C'est au moment précis où elle venait de prononcer le mot *dents* qu'Hélène se rendit compte de ce qui, exactement, était pris entre celles-ci.

Un poil frisé noir.

Et, sans le moindre indice, Hélène eut la certitude qu'il appartenait à Jim.

— Ah oui ? demanda Pam, sans se douter que son interlocutrice avait déjà compris qu'il s'agissait d'un poil pubien.

— C'est…

Hélène hésita. Impossible de le dire. Et, comme elle était pratiquement certaine que celui-ci appartenait à son mari, il n'y avait vraiment aucune *raison* d'en parler.

— Ce n'est rien, finit-elle par ajouter. Un effet de la lumière.

— Ah, d'accord ! fit Pam en lui adressant un sourire on ne peut plus faux, étalant davantage l'objet de leur conversation.

Eh non ! Il n'y avait aucun doute. Même les authentiques épouses ultraconservatrices comme Nancy Cabot seraient capables de l'identifier. Et ce soir, des ultraconservatrices, il y en avait partout.

Hélène allait presque en tirer du plaisir.

— Savez-vous où je peux trouver Ji... le sénateur Zaharis ? demanda l'assistante.

À chaque mot, Pam se pendait un peu plus court. Tout comme elle pendait Jim.

Était-ce à cause du vin ou à cause des dix dernières années ? Hélène n'aurait su le dire. Toujours est-il qu'elle lui répondit :

— La dernière fois que je l'ai aperçu, il se trouvait dans le couloir, près du vestibule, en train de discuter avec quelqu'un.

Elle aurait dû se faire du souci, mais pour l'instant ce n'était pas le cas. Loin de là.

Pourtant, elle avait volé des chaussures dans un magasin.

Et s'était fait prendre.

Et l'assistante de son mari, qu'elle appelait d'ailleurs par son prénom et qui, si on y réfléchissait bien, avait disparu un moment avec lui au début de la soirée, portait un poil pubien entre les dents.

Pour Hélène, la soirée n'était pas terrible.

— Ah, madame Zaharis ! Nous nous croisons de nouveau...

C'était le photographe, Gerald.

Peut-être le petit coup dans le nez s'était-il légèrement évaporé après la révélation de ce qui pouvait se tramer entre son mari et la petite assistante, mais Hélène trouva soudain Gerald beaucoup moins séduisant et bien plus inquiétant.

— En effet…, répondit-elle de façon automatique sur le ton charmant qu'elle utilisait généralement dans ce genre de soirée et qu'elle maîtrisait parfaitement bien. … je suis sincèrement navrée que nous ayons été interrompus tout à l'heure, ajouta-t-elle encore. Ce dont nous parlions était donc si intéressant ?

Elle était passée en mode cynique. Quelque chose chez ce type, son insistance et son omniprésence, la déconcertait.

— C'est juste que nous n'avions pas fini notre conversation, rétorqua-t-il.

— Ah bon ?

Il la regarda froidement.

— Non. Je m'apprêtais à vous parler de l'une de mes séances photos les plus intéressantes de ces derniers temps. En fait, elle remonte à hier.

Il hésita un peu plus longtemps que ne l'aurait fait une personne bien intentionnée.

— Et *vous*, avez-vous fait quelque chose d'intéressant, hier ? ajouta-t-il.

À part me faire piquer en train de voler ?

— Non, pas que je me souvienne.

La brume d'alcool se dissipait rapidement, maintenant.

— C'est curieux, dit Gerald. Parce que vous jouez un rôle primordial dans la partie la plus intéressante de *ma* journée.

Hélène le considéra un instant, avec le sentiment très très désagréable qu'elle allait obtenir une réponse qui lui déplairait profondément.

— Moi ?

Il hocha la tête.

— Hier, je me trouvais à la boutique Ormond's, dit-il. Ils ont leurs soldes bisannuels, vous savez ?

— Ah bon ?

Tous deux savaient qu'elle bluffait.

Entrant dans son jeu, il hocha de nouveau la tête.

— Et j'y ai pris quelques photos.

— Ah oui ? Dans les cabines d'essayage des dames ? plaisanta-t-elle.

Il ricana.

— Heureusement que non ! Sinon j'aurais manqué un excellent reportage.

D'un coup d'œil expert, elle évalua son costume de mauvaise coupe.

— Pourtant vous ne semblez pas être le genre d'homme à trouver quoi que ce soit d'intéressant dans ce magasin. Le traversiez-vous pour vous rendre au parking ?

— En effet. Je m'étais rendu dans l'une des bijouteries de la galerie marchande pour acheter une pile ronde pour mon appareil photo. Pourquoi ne sont-ils pas fichus d'y mettre des piles normales ? Ça m'agace au plus haut point ! Mais pour une fois, cet inconvénient m'aura procuré la veine de ma vie.

— Vous m'en direz tant.

Il hocha la tête avec enthousiasme.

— En revenant à ma voiture, j'ai traversé Ormond's tout en vérifiant que ma pile fonctionnait bien quand je suis tombé sur une scène incroyable. Je ne me rendais pas compte que j'avais sous les yeux une véritable histoire… de quoi écrire un papier fabuleux. Et pourtant…

Il tira une enveloppe de sa poche, et ajouta :

— Jetez un coup d'œil là-dessus. C'est du bon !

— Votre travail ne m'intéresse pas vraiment, monsieur Parks.

Hélène n'avait aucune envie de voir le contenu de cette enveloppe.

— Si, si, allez-y !

Il l'agita devant elle comme le ferait un dresseur de lion avec un steak pour attirer l'attention d'un fauve.

— Je pense que vous trouverez ça très intéressant ! insista-t-il.

Elle le considéra sans piper mot.

— Il vaut mieux que vous le voyiez maintenant, devant moi, plutôt que demain, dans la presse.

À contrecœur, Hélène la saisit. On la réduisait à jouer un rôle dans une pièce qu'elle n'avait pas choisie. C'était particulièrement irritant.

Prenant tout son temps, sans doute une éternité, elle ouvrit l'enveloppe en question et en sortit une pile de tirages noir et blanc grand format.

La première photo la montrait, de loin, parlant avec Luis au rayon chaussure d'Ormond's.

La seconde faisait apparaître Luis qui revenait vers elle en lui tendant une carte de crédit.

Sur la troisième, Luis revenait *de nouveau* en lui tendant une carte de crédit.

La quatrième était un excellent gros plan de son visage angoissé pendant qu'elle téléphonait à la banque.

La cinquième… eh, bien… c'était la même chose.

La sixième… Là, c'était le bouquet ! On la voyait en train de jeter un coup d'œil sur la gauche, du genre : *est-ce que la voie est libre* ?

Sur la septième elle était en train d'enfiler l'une des nouvelles chaussures au pied droit, les vieilles chaussures bien en évidence devant elle, dans la boîte en carton.

La huitième était un excellent cliché du conflit qui se lisait sur son visage tandis qu'elle poussait discrètement la boîte contenant les vieilles chaussures sous son siège.

Sur les neuvième, dixième et onzième, on la voyait se diriger vers la sortie d'une démarche presque assurée alors que son visage affichait une certaine hésitation.

Sur la douzième, elle ouvrait la porte.

La treizième, de loin la plus éloquente, montrait l'agent de la sécurité, avec son faciès de troupier du Maryland super sérieux, en train de courir derrière elle.

Et la quatorzième... le summum ! Tout comme la quinzième, et ainsi de suite jusqu'à la vingtième.

C'était comme une bande dessinée de toutes les étapes, allant du forfait d'Hélène jusqu'à son arrestation.

Elle survola encore une fois les photos, puis les arrangea en une jolie petite pile, telles qu'elle les avait trouvées, avant de les tendre à Gerald Parks.

— Je ne vois toujours pas pourquoi ces photos intéresseraient qui que ce soit, dit-elle.

Mais sa voix tremblait assez pour qu'un observateur attentif soit assuré du contraire...

Elle ne le voyait que trop bien, malheureusement.

— Parce qu'on vous distingue parfaitement en train de voler une paire de chaussures dans un magasin, de vous faire surprendre puis arrêter par les services de sécurité. Avouez que j'ai eu une de ces veines !

Il avait expliqué les faits d'une voix tellement douce et amicale qu'on aurait dit le garde-chasse local en train de raconter aux écoliers le fameux jour où il avait trouvé un serpent noir inoffensif au fond de sa baignoire.

Et en avait pris des photos.

C'était pire qu'une séquence de caméra cachée particulièrement embarrassante. Et Gerald Parks venait de gagner le premier prix !

— C'était un simple malentendu, fit froidement remarquer Hélène.

— Vous n'étiez donc pas en train de voler ces chaussures ? Ce n'est pourtant pas ce que m'a dit mon informateur.

— Et qui est votre informateur ?

Hélène aurait aimé rester calme, mais il suffisait de regarder les photos pour se rendre compte qu'elle était coupable à cent pour cent. Et que ce qu'elle avait raconté à Jim n'était pas crédible.

— Écoutez, madame Zaharis. Si je vous le disais, je pourrais mettre cette personne en danger et compromettre la publication de mon article. Je pense que les journaux paieraient une fortune pour ces photos. Si, si, je vous assure !

— La presse ne s'intéresse pas à moi.

— Ne soyez pas aussi modeste, voyons !

Mon Dieu, comment ce type pouvait-il avoir l'air si gentil, si cordial en proférant une menace aussi terrible ?

— Vous êtes, continua-t-il, l'épouse d'un homme que beaucoup voient comme le futur président des États-Unis. Votre photo revient régulièrement dans les rubriques mondaines du *Post* et du *Washingtonian*. Vous êtes pour ainsi dire un personnage public.

Quand il se tut, Hélène le considéra sans piper mot, perplexe, presque impressionnée par son pouvoir de nuisance. D'après son ton, une personne ne comprenant pas la langue aurait pu déduire qu'il s'agissait d'un homme respectueux, exprimant une grande admiration pour la beauté et l'efficacité d'Hélène.

— Vous semblez surprise, reprit-il. J'en suis désolé. Croyez-le ou non, j'ai beaucoup réfléchi à la question et il n'y a décidément pas de façon élégante d'aborder un sujet comme celui-ci. Il faut simplement… *boum* !… taper dans le mille !

Hélène sursauta, complètement déconcertée. Une fois de plus, le ton de son interlocuteur était tellement chaleureux et détendu qu'elle ne parvenait pas à savoir exactement où il voulait en venir. Allait-il vendre les photos ? Ou bien voulait-il juste la mettre en garde et lui suggérer de filer droit car d'autres témoins pourraient se montrer moins gentils que lui ?

Hélène avait suffisamment roulé sa bosse pour ne

pas se faire d'illusions. Elle préféra donc prendre les devants.

— Qu'avez-vous l'intention de faire de ces photos et de vos accusations ?

Les petits yeux noirs du photographe brillèrent comme ceux d'un instituteur dont un élève aurait posé une question particulièrement astucieuse.

— Cela dépend de vous.

— De moi ?

Si cela dépendait vraiment d'elle, ce type se dessècherait sur place et s'envolerait en poussière.

Il hocha la tête.

— Je travaille, madame Zaharis. Je dois gagner ma vie comme tout le monde.

Il fit une pause et une lueur de dédain passa dans ses yeux.

— Enfin, comme *la plupart des gens* en tout cas, précisa-t-il.

Hélène était tentée de lui dire qu'elle savait fichtrement bien ce que c'était de devoir se battre pour joindre les deux bouts. Mais elle n'allait pas laisser le moindre signe de complicité s'installer entre eux, aussi insignifiant soit-il.

D'ailleurs, cela ne le regardait pas. Il en savait déjà beaucoup trop sur elle.

— Oui, mais la *plupart des gens* s'efforcent de le faire honnêtement, répondit-elle au lieu de se justifier.

— Absolument, concéda-t-il. C'est ainsi que j'aime mener ma vie. Honnêtement. Et je peux vous assurer que je n'ai nulle intention de mentir à quiconque à votre sujet.

D'un mouvement de tête il désigna la pile de photos qu'elle tenait encore entre les mains et ajouta :

— Ces photos disent d'elles-mêmes la vérité, toute la vérité et seulement la vérité. Aucun embellissement de ma part ne sera nécessaire.

Hélène secoua la tête, agacée.

— Où voulez-vous en venir, monsieur Parks ? Je n'ai ni le temps ni l'envie d'essayer de comprendre vos devinettes.

Il pointa l'index sur elle tel un revolver.

— Vous êtes une femme très intelligente, madame Zaharis. Je vous aime bien. Je veux en arriver à la chose suivante : vous me versez une somme globale de vingt-cinq mille dollars immédiatement.

Elle avala sa salive avec difficulté puis regarda tout autour d'elle pour vérifier si leur conversation n'avait pas attiré l'attention des autres convives.

— Vingt-cinq mille dollars ? chuchota-t-elle, furieuse. Mais vous êtes cinglé !

— Oh, non ! Pas du tout. Voyez-vous, j'y ai mûrement réfléchi. Il vaut mieux éviter de faire de trop gros retraits à la banque pour ne pas attirer l'attention sur vous. Vous pourriez aisément justifier une telle somme pour une donation politique ou caritative. En revanche, des sommes plus importantes risqueraient d'éveiller les soupçons de votre mari qui pourrait alors vous demander des explications et tout ça…

Ce type n'avait donc pas la moindre idée de la situation dans laquelle elle se dépatouillait en ce moment ?

— Mon mari surveille ses finances de très près.

— *Ses* finances ? C'est un peu vieux jeu, non ? Ce sont aussi les vôtres, que je sache. Et nous savons tous les deux que dans votre milieu dix mille dollars complétés d'un versement mensuel de deux mille dollars ne représentent que des peccadilles.

Deux mille dollars par mois ? Surtout maintenant que Jim avait mis le holà sur ses dépenses…

— Dans mon milieu, comme vous dites, rétorqua-t-elle d'une voix glaciale, les gens n'imagineraient *même pas* faire du chantage pour gagner de l'argent.

— Je n'aime pas ce terme, *chantage*.

— Il est pourtant exact.

— Oui, c'est vrai. Mais je préfère considérer cela comme une protection. Dans un sens, je suis votre agent secret privé. Bon, de toute façon, je veux ces vingt-cinq mille dollars sous la forme d'un chèque de caisse, sans nom ni adresse. Obtenez-le et tenez-vous prête. Je reprendrai contact avec vous un peu plus tard dans la semaine.

— Où ? Quand ?

— Ne vous inquiétez pas de cela. Je vous trouverai.

La colère formait une boule dans la poitrine d'Hélène. Elle avait travaillé trop longtemps et trop durement pour obtenir ce niveau de vie. Elle n'allait pas laisser ce petit arriviste tout lui retirer en quelques heures. Mais avait-elle le choix ? Sans le moindre scrupule, ce gars lui soutirait aujourd'hui vingt-cinq mille dollars. Et cela risquait de se reproduire encore et encore, en fonction de ses besoins…

À moins qu'il ne lui demande une augmentation pour son dur labeur ? Allez savoir ! Cela pouvait durer indéfiniment, grignotant sa vie par tranches de vingt-cinq mille dollars jusqu'à ce qu'elle tombe finalement en miettes.

Ah, non ! C'était hors de question !

— Je ne vous donnerai pas le moindre centime. Vous n'avez aucune idée de ce qui s'est passé ce jour-là. Ou de ce que vous avez photographié…

Le flash. Soudain, elle s'en souvint. À l'extérieur du magasin, quand l'alarme s'était mise à hurler, elle avait pensé qu'il y avait également eu des clignotants. Mais c'était seulement le flash de Gerald Parks qui crépitait.

Elle aurait dû se prémunir contre ce type d'incident depuis longtemps. Peut-être même prendre les devants et en parler à un avocat.

Mais comment contacter leur avocat sans que Jim ne soit mis au courant ? Et elle ne voulait surtout pas que son mari apprenne, en plus de tout le reste, qu'on la menaçait maintenant de chantage.

Gerald Parks l'avait fichue dans de sales draps.

Que faire ? Elle n'avait aucun moyen de l'empêcher d'en parler à la presse. Il avait tous les atouts en main et le savait.

— Vous allez payer, dit-il avec une assurance absolue. Préparez le chèque. On se revoit bientôt.

Chapitre 6

C'était de nouveau Steve.

Étrange, cette manie qu'il avait de toujours appeler Sandra vers trois heures de l'après-midi les jours où elle avait un rendez-vous à quatre heures. Elle pouvait presque compter dessus.

Un œil vigilant sur la montre, elle le laissa parler de son besoin d'avoir une activité, de sortir pour voir des gens… Toujours les mêmes préoccupations. Au fur et à mesure que le temps passait, l'argent tombait sur le compte de Sandra. Finalement, elle lui coûtait bien plus cher qu'une maîtresse.

— N'avions-nous pas dit que vous devriez vous inscrire dans un club de loisirs, la dernière fois ? lui demanda-t-elle, jouant à fond son rôle de Voix de Thérapeute Professionnelle.

— Si. Et j'ai essayé. Ça n'a pas marché.

— Qu'est-ce que vous avez fait ?

— Pour commencer, j'ai consulté la Gregslist pour me dénicher un groupe auquel je pourrais éventuellement m'intégrer.

— Et ?

— Et le groupe d'aide aux transsexuels de Washington est déjà complet.

Sandra ne sut que répondre.

— C'est une blague ! s'esclaffa-t-il, s'autorisant un brin de légèreté pour la première fois depuis qu'il la connaissait. En fait, j'ai contacté un club de gastronomie et un club de jardinage, mais apparemment, il faut être assez calé pour y adhérer. On ne peut pas y venir simplement pour apprendre.

— C'est dommage.

— Tout à fait d'accord. Ensuite j'ai appelé le numéro des Parents sans Partenaire, mais il ne suffit pas de juste désirer des enfants, il faut déjà être un parent célibataire.

Sandra attendit, pensant qu'il blaguait de nouveau, mais cette fois il n'en fut rien et elle fut touchée à l'idée que ce pauvre homme solitaire veuille des enfants.

— Et finalement je suis tombé sur cette pub pour des gens qui aiment les chaussures. Je me suis dit que j'aimais effectivement ça. J'aime mieux en porter que de marcher pieds nus, pas vrai ?

Sandra resta perplexe. Une réunion pour des gens qui aiment les chaussures ? Il avait dû mal comprendre.

— Laissez tomber, reprit-il. C'est très spécial. D'abord, il faut être une femme, ou au moins une drag-queen avec de petits petons. Ils ne veulent pas les grandes pointures !

— Quoi ? Sérieusement, Steve, de quoi êtes-vous en train de parler ? D'un groupe pour personnes qui aiment les chaussures, mais on ne peut avoir des pieds larges ou être une drag-queen pour y adhérer ? C'est bien ça ?

Et pourquoi tout revenait-il toujours à la transsexualité avec lui ? Elle n'allait certainement pas lui poser la question, mais c'était tout de même bizarre.

— Voilà, c'est ça…

Elle entendit cliquer son ordinateur.

— … Les Shoe Addicts Anonymes… Les Accros aux Chaussures…

Sandra se redressa dans son fauteuil.

Était-il sérieux ? Parce que c'était vraiment le genre de prétexte dont elle rêvait pour se forcer à sortir d'entre ses quatre murs. Ayant attendu depuis une éternité un signe de Dieu, cela allait finalement se réaliser sous une forme très particulière. Et maintenant qu'elle se sentait un peu plus capable d'aller hors de chez elle…

— … Ils se réunissent à Bethesda tous les mardis soir…

Voilà qui devenait de plus en plus étrange. Sandra était libre, les mardis soir.

En fait, elle était libre tous les soirs.

— Et ils échangent des chaussures, je suppose. On parle d'échanger des Manolo Maggi…

Il ne prononçait pas la marque correctement, mais elle savait de quoi il parlait. Il y en avait justement une paire par terre, devant le canapé.

— Oh ! Et il faut porter du 7 ½ M. Des chaussures de femmes, pas du 8, pas du 5. Si vous êtes un homme chaussant du 7, laissez tomber, ce n'est pas pour vous ! s'exclama-t-il avec un air dégoûté. Tu parles d'une claque dans la figure ! Pour une fois que je me sentais le courage de sortir de ma tanière et de me mêler aux autres… Quelle bande de tarés !

Sandra, en revanche, avait l'impression que c'était là un club auquel elle pourrait parfaitement bien s'intégrer. Pour la première fois depuis que le monde est monde. Méfiance… c'était presque trop beau.

Steve avait-il deviné où elle habitait ? Avait-il réussi à s'immiscer dans son appartement, fouillé ses affaires, repéré la marque des chaussures qu'elle préférait et sa pointure ?

— Et vous avez trouvé ça dans la Gregslist ? demanda-t-elle, méfiante.

Ne ferait-elle pas mieux de prendre son téléphone portable pour appeler la police afin qu'ils tracent l'appel de Steve ? À moins qu'elle ne démarre son ordinateur et trouve ce groupe avant qu'il ne disparaisse dans l'univers des contes de fées…

— Mouais, répondit Steve sur un ton tellement ingénu que Sandra se dit que sa paranoïa n'était pas fondée.

Il était impossible que Steve ait pu trouver son adresse personnelle. L'agence pour laquelle elle travaillait transférait les appels en passant par plusieurs centraux téléphoniques.

— Ce groupe ne vous convenait donc pas, conclut-elle, toujours sur ses gardes mais plus détendue que quelques instants plus tôt.

— Mouais. Cela m'apprendra à me balader sur des sites nazes. Ce dont j'ai besoin, c'est peut-être d'un vrai psy.

Un psy ! Merde ! Elle consulta sa montre.

Quatre heures moins cinq.

— C'est peut-être à envisager, Steve, dit-elle de la voix pressante qu'on adopte pour conclure une conversation, ce qu'elle faisait rarement puisqu'elle était payée à la minute. Au moins, cela vous obligerait à sortir de chez vous et vous habituerait à des contacts en tête à tête avec quelqu'un. Un très bon entraînement, non ?

— Vous croyez vraiment ?

Elle hocha la tête, même s'il ne pouvait pas la voir.

— Oui, je le crois vraiment.

— Bon, et pour les médicaments ? Les psychologues ne peuvent pas établir d'ordonnances. Je pourrais avoir besoin de médicaments…

— Un psychologue devrait pouvoir vous dire si vous avez besoin de voir un psychiatre pour vous faire prescrire des psychotropes.

— Des quoi ?

— Des antidépresseurs.

Silence. Un silence qui lui coûta au moins un dollar. Jetant un coup d'œil à sa montre, elle se rendit compte qu'elle n'avait plus que deux minutes avant son rendez-vous de seize heures.

— D'ailleurs, vous devriez appeler quelqu'un tout de suite, Steve. Ce n'est pas que vous ayez un problème, ajouta-t-elle aussitôt, mais je suis sûre qu'il y a quelqu'un qui pourrait aider un type sensible comme vous qui a du mal à se lancer dans ce monde complètement dingue. Faites-le maintenant, pendant que vous êtes sur la lancée.

Là, elle exagérait un peu, mais selon son expérience, les hommes avaient besoin de se faire un peu bousculer pour se motiver.

— Vous avez sans doute raison, dit-il sur un ton plein d'espoir qu'elle ne lui connaissait pas. Je pense que je vais passer quelques coups de fil.

— Parfait ! Et souvenez-vous…, ajouta-t-elle, dispensant des conseils qu'elle savait devoir suivre elle-même. Allez-y par étapes. N'essayez pas de tout faire d'un coup.

— Penny… Vous êtes la meilleure.

Elle se demanda si son client utilisait également un nom d'emprunt et si toute cette camaraderie téléphonique n'était qu'un mirage.

— Vous aussi, Steve. Et tenez-moi au courant, d'accord ?

— D'accord. Je vous rappellerai.

Jamais elle ne lui avait connu une telle assurance.

— Merci, Steve.

Elle appuya sur la touche pour couper la communication, se demandant pour la millième fois si la situation était aussi injuste qu'elle le pensait : faire payer des fortunes à ce type qui avait juste besoin de parler à une amie…

Elle savait que ce n'était pas très réglo, mais c'était lui qui téléphonait. C'était lui qui choisissait de le faire encore et encore. Même quand elle lui rappelait gentiment que cela lui coûtait cher. Quelle était sa propre responsabilité dans ce genre de situation ?

Comme elle ne pouvait pas répondre à cette question, elle décida de la poser au docteur Ratner, son rendez-vous de seize heures. Un coup de fil qui allait lui coûter cent trente dollars de l'heure. Comparé à ce que devait débourser Steve, cela semblait presque une bonne affaire.

La conversation avec le docteur Ratner, son psy, se déroula comme d'habitude.

— Je suis inquiète. Vous dites ne pas vous sentir assez sûre de vous pour venir jusqu'à mon cabinet. Il n'est pourtant qu'à quelques pâtés de maisons et vous ne mettriez pas plus de dix minutes, un quart d'heure au plus. Imaginez votre satisfaction quand vous serez arrivée au bout de l'un de vos défis…

Mes défis ? Super. C'était une phobie, pas un défi. Inutile de tourner autour du pot. Sandra n'aimait pas sortir de son appartement. Elle savait que cela s'appelait l'agoraphobie, que c'était assez courant, que cela pouvait se guérir par un peu de travail sur soi… Pour certaines personnes, en tout cas. Oh, elle en savait des choses sur le sujet !

Elle savait surtout qu'elle devait surmonter la peur de sortir. C'était on ne peut plus basique, le B.A. ba… et il était temps qu'elle y parvienne.

— J'ai été très occupée, mentit-elle.

Pourquoi payait-elle aussi cher de l'heure pour mentir à sa thérapeute ?

— Sandra, il faut que vous vous considériez comme une priorité.

— Je sais…

— Vous répétez cela chaque semaine depuis bientôt un an. Je ne suis pas certaine que vous compreniez bien la situation. Vous pouvez me parler aussi longtemps et aussi souvent que vous le voulez : toutes les semaines, tous les jours, autant que vous en aurez besoin. Mais vous n'irez pas mieux si vous ne dépassez pas ces murs pour sortir de votre environnement protégé.

— Chaque fois que vous dites « protégé » j'ai l'impression que le monde, à l'extérieur, est un lieu dangereux.

— Peut-être parce que vous le ressentez ainsi. Raison de plus pour sortir et affronter vos démons.

La voix du docteur Ratner était apaisante, mais ce qu'elle proposait n'en demeurait pas moins insurmontable pour Sandra.

— Si vous ne faites pas cet effort, ajouta-t-elle, je ne pense pas que moi, ou n'importe qui d'autre, puisse vraiment vous aider.

— Ce qui veut dire ?

Dieu du ciel ! Sa thérapeute allait-elle *rompre* ? La laisser tomber ?

— Que vous devriez sortir pendant une heure. Obligez-vous à trouver une occupation à l'extérieur. Écoutez, vous allez bien à l'épicerie, à la librairie… Vous êtes même venue une fois ou deux chez moi, au cabinet. Vous savez donc que vous pouvez sortir sans qu'il vous arrive le moindre pépin. Tout ce que j'essaie de vous expliquer, c'est qu'il faut que vous vous bousculiez un peu, que vous vous imposiez de petits défis afin de surmonter peu à peu cette phobie qui vous gâche la vie.

Le docteur Ratner hésita un instant, ne se rendant peut-être pas compte que Sandra sanglotait à l'autre bout de la ligne.

— Vous comprenez ? insista-t-elle.

Sandra hocha la tête, puis répondit d'une toute petite voix :

— Oui.

— Parfait. Bon, si vous alliez faire un petit tour au cinéma ?

Sandra secoua vigoureusement la tête.

— Trop de monde. Et les films sont trop longs, de nos jours.

Elle savait ce qu'elle devait essayer de faire. Et il ne s'agissait pas d'un film barbant dans une salle plongée dans le noir à vous donner la chair de poule. Elle devait rencontrer des gens avec lesquels elle se sentirait en sécurité, des gens avec lesquels elle aurait quelque chose en commun. La seule manière dont elle pouvait arriver à mener un semblant de vie normale était d'être avec des amis, de parler de choses intéressantes et surtout pas de se rendre à une fête. Pendant ce genre de soirées, toutes ces filles minces comme des mannequins et ces garçons ultra-sexy se retrouvaient, bavardaient, flirtaient pendant qu'elle, Sandra, travaillait dans la cuisine pour planquer son mal-être.

— Alors à quoi vous intéressez-vous ? demanda le docteur Ratner. Qu'est-ce qui vous attire ? Vous met à l'aise ? Peu importe ce que vous choisissez, prenez ce qui vous passe par la tête…

— Je ne sais vraiment pas !

— D'accord, répondit la thérapeute d'une voix douce mais ferme que Sandra lui avait rarement entendue. Ce n'est pas grave, Sandra. Mais considérons cela comme un petit exercice à faire d'ici la semaine prochaine. Trouver un truc, juste un, que vous pouvez faire en sortant mettons… plus d'une heure. Soixante et une minutes suffiront. Il faut juste que ça dure plus d'une heure. Et ainsi vous progresserez. Vous êtes partante ?

Une heure.

Elle peut y arriver.

Le pouvait-elle ?

Elle le voulait. Elle voulait se sentir mieux. Alors, elle demanda :

— Est-ce que vous parlez de… euh… un tour à l'épicerie ? Ou à la cathédrale ? Ou au zoo, par exemple ?

— Non, Sandra. Là, ce sont des choses que vous vous imaginez faire toute seule.

Elle avait raison.

— … ce que je vous suggère, c'est une heure de vrai contact social. Une réunion municipale, une association de quartier, peu importe… Ce n'est pas le centre d'intérêt qui est important mais le fait que vous sortiez de chez vous pendant plus d'une heure pour vous mêler à d'autres personnes. Cela vous ferait un bien fou.

— D'accord, répondit Sandra, soudain pleine d'énergie. Je vais essayer.

— C'est super. Je suis très sérieuse à ce sujet et je suis certaine que vous trouverez cette mission moins difficile à accomplir que vous ne le craigniez. Cela changera votre vie.

Cela changera ma vie.

S'il y avait bien une chose dont Sandra avait besoin, c'était d'une autre vie, de sortir de la routine dans laquelle elle s'était enlisée depuis qu'elle avait attrapé cette fichue phobie.

Après avoir raccroché, elle se tourna vers son ordinateur et engagea son moteur de recherche sur la piste de Gregslist.biz. Là, elle n'eut plus qu'à taper « Shoe Addicts, Bethesda », et l'annonce dont lui avait parlé Steve Fritz surgit devant ses yeux :

SHOE ADDICTS ANONYMES : *Êtes-vous comme moi ? Vous aimez les chaussures mais ne pouvez continuer à en acheter ? Si vous chaussez du 7½ médium et êtes prête à échanger – entre autres ! – vos Manolo contre des Magli... Les mardis soir dans le quartier de Bethesda, e-mail : Shoegirl2205@aol.com ou appelez le 301-555-5801. Nous pouvons peut-être nous entraider.*

Elle fixa longuement l'annonce, essayant de se persuader de passer ce coup de fil, mais cela semblait un premier pas tellement énorme... Un véritable grand écart !

Se retrouver au milieu de gens qui s'attendraient indubitablement qu'elle se montre très sociable... Même si le groupe avait, *a priori*, l'air absolument parfait, Sandra avait besoin de se lancer un peu plus en douceur.

Cependant, elle était sincèrement intéressée par cette expérience. Alors, elle se donna plusieurs petits défis à surmonter.

Le premier était un saut au resto rapide au bout de la rue. Dans la mesure où il n'y avait pratiquement rien sur le menu qui soit autorisé par les Weight Watchers, ce serait un saut très rapide. Elle entra, commanda un Coca light, s'assit près de la vitrine et le sirota en s'efforçant d'appliquer minutieusement les conseils donnés par le docteur Ratner : *Faites tout len-te-ment, en flottant à travers vos sensations d'inconfort.*

Vingt minutes passèrent à une lenteur frisant l'éternité. En partant, cependant, Sandra eut l'impression d'avoir accompli quelque chose de positif dans sa journée.

C'était assez minime. Pratiquement toutes les autres personnes sur cette planète en étaient capables tous les jours sans même y penser. Mais Sandra apprenait à se sevrer doucement de sa phobie et dès qu'elle ressentait une frustration de ne pas avancer assez vite, elle s'efforçait de la surmonter. Mais elle n'y réussissait pas toujours.

— Plus vous essaierez de repousser votre peur, plus elle reculera, déclara le docteur Ratner au téléphone quand Sandra l'appela plus tard dans la journée pour lui faire part de son exploit.

— Mais c'est ridicule, geignit Sandra.

Elle rêvait de glace, de pizza, de gâteau glacé aux gaufrettes chocolatées…

Elle avait envie de quelque chose qui lui apporte du plaisir. Un soda à l'aspartame dans un bistrot qui pue la frite, ce n'est vraiment pas le nirvana !

— Ainsi vont les choses de la vie, répondit le docteur Ratner, laconique.

D'où sortait-elle toujours ces phrases « philosophiques » qui avaient le don de la rendre furieuse et ne servaient strictement à rien ?

— C'est… parfaitement ridicule ! Tout le monde peut descendre dans la rue sans avoir de palpitations. Moi, ça me rend malade !

Décidément, elle devenait une vraie teigne, mais c'était plus fort qu'elle. Ça la rendait *vraiment* malade. Elle ne faisait qu'exprimer ce qu'elle ressentait. Normalement, le docteur Ratner aurait applaudi devant cette franchise.

— Sandra, vous êtes sortie pendant une demi-heure aujourd'hui et vous n'en êtes pas morte. Vous ne trouvez pas cela encourageant ?

Sandra avait envie de lui répondre qu'elle se considérait plutôt comme une minable froussarde qui rentre vite se cacher chez elle pour fuir les méchants inconnus, puis décida que ce serait contre-productif.

— Cela m'encourage à faire d'autres tentatives, dit-elle du bout des lèvres.

— Fabuleux !

Le docteur Ratner semblait sincèrement enchantée. De toute évidence, elle considérait cette sortie comme un progrès indubitable.

Ce qui était peut-être le cas.

— Quelle est votre prochaine étape ? Un musée ? Ou un repas assis dans un vrai restaurant ?

— J'ai pris rendez-vous avec un hypnotiseur, lâcha Sandra, s'attendant que la thérapeute se montre choquée ou déçue. Pour qu'il m'aide à chasser cette phobie par hypnose.

Il y eut un long silence et Sandra ajouta :

— Vous pensez que c'est stupide ?

— Pas du tout. Je m'en veux seulement de ne pas vous l'avoir conseillé plus tôt.

— Vraiment ? Vous croyez que ça pourrait marcher ?

— Je sais que ça réussit merveilleusement bien pour certaines personnes. Si vous en faites partie, ce sera formidable !

— Et si ce n'est pas le cas ?

— Vous ne serez pas plus mal en point que maintenant. En fait, ce serait même un *plus*, car vous apprendrez de nouvelles techniques de relaxation qui vous aideront dans n'importe quelle situation anxiogène. Bon travail, Sandra. Je suis fière de vous !

Deux jours plus tard, cinq minutes avant son rendez-vous, Sandra essayait encore de se persuader de mettre un pied hors de son appartement. Elle n'avait pas le courage de se rendre au fameux rendez-vous pour lequel le docteur l'avait tant félicitée.

Puis elle se rappela les paroles du docteur Ratner.

Elle avait beaucoup de respect pour cette femme. Trop, en fait, pour s'autoriser à l'appeler Jane comme elle le lui avait demandé un nombre incalculable de fois. Pour Sandra, « docteur Ratner » lui semblait beaucoup plus rassurant quand il fallait aborder ses pensées les plus intimes. Et elle la respectait tellement qu'elle se sentait incapable de lui passer un coup de fil pour lui avouer qu'elle se dégonflait. Alors elle prit une profonde inspiration et sortit.

Quand elle arriva au pied du petit immeuble en brique où se trouvait le cabinet de l'hypnotiseur, elle avait dix minutes de retard. En montant au troisième étage, dans la petite boîte métallique qui tenait lieu d'ascenseur, elle pensait aux excuses qu'elle pourrait donner à l'éventuelle secrétaire. Mais quand elle parvint au bureau, elle ne trouva qu'une pièce encombrée de livres et de brochures, et un homme, d'âge moyen, plutôt séduisant, exactement tel qu'on se l'imaginerait dans ce genre d'environnement.

— Sandra ? demanda-t-il en l'accueillant avec un sourire chaleureux.

— Oui. Je suis désolée d'être en retard. Il y avait une telle circulation…

— Ne vous en faites pas. Beaucoup de personnes

changent d'avis à la dernière minute et ne viennent même pas. Il est difficile de faire face à ses angoisses.

Sandra en savait quelque chose… Et si elle trouvait un prétexte pour s'éclipser ?

— Reste-t-il encore assez de temps pour… Je suis désolée, je ne sais pas comment cela fonctionne. Peut-on encore faire une séance complète ?

— Cela dépend de vous, dit-il en ouvrant une porte donnant dans une autre pièce. Je bloque toujours mes rendez-vous en tranches d'une heure et demie pour que mes patients n'aient pas l'impression d'être bousculés.

D'un geste, il l'invita à entrer et Sandra se retrouva dans une réplique de la première pièce, légèrement plus petite peut-être. Les murs en étaient couverts d'étagères où étaient alignés d'innombrables livres de psychologie, d'hypnose et d'autres ouvrages sur la santé et le bien-être. Tout en haut, elle remarqua même un opuscule sur le dressage des chiots.

— Asseyez-vous, dit-il en lui indiquant un grand fauteuil avant de s'installer à son bureau, à quelques pas de là.

Sandra prit place et laissa échapper un soupir qu'elle n'avait pas conscience d'avoir retenu.

— Ouah ! C'est vraiment très confortable !

— N'est-ce pas ?

Il déballa une cassette audio et leva les yeux vers elle.

— Ce fauteuil a vingt ans et a été réparé je ne sais combien de fois. Je n'ai jamais pu en trouver un autre aussi confortable que celui-ci.

Elle hocha la tête et demanda :

— À quoi sert cette cassette ?

— À enregistrer notre cession. Cela vous dérange ?

Elle n'en savait rien.

— Pourquoi ? s'enquit-elle.

— Souvent, mes clients aiment emporter la cassette chez eux pour l'écouter en privé, pour s'exercer aux techniques de relaxation que je leur enseigne. C'est à vous de décider.

— Alors j'emporte la cassette ?

— Oui, elle est à vous. Un bonus, pour ainsi dire.

— Ah bon ? D'accord. Super.

Ce n'était pas idiot. Si elle voulait sérieusement aller mieux, et c'était le cas, elle devait faire appel à tous les outils à sa disposition.

Il glissa la cassette dans l'appareil, appuya sur le bouton et une lumière rouge s'alluma.

— Bon, alors si vous êtes prête à commencer, laissez-vous aller contre le dossier de votre fauteuil et fermez les yeux.

C'est ce qu'elle fit.

— Écoutez-moi bien. Permettez-moi d'être votre guide pour entrer dans un nouveau monde d'insouciance…

Sa voix était parfaite. Ni trop grave, ni trop aiguë. Mélodieuse, calme…

Familière.

Sandra tenta de l'identifier pendant que le thérapeute entraînait son imagination au bas d'un escalier de marbre, vers un grand hall empli de portes, mais elle était tellement distraite par son ton familier qu'elle ne parvint pas à se concentrer sur l'exercice.

— Quand vous regardez les portes, vous remarquez que chacune d'entre elles porte un mot : des mots comme *amour, haine, colère, peur*… Peu importe lesquels. Cela dépend uniquement de vous.

Mais oui ! C'était lui ! Ce type était un de ses clients ! Pas aussi assidu que Steve, mais elle lui avait parlé à plusieurs reprises. Chaque fois qu'elle lui demandait ce qu'il désirait, il répondait « Étonnez-moi. Cela dépend uniquement de vous. »

— Passez par la porte qui indique *détente*, continua-t-il, ignorant tout de la révélation que Sandra venait d'avoir. Regardez ce qui se passe de l'autre côté. Regardez ce qui vous met le plus à l'aise.

À l'aise ? Sandra ne l'était plus du tout.

Une chose était sûre : elle ne voulait pas se retrouver allongée dans une pièce obscure en compagnie d'un type qui lui avait déclaré, à peine quelques jours plus tôt : « *Donnez-moi de nouveau la fessée car j'ai été un très vilain garçon.* »

Le laisser pénétrer dans les tréfonds de son moi était au-dessus de ses forces !

— Que voyez-vous, Sandra ?

— Je…

Elle ne savait que répondre. Elle avait envie de partir. Tout cela était une perte de temps. Il lui était impossible de se détendre et de prendre cet homme au sérieux.

Mais comment expliquer à ce pauvre type qu'elle savait *qui* il était et qu'il adorait se faire sucer les testicules après avoir eu un orgasme ?

Alors elle fit ce qu'elle faisait d'habitude avec lui.

Elle simula jusqu'à ce qu'il ait terminé.

— Je vois une grande prairie verte…

Chapitre 7

— La première chose que vous devrez faire, c'est couper vos cartes de crédit en morceaux et me les confier.

Lorna considéra Phil Carson – petit, chauve, la cinquantaine – comme s'il venait de lui suggérer de jeter un chaton dans le mixer et d'appuyer sur le bouton MILK SHAKE.

— Quoi ? Là ? Tout de suite ?

Il éclata de rire. Cet homme était bien gentil mais il ne semblait pas se rendre compte de la difficulté de ce qu'il venait de lui demander.

— Non, non.

— Ah, ouf ! Bien.

— D'abord, il faut que vous me donniez les nombres qui sont indiqués dessus et le nom des banques…

Il tira les ciseaux d'un tiroir et les passa à Lorna pardessus le bureau.

— … et ensuite vous allez les couper et me les donner.

Elle observa minutieusement son visage, espérant y voir le signe qu'il plaisantait, mais sa bouille rondelette resta impassible, ses lèvres fines une ligne parfaitement droite.

Il avait sorti un stylo et l'avait posé sur son sous-main bordé de cuir noir.

— Quand nous en serons là, j'appellerai vos créditeurs

pour négocier un taux d'intérêt plus bas et un échéancier pour vos remboursements, continua-t-il. À long terme, cela vous fera gagner des centaines, peut-être même des milliers de dollars.

— Mais…

Lorna savait qu'il avait raison et qu'elle ne devrait exprimer aucune objection à tout cela. Pourtant il lui restait un doute :

— Que se passe-t-il si j'ai une urgence ? Est-ce que je peux utiliser une carte de crédit ?

Il baissa les yeux sur les listes des créditeurs et des dettes qu'elle avait imprimées à son intention.

— Des urgences ?… Je ne vois rien sur ce relevé qui ressemble à une véritable urgence.

Bon, c'était évident ! Cet homme ne comprendrait jamais qu'une petite thérapie de shopping puisse la guérir de profonds problèmes émotionnels ! Il suffisait de voir son costume. Une coupe ahurissante ! On y distinguait même les points de couture. Et ses chaussures ! Mon Dieu, ses chaussures… elles provenaient certainement d'une quelconque solderie à trois sous. Leur brun était bien trop vif et brillant pour être naturel. Son père aurait dit qu'il avait fallu des centaines de pauvres petits skaïs pour les fabriquer ! Chez les Rafferty, il y avait toujours des blagues sur le skaï ! Allez savoir pourquoi…

— Je n'en prévois pas, protesta Lorna, mais s'il y avait quelque chose… je ne sais pas…

Que pourrait-il considérer comme une urgence raisonnable ?

— … si j'étais coincée en dehors de la ville… Ou si je devais payer un médecin… Ou si j'avais des problèmes avec ma voiture…

En partant du principe qu'elle pourrait encore garder sa voiture pendant un mois… Et si elle conservait *une* des cartes en cachette ? Au cas où… Mais laquelle choisir ? La Visa avec le taux d'intérêt de 9,8 % mais une limite de 4 200 dollars ou bien l'American Express avec un taux de 16 % mais une limite de 10 000 dollars ?

Un peu comme *Le Choix de Sophie*.

Phil Carson l'observait par-dessus le bureau. C'était un homme relativement petit mais il avait remonté son fauteuil hydraulique au maximum et ressemblait à un gamin perché sur sa chaise haute.

— Lorna, je sais ce que vous ressentez. Vous êtes habituée à vivre d'une certaine manière et vous vous sentez inquiète à l'idée de changer de style de vie.

Il avait raison. Il l'avait coincée.

— C'est exactement cela. N'y a-t-il pas un autre moyen d'y arriver ?

Il secoua la tête.

— Non, pas à ce stade, dit-il en prenant l'une des feuilles. En tout, vous payez près de 30 % d'intérêts. Vos remboursements minimums catapultent votre ratio dettes/revenus dans la stratosphère. Je ne suis pas psychologue et je vous en prie, ne le prenez pas mal, mais cette façon de vivre ne doit pas être facile pour vous.

Cette dernière phrase, ou peut-être le ton qu'il avait employé, eut pour effet d'embuer les yeux de Lorna. Le moment était mal choisi pour une crise de larmes… Elle s'essuya donc les yeux du dos de la main et regarda vers le bas, le temps de se ressaisir.

— Vous avez raison, répondit-elle docilement. Je ne peux pas continuer à agir ainsi. Il faut que je fasse le nécessaire pour me débarrasser de ces dettes une fois pour toutes.

Phil sourit.

— Je serai là pour vous épauler. Et j'ai même quelques idées pour vous aider à en rogner un morceau.

— Ah oui ? Et comment ?

— Avez-vous déjà vendu quelque chose sur eBay ?

Elle n'était même encore jamais allée sur eBay ! Elle

avait toujours considéré les enchères en ligne comme un endroit où des adultes, qui devraient avoir d'autres centres d'intérêt, achetaient des cartes de joueurs de foot ou des cendriers de collection.

Peut-être avait-elle tout faux !

La perspective de vendre des trucs au lieu de s'infliger des heures sup était vraiment tentante.

— Comme quoi, par exemple ? Qu'est-ce que les gens achètent ou vendent sur ce site ?

— De tout. Des ustensiles de cuisine, des habits, des bibelots, même des chaussures…

Des chaussures !

Oh, non, non, c'était impossible. C'était déjà assez douloureux que des inconnues passent la voir ce soir pour éventuellement échanger des chaussures avec elle… De là à les vendre à des étrangers sans visage… pour de l'argent ? De l'argent qui serait juste jeté dans cet abîme de dettes, si sombre et si profond.

Non ! Elle ferait des sacrifices. Travaillerait plus longtemps. Garderait des enfants pendant ses heures libres si nécessaire. Passerait la tondeuse dans des jardins, comme lorsqu'elle était au lycée.

Mais elle n'allait pas se séparer de ses chaussures.

C'était hors de question.

— Vous savez, je crois que ce n'est pas mon truc, l'interrompit-elle.

— D'accord. Comme vous voudrez. C'était juste une suggestion.

— C'est vraiment très gentil à vous. Ne vous méprenez pas…

— Ce n'est rien. Vous trouverez bien une solution. Chacun aborde cela à sa façon et ce n'est pas toujours facile, surtout au début.

— Oh, mais je ferai face, s'insurgea Lorna, un brin sur la défensive. Je ferai face !

— C'est bien. Parfait.

Elle se sentit un peu ridicule.

— C'est juste que…

Les mots s'évanouirent. Elle parlait trop. Et en fin de compte, c'était pour ne rien dire. C'était toujours ainsi quand elle se sentait nerveuse. Elle ferait mieux de simplement la boucler. Maintenant.

— J'ai quelques idées pour augmenter mes revenus, mentit-elle.

En tout cas, elle avait trouvé un truc pour obtenir les chaussures dont elle rêvait et qu'elle ne pouvait plus se permettre d'acheter. Mais son petit doigt lui disait que Phil Carson ne serait pas vraiment impressionné par son idée. Ni par le fait qu'elle organise de petites réunions entre nanas avant de penser à des choses plus sérieuses. Comme gagner de l'argent, par exemple…

— Bon. Parfait. Et maintenant…

Il s'éclaircit la gorge et tendit la main vers elle par-dessus le bureau.

— … si vous pouviez me passer toutes vos cartes de crédit pour qu'on commence…

— Je vais insérer une petite barre en métal dans le cartilage de votre oreille, juste là.

Le docteur Kelvin Lee pinça un endroit du lobe de l'oreille de Sandra.

— Ça va me faire souffrir ?

Question stupide, étant donné qu'elle était déjà allongée sur la table de l'acupuncteur avec plus de quarante aiguilles piquées dans le corps comme des banderilles.

Mais Kelvin Lee eut le tact de ne pas relever.

— Il se peut que cela fasse légèrement mal quand je l'insère. À peine une petite piqûre.

— Et combien de temps faut-il que celle-ci reste en place ? s'inquiéta Sandra en se demandant si les quinze minutes pour les autre aiguilles seraient bientôt écoulées.

— Un mois.

— *Un mois ?*

— L'auriculothérapie est différente de l'acupuncture, expliqua-t-il patiemment. Elle continue à faire de l'effet si on laisse le bâtonnet dans le lobe.

À ces paroles, Sandra s'imagina être une de ces femmes de tribus africaines qui insèrent des tubes de plus en plus longs dans leurs oreilles jusqu'à ce que leurs lobes pendouillent plus bas que leurs seins flasques.

— Je ne sais pas si…

— Je vous assure, cela ne sera pas douloureux.

Elle avala sa salive. Si ce truc devait l'aider à sortir de son fichu appartement de temps en temps, la douleur devenait vraiment secondaire.

— D'accord, geignit-elle en fermant les yeux. Allez-y !

Les poings serrés, elle attendit tandis qu'il lui triturait l'oreille, sans doute pour déterminer l'endroit exact. Puis elle ouvrit les yeux.

— Vous pouvez y aller, insista-t-elle.

— C'est déjà fait.

Il sourit, affichant une calme assurance qui lui donna des scrupules d'avoir douté de lui.

Elle toucha son oreille et, en effet, sentit une petite barre métallique traversant le lobe.

— C'est tout ?

— C'est tout.

Un instant, elle resta tranquille, se demandant si elle éprouvait quelque chose. Rien.

— Quand est-ce que je vais sentir une différence ?

— C'est difficile à dire. Ça varie d'une personne à l'autre. Il y a de fortes chances pour que vous ressentiez surtout une *absence* de panique et de stress au lieu de quelque chose de nouveau.

Trois heures plus tard, en dépit d'une bonne dose de scepticisme, Sandra commençait à penser que le médecin avait peut-être raison.

Impossible de vraiment certifier qu'il y avait une nette différence. Ce n'était pas comme si elle se sentait prête à se précipiter dans un métro bondé… Mais la perspective d'aller faire un saut, mettons à l'épicerie, n'était plus aussi insupportable que la veille.

Le lendemain matin, l'amélioration était toujours là. Dans une certaine mesure, Sandra avait l'impression de pouvoir faire face à tous les *dangers*, tout en étant consciente qu'il y avait là un brin de fausse confiance. Si elle sortait de chez elle et montait dans un bus, elle en redescendrait illico à l'arrêt suivant.

Donc niet pour le bus.

L'épicerie du coin ? C'était peut-être envisageable… Sandra se lança donc dans l'achat de vinaigrette et de barres de chocolat Skinny Cow[1]. Même si l'expédition ne se révéla pas une vraie partie de plaisir, ce n'était pas aussi catastrophique que d'habitude.

Elle revint donc à son appartement assez perplexe, se demandant si ce minuscule bout de métal possédait réellement le pouvoir de l'arracher à son agoraphobie.

Il y avait un excellent moyen d'en avoir le cœur net.

Le lendemain était un mardi. Le jour où les Shoe Addicts Anonymes se réunissaient. Pourquoi n'y ferait-elle pas un tour ? Si c'était une réussite, ce serait génial. Sinon, elle pourrait au moins dire qu'elle avait courageusement tenté l'expérience et poursuivre sa thérapie avec le docteur Ratner.

Elle allait essayer.

Juste une fois.

Oui, juste une fois.

Elle se répéta cette incantation en se dirigeant vers le téléphone pour passer son coup de fil.

1. Littéralement « Vache maigre ». *(N.d.T.)*

Les « invitées » devaient arriver un quart d'heure plus tard et Lorna commençait à se poser de sérieuses questions. Et si les gens n'étaient pas ce qu'ils prétendaient être ? Et si ce n'étaient même pas des femmes ? Et si c'étaient des hommes psychopathes qui voulaient l'étrangler avec sa petite culotte, piquer ses affaires et la laisser pourrir dans son appartement, rongée par son pauvre Merlin affamé jusqu'à ce que l'odeur de putréfaction arrive aux narines de ses voisins ? Ce qui pourrait prendre une éternité vu le niveau de pourriture qu'atteignaient les poubelles dehors, quand les éboueurs faisaient l'une de leurs nombreuses grèves.

Ce n'était pas impossible. Et ce type qui avait appelé ? C'était tellement bizarre ! Il insistait, disant qu' « il devait absolument sortir » et qu'il pouvait très bien acheter des chaussures de femme en 7 ½ et participer aux échanges. Comme s'il s'agissait de cartes de base-ball, de foot ou d'autocollants Hello Kitty et qu'ils allaient tous se retrouver dans la cour de récré pour les échanger !

Lorna avait dû se donner un mal fou pour lui faire comprendre que c'était hors de question. Peut-être était-ce un dragueur impénitent qui s'imaginait pouvoir rencontrer des femmes de cette façon… Et si ce névrosé avait rappelé en imitant une voix de femme, et pris son adresse afin de venir sur place ce soir pour semer la pagaille ?

Elle s'était montrée très prudente et avait indiqué le numéro de son portable sur l'annonce afin qu'on ne puisse pas la retrouver. Tant pis pour Phil Carson qui avait laissé entendre qu'un portable n'était pas vraiment une dépense indispensable ! Quand Hélène, Florence et Sandra avaient appelé, Lorna ne leur avait donné son adresse qu'après quelques minutes de bavardage.

Peut-être l'une d'entre elles… comme *Florence*, par exemple ?

Quelqu'un portait-il réellement ce prénom ou bien

Lorna était-elle tombée dans un piège stupide tendu par un fan obsédé par les Brady Bunch[1] ?

L'estomac noué, Lorna se dirigea vers la porte et vérifia que la chaîne de sécurité était bien enclenchée. Elle pourrait toujours jeter un coup d'œil par le judas et s'assurer que la personne qui se présentait avait l'air… normale.

Puis elle attendit.

La première fois qu'on frappa à la porte, il était sept heures moins trois. Lorna se précipita vers la porte et regarda par le petit œilleton. C'était une femme très grande et mince, avec des cheveux noirs striés de mèches blanches, qui lui rappelait Cruella de Ville. Elle portait trois gros sacs en papier glacé, de ceux qu'on donne dans les boutiques, et fronçait les sourcils.

Lorna ouvrit la porte, réalisant soudain qu'elle n'avait pas préparé la moindre phrase d'accueil.

— Salut ! Euh… Bienvenue à Shoe Addicts Anonymes. Je suis Lorna.

— Florence Meyers, répondit la femme en entrant en trombe, bousculant Lorna au passage avec l'un des sacs. D'abord, il faut qu'on change ce nom.

— Qu'on change ce nom ?

— Absolument ! On dirait un programme de réhabilitation pour drogués ou alcooliques. Ce n'est pas ce qu'on veut.

En fait, pour Lorna, c'était exactement de cela qu'il s'agissait !

— Ah bon ?

— Mm-mm. Qu'en disent les autres ?

— Je ne sais pas encore.

— Vous ne leur en avez pas parlé ?

— De ça ? Non.

1. Florence Henderson est l'actrice qui jouait le rôle de la cadette des dix enfants de la famille Brady, série américaine très populaire des années soixante-dix. *(N.d.T.)*

Florence sembla un instant exaspérée, puis haussa les épaules.

— Où est-ce que je dois poser tout ce bazar ? demanda-t-elle en levant les sacs.

— Qu'est-ce que c'est ?

Florence la regarda comme si elle venait de lui poser une question débile.

— Des chaussures, évidemment !

— Tout ça ?

Florence commença à ouvrir les sacs, en sortit effectivement des chaussures qu'elle étala sur le sol. Certaines étaient très éraflées, dans un état qui ne s'était certainement pas amélioré dans le sac vu la manière dont elles y avaient été jetées en vrac mais, pour la plupart, elles étaient surtout… eh bien, oui, elles étaient surtout… moches. Et d'un style impossible à identifier.

— Vous voyez, celles-ci ? demanda Florence en soulevant une paire de sandales en cuir vernis rose bonbon que Lorna aurait *adorées* quand elle était gamine. Ce sont des Jimmy Choo. Édition limitée !

— Des Jimmy Choo ? répéta Lorna, sceptique.

Florence acquiesça d'un air péremptoire.

— Mais il ne fait jamais de chaussures plates, protesta Lorna.

— Eh bien… si. La preuve !

Inutile de discuter. Lorna en saisit une et la regarda de plus près. L'étiquette ressemblait aux vraies mais elle était collée à la va-comme-je-te-pousse.

— Où les avez-vous achetées ?

Florence lui reprit la sandale des mains.

— À New York. À l'angle de la 48e Rue et de la 5e Avenue.

— Désolée, mais je ne connais pas très bien New York. Dans quelle boutique ?

— Ce n'était pas un magasin ! dit Florence comme si Lorna avait proféré une incroyable bêtise. C'était un type qui vendait des chaussures et des sacs à main de créateurs. J'en ai revendu énormément sur Internet. J'en ai tiré une petite fortune. Mais celles-ci…

Elle regarda les chaussures avec admiration, puis ajouta :

— Celles-ci sont vraiment très spéciales. Quelqu'un devra m'en donner deux paires en échange.

— Vous les avez donc achetées à un marchand ambulant ?

Florence haussa les épaules.

— Je sais qu'elles ont probablement été volées, mais cela n'enlève rien à leur valeur.

Lorna avait envie de lui faire remarquer qu'elles avaient forcément moins de valeur puisqu'elles étaient « tombées du camion », mais préféra s'en abstenir. On l'avait décidément trop bien élevée.

Heureusement, on frappa à la porte et Lorna dut se lever pour ouvrir. La crainte d'avoir affaire à un homme dangereux, à un psychopathe, venait d'être remplacée par la peur de se retrouver coincée dans son appartement avec une bande de cinglées, essayant d'échanger des tongs en plastique orange contre des merveilles en cuir souple de chez Étienne Aigner.

Lorna ne se donna même pas la peine de regarder par le judas ; elle ouvrit la porte à une superbe créature rousse vêtue d'une robe blanche en lin qui épousait son corps parfait comme un gant et… d'exquises mules en brocart d'Emilio Pucci. L'une de ses mains était prise par une pochette baguette de chez Fendi et l'autre par un petit sac de la boutique Nordstrom.

De toute évidence, il contenait une boîte à chaussures.

Lorna sentait ce genre de chose à des kilomètres…

La femme lui adressa un sourire d'actrice :

— Suis-je à la bonne adresse ? Êtes-vous Lorna ?

Trop éblouie par la nouvelle venue – et ses chaussures ! – Lorna, mit du temps à réagir.

— Euh… oui, finit-elle par répondre. Je suis désolée. Vous êtes ?

— Hélène Zaharis, dit-elle en tendant une bouteille de vin, révélant un joli bras mince et bronzé. Je suis ravie de faire votre connaissance. Je ne savais pas comment cela se passerait, mais j'ai pensé qu'un peu de vin serait toujours le bienvenu.

— C'est vraiment très gentil à vous, répondit Lorna en lui serrant la main avant de s'effacer pour la laisser entrer. J'adore vos Emilio Pucci. Je ne crois pas avoir vu ce motif avant.

— Moi non plus. Pas ici, en tout cas. Je les ai trouvées à Londres.

Hélène sourit et se tourna vers Florence.

— Bonjour !

— Florence Meyers, se présenta assez sèchement la première arrivée. Ne pensez-vous pas que nous devrions changer le nom ?

— Co… comment ?

Hélène semblait perplexe.

— Shoe Addicts Anonymes. Ça ne sonne pas bien !

Lorna s'efforça de ne pas lever les yeux au ciel et répondit :

— Cela ne me dérangerait pas vraiment de le changer. C'était juste… je ne sais pas… une espèce de clin d'œil.

— Je trouve ça très sympa, la rassura Hélène. J'aime beaucoup, même. Et je *suis* une accro aux chaussures. Je serais très gênée de vous avouer *jusqu'où* cela peut parfois me mener.

Elle hésita, puis sourit.

Lorna n'arrivait pas à la situer, mais cette femme lui était familière.

— Moi, les chaussures ne me font ni chaud ni froid, intervint Florence, toujours aussi sèchement. Mais mes clientes les adorent.

Lorna jeta un coup d'œil à l'horloge murale. La soirée

ne se présentait pas très bien. Est-ce que les autres allaient la laisser tomber ? Sandra, par exemple ?

— Que puis-je vous servir à boire ? demanda-t-elle. Il y a de la bière, du vin, des jus de fruits… Hélène, nous pourrions ouvrir la bouteille que vous avez apportée.

— Et du Dubonnet ? demanda Florence. Vous en avez ?

Du Dubonnet ? Doux Jésus ! Cela faisait des années qu'elle n'avait pas entendu ce nom. Depuis les années soixante-dix, quand on voyait encore les fameuses pubs « Du beau, du bon, Dubonnet… » D'ailleurs, elle n'avait pas la moindre idée de ce que c'était. Du vin ? De l'eau-de-vie ?

— Je regrette, mais je n'en ai pas. Vous prendriez peut-être… autre chose ?

— Un peu de zinfandel, du vin blanc avec de la limonade, par exemple ? suggéra Florence en continuant à sortir et à étaler d'horribles chaussures parfaitement ringardes. Ce serait parfait !

Lorna croisa le regard d'Hélène en se rendant à la cuisine et demanda :

— Et pour vous ?

Hélène lui adressa un sourire compatissant.

— Rien pour l'instant. Merci.

Dans la cuisine, Lorna jeta un coup d'œil dans la rue et remarqua un homme adossé à une petite voiture qui avait dû connaître des jours meilleurs. Il regardait en l'air, vers son appartement.

Elle se crispa. Était-ce le type qui l'avait appelée au sujet des Shoe Addicts ? Était-il tellement furieux de s'être fait rembarrer qu'il venait la poignarder ?

Non, c'était ridicule. Sa résidence comprenait de nombreux appartements et beaucoup de gens y circulaient tout le temps. Son imagination lui jouait des tours. Pourtant, elle se concentra sur son apparence afin de pouvoir fournir une bonne description plus tard. Au cas où… Le type était de taille moyenne, blond, très quelconque… Cela aurait pu être n'importe qui.

Puis elle se tourna vers son réfrigérateur pour y chercher un soda et une bouteille de vin entamée. Elle ne trouva pas de zinfandel, mais du chardonnay. Cela ferait parfaitement l'affaire. Florence ne remarquerait certainement pas la différence.

On frappa à la porte et Hélène cria :

— Voulez-vous que j'aille ouvrir ?

— Volontiers.

Lorna se sentit soulagée. Hélène était fabuleuse, le genre de femme qui arrivait dans un endroit et s'y sentait aussitôt chez elle, prenant toutes sortes d'initiatives pour faciliter la vie de son hôtesse.

Voilà le genre d'invitée que Lorna appréciait.

Florence, en revanche…

Lorna prit une généreuse gorgée de vin blanc, directement au goulot, avant de replacer la bouteille dans le réfrigérateur. Dans l'entrée, elle entendait Hélène discuter avec une autre femme.

Bien. C'était effectivement une femme. Une vraie. Impossible qu'un homme puisse aussi bien imiter un tel timbre de voix. Jetant un coup d'œil rapide par la fenêtre, elle remarqua que la voiture se trouvait toujours là, mais que l'homme n'y était plus. Probablement rendait-il simplement visite à quelqu'un.

Il n'y avait donc aucune inquiétude à avoir.

Pas cette fois, en tout cas. Elle en aurait largement le temps plus tard et, malheureusement, les raisons ne manquaient pas.

Chapitre 8

Lorna apporta son faux zinfandel à Florence et aperçut une petite bonne femme tout en rondeur, avec des cheveux mi-longs noirs et de petites lunettes de grand-mère sous d'épais sourcils également noirs.

La jeune femme ressemblait si peu à sa voix chevrotante que Lorna en fut déconcertée. Mais elle cacha sa surprise et compensa avec son plus beau sourire.

— Bonjour ! Je suis Lorna. Vous devez être Sandra.

D'une main légèrement tremblante, celle-ci se toucha l'oreille.

— Oui. Sandra Vanderslice. J'espère que je ne suis pas en retard. Ou bien en avance ?

Puis, avisant l'étalage style marché aux puces que Florence finissait justement d'installer, elle ajouta :

— Je n'ai pas apporté autant de chaussures que cela…

— En ce qui me concerne, je n'en ai apporté qu'une seule paire, intervint rapidement Hélène. Enfin deux, si on compte celles que je porte.

Le cœur de Lorna s'emballa. Hélène était-elle prête à échanger ces fabuleuses Pucci ?

— Désirez-vous boire quelque chose, Sandra ? demanda Lorna. Bière, vin, limonade ?

Elle-même prendrait volontiers un verre de vin. Elle en avait bien besoin.

— Euh…

On pouvait effectivement percevoir un léger tremblement dans sa voix. Pour une raison mystérieuse, cette fille était morte de trouille.

— De la limonade si c'est possible, finit-elle par répondre avec une timidité désarmante.

— Est-ce qu'un Coca fera l'affaire ?

Sandra hocha la tête, regarda ses pieds et prit une profonde inspiration.

— Et vous, Hélène ? Êtes-vous certaine de ne pas vouloir prendre quelque chose ? Un peu de vin ? insista Lorna.

— Vous savez… tout bien réfléchi… du vin blanc serait parfait, répondit finalement Hélène avec une lueur dans les yeux, si fugitive que Lorna faillit ne pas la remarquer.

— Oh, j'en prendrais bien moi aussi, intervint Sandra de sa petite voix. À la place du Coca, si cela ne vous ennuie pas.

Elle se toucha de nouveau le lobe de l'oreille puis, surprenant le regard de Lorna, elle rougit et remonta ses lunettes sur l'arête de son nez.

— C'est comme si c'était fait.

Lorna emplit les verres et les apporta dans le salon.

Hélène avait sorti la boîte du sac et Lorna se rendit compte qu'il s'agissait de talons aiguilles rose fuschia.

— Oh, mon Dieu ! gémit-elle.

Hélène sembla déconcertée.

— Qu'est-ce qui ne va pas ?

— Ce sont des Prada ? demanda Lorna en pointant un doigt sur les chaussures.

— Ah, oui. Mais elles ont déjà deux ans. Je ne savais pas trop quel genre de chose apporter.

Lorna était au paradis.

— Je les *adore* ! J'en avais eu tellement envie quand elles sont sorties, mais je m'étais fait une entorse à la cheville et ma saloperie d'assurance n'a pratiquement rien voulu rembourser. Je n'ai donc pas pu les acheter.

C'était l'une des nombreuses histoires embarrassantes de chaussures qu'elle pourrait raconter plus tard, si l'atmosphère devenait un peu trop pesante. Elle inspecta les escarpins de plus près. On aurait dit qu'ils n'avaient jamais été portés. Ils étaient en parfait état.

— Moi, je les avais prises en noir, dit Sandra. Et aussi des Kate Spade qui leur ressemblent, mais leur talon ne me convient pas du tout.

Oh, ça allait vraiment être génial !

Lorna avait eu un mal fou à choisir trois paires de chaussures à échanger – en tant qu'hôtesse, elle se sentait obligée d'en céder au moins une paire puisque l'idée venait d'elle – mais au vu de la situation, elle devrait peut-être refaire un tour dans son stock pour en rapporter d'autres.

Florence tapa des mains sur ses cuisses.

— Bon. Comment allons-nous procéder ? Comme une vente aux enchères ?

Elle ramassa les fausses Choo rosâtres.

— Comme je l'ai dit à Lorna tout à l'heure, celles-ci sont très très spéciales. Je pense pouvoir les troquer contre deux paires au moins. Mais comme tout le monde est venu avec seulement une paire ou deux, je me contenterai d'une. Ça intéresse quelqu'un ? demanda-t-elle en les tendant à bout de bras.

Il y eut un silence poli.

Lorna commença à se sentir gênée.

— Est-ce que je peux les voir ? demanda-t-elle.

Ce n'était que pure courtoisie, car elle n'avait nullement envie de les regarder de plus près.

Une fois qu'elle les eut en main, la piètre qualité du cuir n'en fut que plus évidente. De la colle transparente avait séché au bord des semelles et la couture du cuir était bien trop irrégulière. Mais comment faire une remarque sans se montrer insultante envers son invitée ? Heureusement, il y avait un 10 imprimé sur la semelle, un autre indice… ce qui lui offrait une échappée honorable.

— C'est une pointure 10, fit-elle remarquer.

Puis, soudain inquiète, elle ajouta :

— Je n'avais pas précisé qu'il fallait du 7½ dans mon annonce ?

Oh, Dieu du ciel ! Avait-elle commis une bévue et fait perdre du temps à tout le monde ?

— Si, si, répondit promptement Hélène. C'est d'ailleurs ce que j'ai apporté.

— Moi aussi, renchérit Sandra en finissant son vin.

Elle semblait être un peu plus à l'aise, maintenant.

Le vin y était sans aucun doute pour quelque chose.

— Bah ! Vu la manière dont les gens se nourrissent de nos jours, le 10 est devenu le nouveau 7½ !

Elle baissa les yeux sur ses propres pieds de dinosaures pour lesquels elle devait indubitablement commander des chaussures sur mesure.

Lorna se leva pour se rendre à la cuisine et y chercher la bouteille.

— Je suis désolée si je n'ai pas été très claire, Florence, dit-elle. Si nous chaussons toutes un *vieux* 7½, nous ne pouvons pas échanger nos chaussures avec une autre pointure.

— Oh, mais j'ai d'autres pointures, ici, rétorqua Florence un peu sèchement.

Elle commença à fouiller sans ménagement dans son tas et ajouta :

— Tiens… voilà un… 10. Bon, vous m'avez bien fait comprendre que ça ne fera pas l'affaire… Et là, un 5. Un 7. Celles-ci pourraient peut-être aller. On ne sait jamais, elles taillent grand, ajouta-t-elle en mettant la paire en question de côté.

— Je n'ai jamais entendu parler de Bagello, fit remarquer Sandra en se penchant pour décrypter la marque dans les chaussures.

— C'est une marque de la chaîne Super-Mart, précisa Hélène sans porter le moindre jugement.

Florence lui jeta un regard noir.

— Vous avez quelque chose à reprocher à Super-Mart ?

— Non ! Bien sûr que non ! rétorqua Hélène en réprimant un sourire. Mais je ne pense pas qu'une pointure 7 de Super-Mart puisse aller à qui que ce soit ici.

Puis, marquant une courte pause, elle précisa sur un ton narquois :

— Vous savez comme moi qu'ils ont tendance à chausser petit.

Lorna versa un peu plus de vin dans le verre d'Hélène en se demandant comment une femme aussi élégante et cultivée pouvait en savoir autant sur les produits de chez Super-Mart.

Florence lui présenta une paire de ballerines recouvertes de flanelle grise.

— Alors ces Ralph Lauren devraient vous aller à la perfection, annonça-t-elle avec un sourire triomphant. Ces petites merveilles coûtent une fortune.

Hélène les retourna entre ses mains et acquiesça.

— Ce sont en effet des Ralph Lauren. Et même des vintage. Je dirais qu'elles remontent à 1993 ou 1994.

Florence eut l'air très contente d'elle-même.

Lorna y jeta un coup d'œil en versant un peu de vin dans le verre de Sandra.

— Alors ? Qui est-ce qui veut faire une offre ? demanda Florence.

— Moi, je suis trop petite pour porter des chaussures

plates, déclara Sandra, qui avait déjà repris son verre et bu une gorgée.

Lorna considéra les chaussures avec consternation. Elles étaient en piteux état, complètement éculées. Mais elle se sentait presque obligée de faire une offre.

Elle était à deux doigts de se lancer quand Hélène dit :

— Très bien. Je vous les échange contre mes Pucci.

Il était évident qu'elle se montrait simplement polie. Son visage trahissait son amusement et elle ne jeta même pas un regard sur les Ralph Lauren.

Lorna ressentit un véritable coup de poing dans l'estomac.

— Oh, non ! Pas les Pucci ! Attendez… j'ai des… J'ai des Angiolini qui vous plairaient davantage…

Florence considéra tour à tour les deux femmes.

Hélène se contenta de regarder Lorna.

— Non, non, pas les Angiolini, protesta-t-elle. Elles sont beaucoup plus chères que celles-ci.

Puis elle lui lança un clin d'œil. Elle avait compris.

Sandra, en revanche, semblait terriblement déconcertée.

Lorna entra dans le jeu d'Hélène.

— Vous avez peut-être raison…

Elle était *sûre et certaine* que Florence allait sauter sur l'occasion pour mettre le grappin sur des chaussures *bien trop chères* pour êtres cédées dans ces conditions.

Ce fut donc un choc quand Florence secoua la tête.

— Désolée, mesdames ! Ces petites merveilles valent deux paires. Deux paires de chaussures de *créateurs*, ajouta-t-elle comme si les autres avaient apporté des chaussures minables achetées à l'épicerie du coin.

Hélène laissa échapper un soupir plein de regrets.

— Dommage, elles sont trop chères pour moi. Je ne pense pas pouvoir suivre.

Elle avait un véritable don pour manipuler les gens.

— Moi non plus, s'empressa d'ajouter Sandra.

— Et moi-même je n'ai que quelques paires, renchérit Lorna, espérant que son nez ne s'allongerait pas après un tel mensonge. Je pensais qu'on allait simplement se retrouver pour… vous voyez… euh… papoter chaussures.

Pourvu qu'elle ait bien cerné Sandra et Hélène parce qu'elle ne voulait surtout pas les rebuter.

— Parfait, dit Sandra.

Son visage avait pris des couleurs, sans doute à cause du vin. En tout cas, elle s'était bien détendue.

— Saviez-vous que les premiers hommes ont inventé les sandales en attachant une plaque de bois ou de peau d'animal avec les intestins de leurs proies ?

Il y eut un long silence : toutes regardaient Sandra d'un air surpris.

— Je lis beaucoup, déclara-t-elle avec un haussement d'épaules en rougissant comme un thermomètre de dessin animé.

Lorna sourit.

— C'est génial. Racontez-nous la suite.

— Eh bien, les chaussures ont été inventées peu après, par les habitants des régions au climat plus froid. Ils ont simplement pris les sandales et ajouté la partie supérieure faite avec la peau des animaux. C'est plus ou moins ce qu'on porte de nos jours, n'est ce pas ?

— Donc, sociologiquement, nous ne sommes pas aussi évolués que nous le croyions, fit remarquer Lorna.

— Exactement ! renchérit Sandra. Nous avons encore beaucoup de choses en commun avec nos ancêtres préhistoriques.

— Fascinant. Et…

— Euh… attendez une minute ! intervint Florence en les interrompant d'un geste de la main. Excusez-moi, il faut que j'y aille.

Elle se mit à jeter les chaussures dans son sac, en vrac,

sans la moindre considération pour ces pauvres cuirs déjà malmenés et ajouta :

— Je n'avais pas compris que ce serait comme une espèce de club de lecture. Ce n'est pas mon truc.

Lorna fut tentée de feindre la déception et protester, mais se ravisa.

— Je suis désolée que ça n'ait pas marché, dit-elle à Florence en l'accompagnant jusqu'à la porte afin qu'elle ne soit pas tentée de s'arrêter pour conclure un marché avec Hélène pour les Emilio Pucci.

— Bon, eh bien… si vous voulez quelques-unes de mes chaussures, vous n'allez qu'à aller sur eBay. Mon site s'appelle « Flo's Fashion », la Mode selon Flo ! Je vous ferai une réduction pour les frais d'envoi puisque je sais que vous habitez dans le coin. N'oubliez pas, hein ?

Sur ce, elle passa la porte en hâte.

Lorna referma derrière elle et prit une profonde inspiration avant de se tourner vers les deux autres femmes, curieuse de leurs réactions.

Il y eut un moment de silence tendu et Lorna crut qu'elles se jaugeaient les unes les autres.

Finalement, Sandra qui en était déjà à son quatrième verre, dit :

— Ces pauvres chaussures !

— « Ne prends pas la défense des chaussures ! » rétorqua aussitôt Lorna en parodiant l'une des reparties les plus drôles de Tim Gunn dans *Project Runway*[1].

Puis elle se souvint qu'elle ne connaissait pas ces femmes et qu'elles la prendraient sûrement pour une folle. Alors elle se lança dans l'explication de ce qui lui apparut soudain comme une blague terriblement vaseuse.

— C'est dans…

1. Émission américaine style Star Ac', animée par des stylistes et des mannequins. Le célèbre styliste Tim Gunn y apparaît parfois comme membre du jury. *(N.d.T.)*

— *Project Runway* ! s'écria Sandra. Oh, mon Dieu, j'adore cette émission ! Et quand Tim Gunn a dit ça à propos de Wendy Pepper...

— Elle l'avait bien mérité, intervint Hélène. Ces chaussures étaient *vraiment* tape-à-l'œil.

Toutes éclatèrent de rire et le soulagement sembla emplir la pièce comme une eau délicieusement chaude.

Ce fut à cet instant, à propos de quelque chose d'aussi insignifiant qu'une émission télé, que Lorna comprit que ce type de rencontre pourrait marcher. L'atmosphère s'était complètement allégée et tout le monde riait et papotait à propos des créateurs ou des pseudo-créateurs, de l'instant précis où elles avaient pris conscience de leur passion pour les chaussures. Puis elles abordèrent finalement le sujet « Florence ».

— Quand je lui ai proposé les Pucci en brocart tu as paniqué, pas vrai ? demanda Hélène en s'adressant à Lorna. Je l'ai vu dans tes yeux. Je suis désolée.

Elle retira les chaussures de ses pieds et les lui tendit :

— Tiens, prends-les ! Après tout ce que tu as fait pour toutes nous rassembler ici, tu les mérites bien.

Une fois de plus, Lorna se surprit à répondre ce qu'il *fallait* au lieu de ce qu'elle pensait.

— Non, vraiment. Je te remercie, je ne peux pas juste les *prendre* comme ça. Ce n'est pas le but de ces réunions.

— Mais cela ne me dérange pas. Et toi, Sandra ?

— Moi non plus. Je suis même prête à te donner les miennes. Tu as dû être sacrément surprise quand Florence est entrée ici et a commencé à étaler tout son bazar.

Lorna éclata de rire.

— J'avoue que j'ai craint un instant ne pas avoir été assez précise dans mon annonce.

— Ma chérie, il y a toujours des gens qui ne pigent pas ! déclara Hélène comme si elle en avait déjà fait l'expérience douloureuse. Je trouve que tu as parfaitement bien géré la situation. Serais-tu dans la vente, par hasard ?

— Non, je suis serveuse. À Jico, sur Winsconsin Avenue.

Hélène sourit.

— C'est de là que vient ton sens du contact avec les gens.

— Et vous deux, qu'est-ce que vous faites ? demanda Lorna.

Comme Hélène ne pipait mot, Sandra se lança :

— Je travaille dans les télécommunications.

— Les télécommunications ?

Sandra acquiesça d'un signe de tête mais parut gênée.

— Ce n'est pas très intéressant mais ça paie le loyer… Et les chaussures ! ajouta-t-elle avec un petit rire.

Apparemment, elles étaient toutes dans la même galère.

— Et toi ? demanda-t-elle à Hélène.

Toujours cette hésitation.

— J'étais vendeuse chez Garfinkels. Avant qu'ils déposent le bilan.

— Vraiment ? Garfinkels ?

Lorna avait toujours considéré cet établissement comme un magasin pour personnes âgées, pour les amis de ses parents par exemple. C'était avant la fermeture de la boutique. Cela remontait à quand ? À plus de dix ans, au moins…

— Je travaillais au rayon hommes. Les costumes, précisa Hélène. C'est là que j'ai rencontré mon mari. Je suppose que la suite était à prévoir…, ajouta-t-elle en haussant les épaules.

— Demetrius Zaharis, n'est-ce pas ? demanda Sandra.

Hélène sembla déconcertée.

— En effet. Comment le sais-tu ?

— Oh, je lis beaucoup. Vraiment beaucoup.

— J'avais l'impression de déjà t'avoir vue, moi aussi ! intervint Lorna. Ta photo est parfois dans la rubrique « People ».

Dans d'autres rubriques sans doute aussi, mais Lorna ne lisait que celle-ci.

Hélène baissa un instant les yeux puis dit d'une voix bien plus détendue que ne l'étaient les traits de son visage :

— Ces photos sont généralement tellement moches : j'ai toujours l'espoir que personne ne me reconnaîtra.

Elle laissa échapper un petit rire forcé qui jeta un froid.

Pour Lorna, il semblait impossible de prendre une mauvaise photo d'Hélène, mais il était évident que le sujet mettait celle-ci mal à l'aise. Elle passa donc à autre chose :

— Alors je vais aller chercher ces Angiolini. Et puis un miroir aussi. Et que le troc commence !

Le troc ne prit que quelques minutes, mais la conversation se prolongea encore une bonne heure. À mesure que le temps passait et que les verres se vidaient, elles se détendaient, se confiaient les unes aux autres, riaient.

Quand l'atmosphère fut plus calme, Lorna prit la parole :

— Dites-moi, vous avez d'autres chaussures que vous aimeriez échanger ? Est-ce que vous voulez qu'on recommence une autre fois ? Je ne sais pas trop comment organiser tout cela…

— J'en ai un million de paires, commença Hélène. Et sincèrement, c'est sympa d'avoir une sortie qui n'implique pas les incontournables ronds de jambes politiques.

— Génial !

Lorna était ravie. Toujours inquiète que personne ne se présente à ses fêtes, l'organisation de ce groupe lui avait redonné confiance. Elle se tourna vers Sandra :

— Et toi ?

— Je ne sors pas beaucoup, répondit-elle en rougissant.

Puis, après une brève hésitation, elle prit une profonde inspiration et se lança :

— Mais j'ai *plein* de chaussures ! Alors, c'est clair, je suis partante !

— Fantastique ! J'ai toujours l'annonce sur la Gregslist. Je pense que je vais la laisser encore quelque temps au cas où il y en aurait d'autres comme nous…

Hélène sourit.

— Oh, il y en a plein ! La question est de savoir combien voudront bien sortir de leurs tanières encombrées de chaussures pour se laisser recenser.

À partir de cet instant, la conversation se détendit et, à la fin de la soirée, les femmes s'étaient mises d'accord pour se retrouver la semaine suivante avec encore plus de chaussures.

Quand Sandra et Hélène partirent enfin, Lorna se sentit plutôt optimiste pour l'avenir de Shoe Addicts Anonymes. Les choses s'étaient si bien déroulées. Elle rapporta les verres à la cuisine d'un pas plus souple que d'habitude, sans doute grâce à ses nouvelles Pucci en brocart, et jeta un coup d'œil par la fenêtre tandis que Sandra et Hélène prenaient congé sous le lampadaire du parking.

Lorna allait tourner les talons quand elle vit s'allumer les feux arrière de la voiture contre laquelle s'était adossé l'homme, quelques heures plus tôt.

Coïncidence intéressante.

Une BMW noire sortit doucement de l'aire de stationnement. *Sans doute celle d'Hélène*, pensa Lorna. Mais très vite, la voiture qu'elle avait remarquée fit une marche arrière et quitta le parking à son tour.

Lorna resta quelques instant à surveiller les lieux, s'attendant à voir passer la voiture de Sandra. Mais il n'en fut rien. Elle commençait à se demander si cet homme n'avait pas accompagné Sandra, l'attendant dans la voiture tout ce temps quand quelqu'un frappa à la porte.

Elle se précipita, fixa la chaîne de sécurité et l'entrouvrit juste assez pour voir que c'était Sandra.

— J'ai oublié mon sac.

— Oh ! Attends !

Lorna ferma la porte, défit la chaîne, puis l'ouvrit en grand.

— Je ne m'en étais même pas rendu compte. Viens, entre !

— Je suis vraiment désolée de revenir si tard frapper à ta porte.

— Ne t'en fais pas. D'ailleurs, j'ai une question à te poser. Est-ce que tu as remarqué un type dans une petite voiture bleue quand tu étais sur le parking ?

Sandra réfléchit.

— Non, je ne crois pas. Pourquoi ?

— Oh, ce n'est rien.

Lorna hésita. Elle ne voulait pas sembler parano ni risquer d'inquiéter Sandra inutilement. Le type était parti. Elle l'avait vu s'éloigner.

— Oh, j'ai cru voir un de mes anciens petits copains, mais j'ai dû me tromper. Il n'était pas du genre collant, ajouta-t-elle en riant.

Sandra lui jeta un regard pénétrant.

— Tu es sûre de toi ?

— Oh, oui. Ce n'est rien.

— Il ne faut pas plaisanter avec le harcèlement, reprit Sandra avec le plus grand sérieux. Si tu penses que ce type peut être dangereux, il vaut mieux appeler la police.

Lorna fut touchée. Depuis le lycée, elle n'avait jamais eu d'amie proche et, même si on ne pouvait pas encore parler de « proche » ni même de véritable « amie », elle appréciait Sandra et Hélène, et était contente qu'elles reviennent la semaine suivante.

— Honnêtement, ce n'est rien.

Puis, pour banaliser la situation, elle ajouta :

— Je prenais sans doute mes rêves pour la réalité.

Sandra hocha la tête, compatissante.

— Ah. Eh bien, désolée… Mais si vous avez rompu, il vaut peut-être mieux que ce ne soit pas lui.

— Oui, probablement.

Sandra ramassa son sac et sourit.

— Bon, on se revoit la semaine prochaine, alors ?

— Je me réjouis déjà !

Sur le palier, Sandra hésita, puis elle se retourna :

— Je voulais te remercier d'avoir organisé ce truc, dit-elle avec un sourire timide. Je n'étais pas certaine de venir ici plus d'une fois. Comme je l'ai déjà dit, je ne sors pas beaucoup. C'était… eh bien, c'était vraiment très sympa.

Lorna ressentit une douce chaleur.

— J'en suis ravie, moi aussi.

Sandra partie, Lorna revint s'installer sur le canapé en pensant à ce que venait de dire Sandra ou, plus précisément, à l'expression de son visage. Elle avait eu l'air sincère.

Lorna s'était lancée dans l'organisation de ces rencontres afin de résoudre ses propres problèmes, pour se sentir mieux. Elle n'avait jamais imaginé que son petit troc débile de chaussures pourrait avoir de l'importance pour quelqu'un d'autre.

Chapitre 9

— Bart ! Bart ! Arrête de lécher ça !

Jocelyn Bowen tenait le petit Colin Oliver, douze ans, d'une main et essayait d'attraper Bart Oliver, dix ans, de l'autre. Leur mère donnait un cocktail et les deux chenapans n'avaient pu résister à l'envie de sortir de leur lit pour descendre et se faire remarquer.

Bart prenait un malin plaisir à lécher, une à une, les boulettes soufflées au fromage avant de les reposer sur le plateau.

Colin en envoyait tous azimuts en soufflant dans une longue paille en argent qui faisait office de sarbacane.

— Excusez-moi un instant, dit leur mère, Deena Oliver, en s'éloignant de ses invités.

Doyenne du club des femmes au foyer des nouveaux riches néo-traditionnels de Chevy Chase, elle se précipita vers Joss et les enfants, une expression peinée vaguement esquissée sur son visage botoxé.

— Qu'est-ce que vous faites ici ? demanda-t-elle à Joss, entre les dents.

— Je les avais couchés mais ils voulaient absolument descendre pour voir qui était là.

— Et vous les avez laissés faire ?

Joss avait voulu lui faire remarquer qu'elle était

seulement leur nounou et que techniquement, vu qu'il était vingt heures trente passées, elle avait fini son travail. Mais elle n'aimait pas les conflits.

— J'ai tenté de les en empêcher mais, le temps que j'arrive, ils avaient filé comme des flèches.

Elle relâcha Colin qui gigotait de plus en plus sauvagement.

— Si tu disais à ta maman pourquoi tu voulais descendre ? lui suggéra-t-elle.

— Je voulais te dire bonne nuit, m'man.

Malgré l'expression figée sur le visage de la maîtresse de maison, on pouvait lire l'exaspération dans son regard.

— Nous nous sommes déjà dit bonne nuit, Colin ! Après le dîner, tu t'en souviens ? Je t'ai dit que j'avais des invités et qu'il me restait encore beaucoup de travail.

À cet instant, l'une des serveuses passa et s'arrêta devant Deena pour lui proposer du vin sur un plateau. Puis elle se tourna vers Joss.

— Ah, non, pas pour elle ! Ce n'est pas une invitée, elle *travaille* ! intervint sèchement Deena avant que Joss puisse décliner l'offre.

Le visage cramoisi, la serveuse s'éloigna d'un pas rapide.

— Je vous en prie Jocelyn, débarrassez-nous de ces enfants ! siffla-t-elle. Puis vous redescendrez. Je veux que vous fassiez un saut chez Talbots pour reprendre un peu plus de vin. Nous risquons d'en manquer.

— On veut dire bonne nuit, geignit Bart.

Deena se retint de lever les yeux au ciel et tapota les têtes de Colin et de Bart.

— Bonne nuit, mes garçons. N'oubliez pas que vous irez à la bibliothèque avec Jocelyn demain.

Voilà qui était nouveau, pour Joss ! Tout comme le coup du vin…

— Je suis désolée, madame Oliver, mais demain est mon jour de congé.

— Oh ! Ah bon ?

Deena semblait surprise, comme si elle n'avait jamais songé que Joss puisse avoir droit à des jours de congé. Vu la manière dont sa patronne la traitait, celle-ci ne devait même pas avoir lu son contrat, puisqu'elle exigeait de sa nounou bien plus que celui-ci ne le stipulait. Sans tenir compte de l'heure ni du jour.

— Oui, répondit Joss en se mordant la langue pour ne pas se lancer dans une kyrielle d'excuses.

Deena la considéra d'un air sceptique.

— Avez-vous des projets ?

Joss était déjà tombée dans le panneau. Rester cloîtrée dans sa chambre un jour de congé ou avouer qu'elle n'avait pas de projets précis pour la journée l'avait condamnée à faire des heures supplémentaires plus d'une fois. Sans être payée, bien sûr ! Ce n'était pas facile, mais elle essayait désormais de ne pas se laisser prendre au piège, même si elle devait pour cela rester simplement à lire à la bibliothèque ou à errer sans but dans le centre commercial.

Non qu'elle détestât s'occuper des enfants. Dieu sait qu'ils n'étaient pas des anges, mais s'occuper d'eux était plus facile pour elle que de tuer huit heures à faire du lèche-vitrine.

Depuis peu, elle s'intéressait aux associations qui lui permettaient de mettre à profit ses heures de liberté. La petite ville de Felling d'où elle venait, en Virginie du Sud, disposait seulement d'un club de Kiwanis[1]. Ici, à D.C. il y avait toutes sortes de clubs : de volley, de softball, de motards, d'écrivains, de marionnettistes… Malheureusement, Joss n'était pas super sportive et elle

1. Organisation internationale de bénévoles qui désirent changer le monde en aidant autrui, surtout les enfants. *(N.d.T.)*

trouvait les groupes de parole parfaitement déprimants. Pourtant, il allait bien falloir qu'elle se dégote un moyen de sortir de cette maison de fous quand elle en avait la possibilité, sinon elle risquait de passer le reste de ses jours à satisfaire les caprices de Deena Oliver.

C'était surtout une question de principe. Joss n'était pas payée pour les heures supplémentaires ni pour cuisiner ni pour laver la vaisselle, donc elle ne devait pas le faire.

Elle ne devait pas non plus laver le linge ni frotter les parquets, aller chercher les vêtements au pressing, faire les courses, repeindre la cuisine ou encore arracher les mauvaises herbes dans le jardin. Cependant, malgré ses bonnes résolutions successives, elle finissait toujours par capituler et accepter.

— Oui, j'ai un projet…, se força-t-elle finalement à répondre.

Et elle allait systématiquement s'en trouver d'autres, pour tous ses jours de liberté à venir, afin de ne pas rester coincée dans cette fichue maison. Peut-être au club de karaoké… Ou pas. La seule fois où elle s'y était rendue, un type bizarroïde avait passé toute la nuit à lui chanter des airs d'Air Supply[1].

— … j'ai cette… réunion. Désolée.

Avant que Deena puisse s'y opposer ou, pire, demander des détails, Joss entraîna les enfants vers leur chambre.

— Allez, les garçons, on monte ! Il est l'heure de se coucher !

Elle savait que ces mots allaient être une douce musique aux oreilles de Deena et, en effet, celle-ci tourna les talons et repartit rejoindre ses invités.

Dès qu'elle fut hors de vue, Joss put enfin se détendre un peu.

1. Groupe de soft rock des années soixante-dix/quatre-vingt ; ils donnent toujours des concerts. *(N.d.T.)*

— Vous n'auriez pas dû descendre, dit-elle aux deux enfants en pyjamas qui grimpaient l'escalier devant elle. Votre maman vous avait prévenus qu'elle organisait une petite fête et qu'elle ne voulait pas être dérangée.

— Et alors ? De toute façon, elle est toujours occupée.

Ça, c'était Colin. L'aîné des deux garçons qui connaissaient bien sa mère.

— Quelqu'un fumait du hasch dans la cuisine ! déclara Bart en croisant les bras avec un air de défi.

Joss s'arrêta net.

— Quoi ?

Bart hocha la tête, l'expression faussement sévère.

— Mme Pryor fumait du hasch. Elle fume tout le temps du hasch. Elle est tellement bête !

Après une seconde de réflexion, Joss se souvint *qui* était cette Mme Pryor. L'une des vieilles voisines, particulièrement riche, aux cheveux bleus et à la peau du visage si tendue qu'on aurait pu y faire rebondir une pièce de vingt-cinq cents.

— Non, non, Bart. Elle fumait du tabac.

— C'est quoi, la différence ?

— C'est…

Bon sang ! Comment était-il au courant pour le hasch sans savoir ce qu'était le tabac ? De toute évidence, ce gamin confondait tout. Elle allait juste lui donner assez de renseignements pour l'informer sans pour autant le surinformer.

— Les cigarettes sont faites avec du tabac. Les gens en fument, mais ce n'est pas illégal comme le hasch.

— C'est quoi, illégal ?

— C'est…

— Ça veut dire que la police va te jeter en prison, idiot ! le rabroua Colin, imitant à la perfection l'air irrité de sa mère.

Joss lui cloua le bec d'un regard assassin, puis se tourna vers Bart.

— Quand quelque chose est illégal, c'est contraire à la loi. Et c'est vrai que lorsque les gens font quelque chose de contraire à la loi, la police peut les arrêter et les mettre en prison.

— Est-ce que c'est illégal de tuer quelqu'un ?

— Oui, et comment !

— Et voler ?

— Oui, voler est également illégal.

— Alors c'est à cause de ça que mon oncle Billy est en prison ?

— La ferme, imbécile ! C'est pas vrai ! protesta violemment Colin.

— Si, si ! J'ai entendu maman dire à papa qu'il avait volé du Coca. Quelle drôle d'idée de voler du Coca ! ajouta Bart en faisant une grimace.

Oh ! Sans doute de la cocaïne… Voilà une histoire que les Oliver ne voudraient sûrement pas voir ébruitée.

— Allez, au lit, les enfants ! insista Joss avant qu'ils le répètent l'information assez fort pour embarrasser Kurt et Deena.

Tous les deux s'enorgueillissaient de leur position dans la haute société de Washington, position confortée par l'entreprise d'importation de voitures allemandes de Kurt. Jocelyn eut la chair de poule à l'idée de ce qu'ils pourraient faire pour clouer le bec de leurs gamins s'ils les entendaient parler du séjour d'oncle Billy derrière les verrous.

Joss les fit donc monter en vitesse et leur annonça qu'il n'était plus l'heure de s'amuser devant l'ordinateur, puis elle supervisa le brossage des dents et le débarbouillage, leur répéta encore qu'il n'était plus question de jouer, les coucha dans leur lit, les borda et attendit derrière leur porte dans l'espoir de ne plus les entendre bouger, histoire de souffler un peu.

Elle savait qu'elle devait se montrer ferme avec Deena au sujet des horaires de travail. Qu'elle reste coincée dans sa chambre ne devait pas entrer en ligne de compte. Elle était censée être libre à partir de vingt heures, ainsi que les mardis et dimanches toute la journée. Mais comme elle vivait dans la maison, Deena devait inévitablement s'imaginer qu'elle était à sa disposition... À sa merci.

Pendant vingt minutes, Joss resta plantée derrière la porte de leur chambre, les yeux fixés sur les aiguilles de l'horloge qui entamaient son prétendu temps libre. Quand elle fut enfin convaincue que les deux terreurs ne broncheraient plus, elle se retira dans sa petite chambre avec le *Uptown City Paper*, curieuse de voir comment les jeunes de son âge, la vingtaine, occupaient leurs journées.

Il y avait de fortes chances que la plupart d'entre eux ne soient pas tenus prisonniers dans une maison huppée de Chevy Chase.

Vers vingt-deux heures trente, l'estomac de Joss commença à gargouiller et elle se rendit compte qu'elle n'avait rien avalé depuis le sandwich au beurre de cacahuètes-confiture partagé avec les garçons à l'heure du déjeuner. En bas, la fête battait son plein et il lui serait facile de se glisser dans la cuisine par l'arrière pour attraper quelques canapés sans que Deena ne la repère et lui demande de tondre la pelouse ou de faire une de ces corvées dont elle avait le secret.

— Quelle garce, celle-là ! C'est encore une de ces foldingues qui aime houspiller le personnel devant ses invités pour se rendre intéressante ! grommelait une petite brune à sa collègue quand Joss entra.

— On aurait dû lui préparer des choux aux épinards pour qu'elle en ait entre les dents, renchérit la blonde qui portait le même uniforme que la première. Et tu as vu son front ? Elle s'est fait injecter tellement de collagène dans la peau qu'elle ressemble à un homme de Cro-Magnon !

L'autre éclata de rire.

— Une sacrée réussite ! Au lieu de paraître dix ans de moins elle a carrément rajeuni de deux millions d'années !

Toutes deux étaient pliées de rire.

— Pourtant, elle semblait si gentille au téléphone, quand elle nous a engagées.

— Ne sont-elles pas toutes comme ça ?

— Oui, tu as raison. Il faut bien qu'on se fasse une réputation, même si ça implique parfois de supporter ce genre d'ogresse barjot.

Quand elle vit entrer Joss, la brune poussa l'autre du coude en lui faisant signe de se taire.

— Je suis désolée de vous interrompre. Je voulais seulement attraper un truc à manger.

— Oui, bien sûr, ma belle !

La brune se dirigea vers le four et en sortit un assortiment de canapés chauds qu'elle disposa sur une assiette.

— Tout à l'heure, quand vous étiez en bas avec les enfants, j'ai remarqué que vous ne mangiez rien.

Joss sourit.

— Ici, j'ai rarement l'occasion de manger. Si ce n'est du beurre de cacahuètes, de la pizza ou des spaghettis...

— La patronne vous en fait voir, n'est-ce pas ? demanda la blonde.

— Carrie, voyons !

C'était la brune qui fusillait sa collègue du regard, paniquée par son manque de discrétion.

— Désolée, Carrie parle parfois sans réfléchir, ajouta-t-elle. Au fait, moi je suis Stella.

— Oh, c'est vous, le traiteur ?

Joss se souvenait en effet d'avoir vu une fourgonnette

dans l'allée avec l'inscription STELLA ENGLISH et un numéro de téléphone imprimé sur les flancs.

— Nous le sommes toutes les deux, répondit Carrie en lançant un regard affectueux à Stella. Une affaire familiale, en quelque sorte.

Les deux jeunes femmes ne se ressemblaient pas mais Joss ne posa pas de questions. C'était absolument délicieux et, pour l'instant, c'était tout ce qui lui importait. Elle dévora des fromages qu'elle n'avait encore jamais goûtés auparavant, de la viande finement tranchée comme du bacon, des petits fours à base de pâte feuilletée qui semblaient sucrés mais avaient une saveur épicée des plus étonnantes. Chez elle, à Felling, on ne servait jamais ce genre de cuisine.

La porte de la pièce que Deena appelait *le grand salon* s'ouvrit à la volée et l'une des invitées entra. C'était un petit bout de femme aux cheveux noirs très brillants, vêtue d'une étroite robe verte qui semblait carrément avoir été peinte sur sa jolie silhouette. Son regard s'attarda plus longuement sur Joss que sur les deux autres filles.

— Bonsoir, mesdemoiselles ! s'exclama-t-elle d'une voix traînante trahissant l'accent du Sud. Vous avez fait un travail *fooor*midable, vraiment *fooor*midable, pour le buffet. C'est absolument *faaa*buleux ! J'adore ces petites tartelettes au fromage. Comment ça s'appelle ?

— Des quiches lorraines.

— Ah, c'était donc ça ? Je ne les connaissais que sous la forme de grosses parts de tarte épaisse. Enfin, en tout cas, je peux vous dire qu'elles étaient absolument *dééé*licieuses !

Puis, se tournant de nouveau vers Joss, soutenant longuement son regard, elle ajouta :

— Et vous aussi, vous étiez *fooor*midable !

Joss se sentit gênée.

— Je veux dire… avec les garçons, précisa la femme.

Ce Bart peut être une véritable terreur et j'en sais quelque chose. Il est en classe avec ma Katie et, mon Dieu ! Cette pauvre Mme Hudson est parfois obligée de le mettre au coin durant des matinées entières !

Joss n'en doutait pas une seconde. Bart avait le don de se comporter comme un vrai polisson. Parfois elle parvenait à le tenir sous contrôle, mais Deena détruisait invariablement tout son travail d'éducation en ignorant les bêtises qu'il faisait sous son nez. Quand Joss tentait de le discipliner durant ces moments-là, Deena s'interposait, préférant la paix aux crises de colère.

— Oh, mais où sont mes bonnes manières…, continua la nouvelle venue. Je suis Lois Bradley.

Joss avait entendu Kurt Oliver mentionner l'entreprise de construction de piscines et de terrasses de Porter Bradley. Lois devait donc être son épouse.

— Joss Bowen. Ravie de faire votre connaissance.

Lois prit amicalement Joss par la taille et l'entraîna dans un coin plus sombre de la cuisine, loin de Carrie et de Stella.

— Puis-je faire quelque chose pour vous ? demanda Joss, mal à l'aise.

Elle ignorait ce que mijotait Lois Bradley, mais les habitants de Felling ne touchaient pas les gens qu'ils ne connaissaient pas de manière aussi… familière.

Tout était vraiment différent dans le Nord.

— Oui, en effet, chuchota Lois. Et je crois pouvoir faire quelque chose pour vous aussi.

Instinctivement, Joss regarda autour d'elle, cherchant une échappatoire ou éventuellement une intervention providentielle de Carie et de Stella. Mais les deux jeunes femmes manipulaient bruyamment les assiettes et les plats, ne leur prêtant pas la moindre attention.

— Je ne comprends pas, dit Joss en baissant les yeux vers les pieds de Lois qui s'était encore dangereusement rapprochée.

— Si vous venez travailler pour moi, je vous donne une augmentation de vingt pour cent, expliqua Lois, toujours à voix basse, en regardant autour d'elle, comme venait de le faire Joss. Je peux vous garantir que ma Katie est *beaucoup* plus facile à vivre que ces petites terreurs de Bart et Colin.

Elle avait pratiquement craché les noms des garçons.

Joss était déconcertée.

— C'est très flatteur, madame Bradley, mais avec tout ce que j'ai à faire ici, il me serait impossible de caser un autre travail en plus.

— Vous n'auriez plus à travailler *ici*…

Les paroles résonnaient comme des chants d'anges.

— … vous travailleriez seulement pour nous. Vous pourriez avoir les deux jours de congé de votre choix, même si je préférerais que vous preniez les week-ends…

Les week-ends libres ! Joss aurait enfin une vie sociale !

— … et en plus, bien sûr, vous auriez votre propre voiture et votre petit appartement indépendant dans la maison…

Un appartement indépendant !

— … avec une entrée séparée et une salle de bains avec baignoire et douche.

Lois se tut et observa sa réaction, pleine d'espoir.

On aurait pu entendre une mouche voler.

— Je vous remercie sincèrement pour votre proposition, madame Bradley, commença Joss, la gorge serrée. Mais je ne peux pas quitter les Oliver. Mon contrat est pour un an et ne se termine pas avant juin prochain.

Lois la considéra comme si elle venait de lui dire qu'elle préférait manger de l'écureuil à du filet mignon.

— Vous voulez dire que vous aimez mieux travailler pour les Oliver ?

Juste ciel, non ! voulait répondre Joss, mais elle savait qu'elle ne pouvait pas dire la vérité au sujet de ses employeurs.

— J'ai un contrat, répéta-t-elle évasivement. Je suis engagée jusqu'en juin.

— Et il n'y a rien qui puisse vous persuader de le rompre ?

— Je suis désolée. Je ne peux pas.

Ce n'était pas la première fois que Joss regrettait d'avoir signé ce document, mais il était très précis et comprenait même une clause de non-concurrence, précisant qu'elle n'aurait pas le droit de travailler pour quiconque dans un rayon de cent kilomètres de Chevy Chase au cours de l'année suivante.

Le visage de Lois exprimait un mélange de déception et d'irritation.

— Si seulement j'avais mis la main sur vous la première, dit-elle d'un air triste. Mais je vous en prie, réfléchissez-y au moins.

Joss n'en revenait pas que quelqu'un puisse la vouloir à ce point. Jamais Joey McAllister ne l'avait regardée avec un désir aussi intense, même quand il l'avait suppliée de faire l'amour avec lui sur la banquette arrière de sa Chevy Impala 1985. Et pourtant, elle était sortie avec lui pendant deux ans !

C'était vraiment trop triste.

— Je suis sincèrement désolée, madame Bradley.

Lois tira une petite carte de la pochette qui pendait à son épaule et la lui tendit.

— C'est le numéro de téléphone de la maison et mon adresse e-mail, dit-elle. Si vous changez d'avis, ou même si vous voulez juste en rediscuter, appelez-moi, s'il vous plaît. Je serai très discrète.

— Je pense que je ne devrais pas…

Joss tenta de lui rendre la carte, mais Lois ferma ses doigts dessus.

— Tss, tss, tss… Gardez-la. Juste au cas où.

Plutôt que de protester, Joss préféra conserver la carte pour s'en débarrasser plus tard, sans vexer personne.

— Je suis flattée que vous vous intéressiez à moi, madame Bradley. Merci, répondit-elle sur le ton d'une télévendeuse ayant réussi à caser un abonnement de magazines.

Lois s'éclipsa aussi discrètement qu'elle était entrée, faisant signe à Joss de mettre la carte dans sa poche.

Après son départ, Joss fixait toujours la porte quand Carrie se dirigea vers elle.

— Est-ce qu'elle essayait de vous nounou-napper ?

Surprise, Joss se retourna vers elle.

— Pardon ?

— Cette femme. Elle voulait vous pousser à venir travailler pour elle, pas vrai ?

— Qu'est-ce qui vous fait dire ça ?

Stella se joignit à elles avec trois coupes de champagne à la main.

— Oh, vous savez, ma jolie… Nous voyons cela tout le temps ! Vous ne pouvez pas vous imaginer… ces petites réunions entre riches leur servent essentiellement à se faire des relations.

— Et que lui avez-vous répondu ? s'enquit Carrie.

— Que j'ai déjà un contrat avec les Oliver, soupira Joss en prenant la coupe de champagne français que lui tendait Stella.

Elle n'avait encore jamais eu l'occasion d'en boire et était impatiente d'y goûter.

— C'est dommage, elle avait l'air tellement sympa, ajouta-t-elle encore.

— Elles ont *toutes* l'air sympa quand elles vous veulent, fit remarquer Carrie. Une fois qu'elles vous ont dans la poche, c'est une autre histoire. Les patronnes sont toujours plus belles de l'autre côté de la clôture.

Au loin, et pourtant tout aussi fort que si c'était juste à côté, Joss entendit un éclat de rire monstrueux.

Colin !

Elle sut aussitôt que Deena l'avait également entendu.

D'ailleurs, celle-ci était sans doute déjà en train de monter l'escalier quatre à quatre pour chapitrer Joss sur son incompétence, puisqu'elle laissait les enfants être aussi bruyants.

Le moment semblait mal choisi pour goûter à ce délicieux breuvage. Dommage. À regret, Joss reposa la coupe sans y avoir touché.

— Il faut que je file. Merci, les filles, vous avez été super gentilles.

Stella lui adressa un clin d'œil complice et l'encouragea d'un sourire.

— Bonne chance, ma belle !

— Mais qu'est-ce que vous fabriquez là ? demanda Joss en trouvant les enfants collés devant l'ordinateur de sa chambre.

Deux visages, illuminés par le halo verdâtre de l'écran, se tournèrent vers elle, l'air surpris.

— Rien ! répondit Colin, plutôt vindicatif.

— Oui, rien ! renchérit Bart.

— Bon, poussez-vous un peu !

Elle n'attendit pas qu'ils obtempèrent et accéda à l'ordinateur, certaine qu'ils devaient naviguer sur un site interdit.

— Mais qu'est-ce que c'est que cette Gregslist ? demanda-t-elle tout en sachant qu'ils ne lui donneraient aucune réponse satisfaisante.

— Je… euh… je cherchais des vélos de cross d'occasion…, balbutia Colin. Ma maman dit que tu es stupide ! ajouta-t-il, provocateur.

— Et c'est également ton avis, n'est-ce pas ? rétorqua Joss en inspectant de plus près la liste affichée sur l'écran. Tu me prends pour une idiote ou ton vélo de cross est une blonde aux yeux bleus… qui aime observer les étoiles ?

Colin resta bouche bée.

— Hein ?

Devant un tel manque de coopération, elle se tourna vers Bart.

— Qui a répondu au vélo de cross « *j'aime tes seins, retrouve-moi au Babes vendredi à 7 heures* » ? Toi ou Colin ?

Puis Joss se tourna de nouveau vers l'aîné.

— Ton vélo de cross semble vraiment *très* intéressant, tu ne trouves pas ?

— Ne le dis pas à maman, dit soudain Bart, les lèvres tremblantes.

Il était toujours le premier à craquer dans ce genre de situation.

Colin fit taire son frère d'un regard autoritaire et dit à Joss :

— Oui, maman sera très en colère contre toi parce que tu nous laisses jouer sur ton ordinateur. Alors tu ferais mieux de ne pas lui en parler !

— Tu sais très bien que je ne vous y ai pas autorisés. Vous étiez censés être dans votre lit, petits garnements ! Et je parie que votre mère est déjà en train de monter pour savoir pourquoi vous avez fait autant de bruit.

Joss se tut et guetta des pas dans l'escalier, mais n'entendit rien.

— Je crois bien que c'est elle qui arrive ! ajouta-t-elle cependant pour faire bonne mesure.

Colin eut l'air d'avoir vu un fantôme.

— Moi, je fiche le camp d'ici !

Abandonnant son frère, il se précipita vers sa chambre.

Bart restait immobile, apparemment paralysé par la peur.

— Tu ne vas pas le lui dire, hein ?

La colère de Joss retomba un peu. Ce pauvre Bart était davantage une victime du mauvais comportement de son frère qu'autre chose. C'était toujours lui qui se faisait prendre quand leurs bêtises tournaient mal.

— Pas cette fois, le rassura doucement Joss. Mais il faut que tu ailles immédiatement te coucher.

— Tu vas me lire une histoire ?

Il jeta un coup d'œil vers la porte, espérant secrètement que son frère ne se moquerait pas de sa demande.

— Oui, d'accord.

Joss sourit. Ces enfants avaient un tel besoin d'attention que même si elle ne pouvait les aider qu'un tout petit peu, cela valait la peine d'essayer. Depuis qu'elle avait trouvé la dépouille d'un serpent noir attachée à sa tête de lit avec une ficelle, elle était pratiquement certaine qu'il était trop tard pour Colin, mais il restait encore un espoir pour Bart.

— Viens, allons-y.

Le prenant par la main, elle l'accompagna jusqu'à sa chambre, choisit un album sur l'étagère : *A Day with Wilbur Robinson :* l'histoire de Lewis, un garçon trop inventif que Wilbur Robinson emmène dans le futur avec sa machine à explorer le temps pour essayer de réparer ses bêtises. Les illustrations étaient peut-être un peu trop bébé pour lui, mais le choix du sujet montrait bien la détresse du jeune garçon.

Elle lui en fit la lecture.

Bart s'endormit avant qu'elle ait relu l'histoire pour la deuxième fois. Elle remonta son drap jusqu'au cou, comme il l'aimait, et rangea le livre avant d'éteindre la lumière et de quitter la pièce.

Pour la première fois de la journée, elle éprouva enfin un sentiment de liberté.

Elle retourna devant l'ordinateur et vérifia sa messagerie où elle trouva un mot de sa mère qui lui faisait part du nouveau projet de son père : une Mustang 1965 qu'il réparait pour sillonner le pays le jour de sa retraite.

Il y avait également un message de Robbie Blair,

le garçon avec lequel elle sortait depuis sa terminale. Joss avait rompu avec lui lors du Noël dernier, mais il insistait sans cesse pour renouer. Ce fut donc avec un mélange d'appréhension et de mélancolie qu'elle lut son message.

Joss, ta mère m'a dit que tu n'étais pas très heureuse là-bas et j'en suis désolé pour toi. Peut-être devrais-tu revenir bientôt. Mon frère et moi allons démarrer notre propre entreprise de plomberie et je pourrai ainsi entretenir une femme. Ha ! Ha ! Sérieusement, reviens, ma poupée. Je t'aime toujours. Robbie.

Joss soupira. Robbie était un chouette garçon, certes, mais ce serait l'horreur pour elle de devenir Mme Blair. Robbie, lui, ne souhaitait rien d'autre que d'être plombier à Felling, d'avoir une gentille petite épouse et deux gamins, de regarder la télévision en buvant une bière tous les soirs… et toute la journée le week-end. Il n'y avait rien de mal à ce projet, mais ce n'était pas ce que voulait Joss.

Joss rêvait de voyager dans le monde entier, de voir toutes les merveilles qu'elle n'avait aperçues que dans les vieux bouquins scolaires. Elle voulait monter sa propre affaire et apporter quelque chose à ce monde qu'elle explorerait.

Dans sa tête, être Mme Blair était un peu comme mourir et cette proposition la rendait malade. Elle sortit donc de sa messagerie sans lui répondre et allait éteindre l'ordinateur quand elle remarqua que la fenêtre Gregslist des gamins était toujours affichée. Sans doute un site de petites annonces locales des environs de Washington.

Cela pourrait être amusant, non ?

Elle tapa les mots « réunions dominicales » et obtint une liste interminable.

C'était génial !

Mais quand elle parcourut la liste en question, elle se rendit compte qu'il s'agissait essentiellement d'associations religieuses ou de groupes d'écoute pour drogués ou alcooliques. Joss n'était portée ni sur la religion ni sur l'alcool. Et dire qu'elle n'avait même pas pu goûter au champagne, ce soir ! Adhérer à l'une de ces associations serait certainement une expérience catastrophique.

Il y avait cependant un club de ski qui se réunissait à Dupont Circle à quinze heures trente tous les dimanches. L'aller et le retour en métro lui permettrait déjà de tuer deux heures et il y avait peu de risques que les membres aillent skier avant longtemps. Après tout, on était encore en plein été et la chaleur restait étouffante.

Elle cliqua sur le lien et donna son adresse e-mail pour obtenir d'autres renseignements.

Puis elle tapa les mêmes mots clés pour les réunions du mardi soir. L'assortiment habituel des associations sportives s'afficha : volley, badminton, softball, bowling... Il y avait également un groupe de prière de l'église épiscopale installée au bout de la rue. Joss avait déjà testé ce type de rencontres et avait trouvé l'ambiance encore plus déprimante qu'une journée de travail pour Deena Oliver.

Elle continua donc sa recherche et tomba sur l'annonce la plus bizarre et la plus originale qu'elle ait jamais trouvée :

Shoe Addicts Anonymes.

L'annonce lui sembla particulièrement intéressante. Le fait que ses pieds ne fassent que du 6 pouvait être un handicap mais il était fort probable qu'il s'agissait d'un groupe de femmes qui se retrouvaient régulièrement pour papoter de trucs moins flippants qu'ailleurs. Et ça, c'était top !

Elle allait donc s'arranger pour que sa pointure ne soit plus un problème. Un peu partout, il y avait des boutiques de vente d'occasion où elle pourrait trouver des chaussures de la bonne pointure à des prix raisonnables. Cela ne demanderait qu'un peu d'investigation et quelques kilomètres à pied pour s'y rendre.

Et, cerise sur le gâteau, cette expérience l'éloignerait de la maison des Oliver. Un critère déterminant ! C'était parfait.

Chapitre 10

« Mademoiselle Rafferty. Ici c'est *encore* Holden Bennington, de la Montgomery Federal Bank. Il y a un problème confidentiel dont il faut que je vous entretienne le plus rapidement possible. Je vous serais reconnaissant de me rappeler d'urgence au 202-555-2056. »

— Ah, ça, sûrement pas ! Il peut toujours rêver, confia Lorna à son répondeur d'un ton détaché avant d'appuyer sur la touche EFFACER.

Holden Bennington appelait *toujours* quand le compte de Lorna commençait à virer au rouge et qu'il craignait quelques débits par chèques ou cartes bancaires. D'accord, c'était adorable de la part d'un assistant du directeur de prendre le temps de la prévenir, mais c'était sûrement pour se faire mousser et accélérer son avancement qu'il s'acharnait ainsi sur Miss Gros Découvert.

Elle l'avait rencontré à plusieurs reprises à la banque et il lui avait fait l'impression d'être un prêchi-prêcha. Il ne devait pas avoir dépassé la trentaine mais son air terriblement sérieux le rendait bien plus vieux. Pourtant… son visage était assez mignon et il semblait pas mal bâti sous ses costumes du genre mec coincé de Brooks Brothers. Mais comment savoir ?

Lorna pouvait parfaitement se l'imaginer d'ici quarante

ans, avec toujours la même voix et la même apparence, pointant un doigt de justicier sur chaque client qui aurait eu le malheur de plonger un peu trop profondément sous le niveau zéro de son compte bancaire.

Comme si l'opposition sur un chèque coûtait le moindre cent à la banque !

Le téléphone sonna.

Lorna, qui avait toujours eu un faible pour les téléphones qui sonnent, décrocha. À son plus grand regret.

— Mademoiselle Rafferty, je suis heureux d'avoir enfin réussi à vous joindre.

C'était, bien entendu, Holden Bennington de la Montgomery Federal Bank.

Complètement piégée !

— Pardon ? demanda-t-elle.

Lorna était encore indécise. Devait-elle prétendre qu'il s'agissait d'un mauvais numéro ou qu'elle était une amie de passage ? À moins qu'elle ne serre les dents et n'accepte l'appel…

— Je suis Holden Bennington de la Montgomery Bank de Bethesda.

Avec l'une des impulsions les plus stupides qu'elle ait eues depuis la classe de cinquième, elle décida de jouer la carte de l'amie.

— Oh, désolée, vous vouliez parler à Lorna ?

Dans sa tentative de déguiser sa voix, elle finit par adopter un accent qui naviguait entre celui de l'Angleterre et celui du New Jersey.

Il y eut un long silence.

— Vous n'allez tout de même pas essayer de me tromper avec un faux accent, n'est-ce pas ? demanda Holden.

Le visage de Lorna était en feu, mais elle persista.

— Pardon ?

Moins elle parlait, mieux elle se portait. Remontant son chemisier, elle appliqua le tissu contre le micro comme elle l'avait vu faire à la télévision quand les gens voulaient déguiser leur voix.

Mais elle ne dit plus rien d'autre et resta ainsi, comme une idiote, la chemise relevée sur son téléphone, attendant que Holden Bennington bouge sa prochaine pièce sur l'échiquier.

— Voyons, mademoiselle Rafferty ! Je connais depuis trop longtemps le message de votre répondeur pour connaître la moindre inflexion de votre voix... Vous ne me trompez pas, ajouta-t-il encore après un bref silence.

— Elle n'est pas là, dit Lorna à son chemisier. Est-ce que je peux prendre un message pour elle ?

Un autre long silence.

— Oui. Si vous pouviez dire à Mlle Rafferty que le directeur de sa banque a appelé...

Lorna résista à l'envie de lui faire remarquer qu'il n'était que l'assistant du directeur.

— ... et conseillez-lui de me rappeler le plus rapidement possible. Je pourrais peut-être lui faire économiser une petite fortune sur des frais d'opposition de chèques.

— Vraiment.

— Oui. Et dites à votre... euh... amie, Mlle Rafferty, que si elle ne passe pas à la banque pour remettre un peu d'ordre dans son compte, je vais renvoyer les chèques et lui facturer les trente-cinq dollars que n'importe qui d'autre doit payer pour chaque chèque refusé.

Lorna savait qu'elle devrait mettre fin à ces pertes considérables et raccrocher, mais elle ne put s'empêcher de rétorquer :

— Mais n'est-ce pas là une affaire confidentielle ? Vous ne devriez laisser ce genre de message à personne d'autre qu'au titulaire du compte.

— En d'autres circonstances, je ne le ferais pas, lui assura-t-il.

Puis il raccrocha sans même dire au revoir.

Quel con !

Elle ferma très fort les yeux et réfléchit. Il n'allait plus la lâcher. C'était évident. Il serait bien idiot d'abandonner. Comment avait-elle pu être assez ridicule pour prendre un faux accent ? C'était aussi gros qu'une paire de bottes Uggs en 45 fillette ! Bien sûr qu'il l'avait démasquée ! Bon Dieu ! Elle les méritait, ces frais pour chèques refusés.

Sauf qu'elle ne pouvait vraiment, vraiment pas se les permettre.

— Je lui transmettrai le message, murmura Lorna sur un ton sarcastique.

Cela lui fit penser à Dick Van Dyke dans *Mary Poppins*. Heureusement que Holden n'était plus en ligne.

Elle raccrocha, réfléchit pendant une fraction de seconde, puis fit ce qu'elle devait faire.

Et se précipita à la banque.

Quelque sept minutes plus tard, elle s'arrêta devant les portes de la Montgomery Federal Bank et reprit longuement son souffle avant de se comporter comme si elle était passée, par hasard, juste pour voir ce que Holden Bennington désirait.

Elle s'attendait à tomber sur lui tout de suite en rentrant et, comme ce n'était pas le cas, elle resta quelque peu déconcertée. Quelle ne fut pas sa surprise quand quelqu'un tapota sur son épaule.

— Mademoiselle Rafferty ?

Elle se retourna.

— Monsieur Bennington !

— Vous avez fait vite.

Ses joues virèrent au cramoisi.

— Comment ça, vite ?

Il soutint son regard pendant une seconde interminable avant de répondre :

— Pourriez-vous m'accompagner jusqu'à mon bureau pour qu'on puisse bavarder un peu ?

Elle le suivit le long du couloir où flottait une odeur d'encre et de papier. Aucun endroit n'avait réveillé en elle autant d'angoisse depuis sa rentrée à l'université quelque quinze ans plus tôt. Ne voulant pas laisser paraître son inquiétude, cependant, elle dit d'un air désinvolte :

— Quand j'ai relevé mes messages, il y a quelques minutes, j'ai entendu que vous aviez appelé. Alors j'ai pensé faire un saut puisque j'étais dans le coin.

— Vous vivez dans ce quartier, n'est-ce pas ?

Elle haussa les épaules.

— Je suis à environ dix… quinze minutes de marche d'ici.

— Je parie que vous mettriez moins de temps en venant au pas de course.

Holden semblait réprimer un sourire.

La situation devenait délicate et, après trois secondes de réflexion, Lorna décida de faire comme si de rien n'était. Après tout, il pouvait s'agir d'un bavardage anodin entre gens bien élevés.

— Oh, je ne suis pas très sportive, déclara-t-elle en indiquant d'un geste vague ses hanches un peu trop rondes pour quelqu'un qui s'entraînerait régulièrement.

Bien sûr, le léger essoufflement qu'elle ressentait encore après avoir couru le peu de mètres qui séparaient son appartement de la banque en témoignait également.

— On dirait au contraire que vous êtes capable de vous déplacer très rapidement si c'est nécessaire.

Il avait toujours l'air de réprimer un sourire.

Ce qui ne manqua pas d'agacer Lorna.

— Je n'ai pas beaucoup de temps, monsieur Bennington, alors si vous pouviez me dire pourquoi vous avez appelé chez moi.

— Allons dans mon bureau, insista-t-il. C'est une affaire confidentielle.

Elle le suivit dans une pièce tellement étroite que le panneau de la porte ouverte emplissait déjà la moitié de l'espace. Lorna dut se tortiller pour la contourner et s'installer dans le fauteuil chrome et acajou pendant que Holden, bien plus souple, réussissait à s'asseoir en face d'elle avec une aisance impressionnante.

— Bon, alors de quoi s'agit-il ? demanda Lorna.

— Permettez-moi de sortir votre relevé de compte.

Il commença à taper sur le clavier, les yeux fixés sur l'écran de son ordinateur.

Lorna patienta en silence comme une adolescente qui attend que le directeur consulte le relevé des notes d'un mauvais bulletin.

— Ah, voilà ! Le prélèvement du chèque numéro 8712 est arrivé hier, indiquant une somme de 376 dollars et 95 cents.

— Bon, d'accord, mais j'ai également déposé un chèque de 450 dollars et des poussières…

— Il n'est pas de notre banque.

Lorna le regarda avec surprise.

— Et alors ?

— Alors il mettra deux jours avant d'être crédité…

— L'argent des autres banques n'est pas assez bien pour vous ?

— … parce que nous ne pouvons pas vérifier s'il est approvisionné. Nous devons attendre le feu vert de l'autre banque.

Se laissant aller contre le dossier de son fauteuil, Holden considéra Lorna comme un tableau qu'il avait décidé, après mûre réflexion, de ne pas acheter.

— Ce n'est sûrement pas nouveau pour vous, n'est-ce pas ? ajouta-t-il.

— Je sais qu'il vous faut des délais pour les chèques extérieurs à la ville, mais l'établissement dont je vous parle n'est qu'à un pâté de maisons d'ici. Vous ne pourriez même pas garer votre voiture aussi près et je parie que vous passez devant tous les jours en vous rendant à votre parking.

— Là n'est pas la question, rétorqua Holden.

En fait, il s'agissait de Holden Bennington III, comme venait de le découvrir Lorna en apercevant la plaque sur son bureau. En un clin d'œil, elle se rendit compte que ce garçon ne comprendrait jamais, au grand jamais, ce que c'était de ne pas arriver à joindre les deux bouts.

— Mais vous *savez* que la banque est juste là, à quelques mètres ! Vous *savez* que vous pouvez vérifier l'approvisionnement du chèque dans la seconde ! En fait, j'ai même entendu dire que c'était immédiat, parce que ce genre d'opération est purement électronique. Avouez que c'est tout de même ahurissant ! Cette histoire de laisser les chèques en attente doit date de l'époque du Pony Express[1] !

— C'est le règlement.

Un instant, il eut l'air d'hésiter, comme s'il avait été d'accord avec l'une des remarques faites par Lorna, puis il ajouta :

— Vous l'avez accepté par écrit en ouvrant votre compte.

— Ce qui remonte, soit dit en passant, à plus de quinze ans.

Holden opina du chef.

— Vous êtes une cliente de longue date. C'est pour cela que nous essayons de bien nous occuper de vous.

— Hum ! commenta Lorna en plongeant son regard dans des yeux bleus qui n'étaient, somme toute, pas si déplaisants.

Enfin, si elle avait eu quelques années de moins…

Et s'il s'était montré un peu moins primaire au sujet de son compte en banque déficient.

— Mais nous ne pouvons pas continuer à vous

1. Système postal américain à cheval mis en place en 1860 et détrôné par l'apparition du télégraphe. *(N.d.T.)*

couvrir indéfiniment si vous ne faites pas votre part du travail.

— Quoi ? Je ne fais pas ma part de travail ? répéta-t-elle, incrédule.

Ce type devait avoir… quoi… sept, huit, peut-être même neuf ans de moins qu'elle et il l'accusait de ne pas faire sa part de travail ? Elle croyait entendre le prof de sciences naturelles de sixième la traiter de paresseuse parce qu'elle laissait Kevin Singer faire la dissection de leur grenouille tout seul.

— Exactement.

Holden souriait, hypocrite, exposant deux jolies rangées de quenottes blanches, et même deux petites fossettes que Lorna n'avait encore jamais remarquées.

Tout à coup Lorna réalisa qu'il était inutile de se battre. Ce type était trop imbu de sa mission de Père Fouettard. Elle n'avait aucun espoir de réussir à l'amadouer pour qu'il assouplisse les règlements bancaires.

— Bon, bon, d'accord, j'ai compris, capitula Lorna. Mais pourriez-vous créditer ce chèque *juste* cette fois ? Cette *toute petite* fois ? En plus, c'est un chèque de Jico. Ils ont une bonne réputation dans cette ville. Vous ne pensez tout de même pas qu'ils font des chèques en bois, voyons !

— Impossible de le savoir.

Il mentait. Sûrement.

Lorna soupira.

— Auriez-vous au moins la bonté de me laisser un jour de répit ? Juste *un* jour ? Je suis certaine que la somme sera compensée d'ici demain.

Holden hocha la tête d'un air dubitatif.

— Le problème, commença-t-il, c'est qu'il y a ces trois autres chèques…

Une fois de plus, il tapa sur les touches de son clavier.

Dans une pièce aussi exiguë que celle-ci, ces cliquetis prenaient des proportions assourdissantes.

Lorna se sentit rétrécir. Trois chèques de plus ? Pour quoi ? Elle fouilla dans son cerveau. Généralement, elle se servait d'une carte de crédit. Elle le savait bien puisqu'elle se sentait systématiquement très coupable tout de suite après. Alors comment avait-elle pu faire trois chèques de plus au cours de la semaine passée ?

Chez Macy's. Cela en faisait un. Pour rembourser les derniers 40 dollars qu'elle devait sur sa carte du magasin. C'était donc plutôt… euh… un geste noble. Une dépense utile.

Et… où encore ? Ah, oui, à l'épicerie. Exactement 2 dollars et 10 cents. Elle avait pris un litre de lait et des chewing-gums.

Mais elle n'arrivait pas à se souvenir d'un troisième chèque.

— … celui de 2,10 dollars va finalement vous coûter 37,10 dollars, déclara Holden.

Puis il tourna ses yeux bleus vers elle et ajouta :

— Ne voyez-vous donc pas que c'est ridicule ?

Est-ce qu'il plaisantait ?

— Bien sûr que je le vois ! Je ne suis plus une gamine ! La question est : pourquoi me faites-vous ça ?

— Ce sont seulement les clauses du…

— Cessez de tout ramener à ces clauses du contrat que j'ai signé il y a des siècles !

Elle s'entendit, se sentit embarrassée à juste raison et baissa un brin le ton de sa voix où perçait l'hystérie :

— Vous savez fichtrement bien que ces papiers contiennent des millions de mots par page en Arial 10 points parfaitement illisibles !

Il accueillit son commentaire par un autre hochement de tête rapide, un geste que Lorna interprétait maintenant comme l'aveu implicite que la banque était uniquement là pour voler ses clients.

— Je ne peux pas changer le règlement.

— Et moi je ne peux pas changer les faits, dit-elle en faisant un geste du bras en direction de l'ordinateur. Vous voyez bien ma situation. Je ne *veux pas* payer des tas d'agios et je ne *veux pas* que vous refusiez mes chèques. Alors quelle est la solution ? M'avez-vous seulement fait venir ici pour me traîner dans la boue ?

Holden Bennington III semblait surpris, puis blessé, par cette accusation.

— J'essaie de vous *aider*.

— Je vous en suis reconnaissante. Si, si, vraiment !

Elle le pensait sincèrement, même si cela paraissait parfaitement sarcastique à ses propres oreilles.

— Bon. Pouvez-vous juste me promettre une chose : de vous assurer que vous avez suffisamment d'argent sur votre compte *avant* d'établir un chèque ?

Soudain, il ressemblait à un lycéen de seconde jouant le rôle du papa exténué dans une pièce de théâtre pendant la kermesse de fin d'année.

Elle en fut néanmoins touchée. Il se faisait *franchement* du souci. Il essayait *réellement* de l'aider. Et dire qu'elle s'était comportée comme une petite peste hargneuse…

— Je vous le promets. Sérieux, c'est promis !

Elle faillit lui parler de Phil Carson, mais cela aurait été légèrement prématuré, vu qu'elle n'avait pas encore eu le temps de suivre les recommandations de son coach. Non, il valait mieux en rester là et lui être reconnaissant d'annuler les frais cette fois-ci.

— Très bien, dit-il.

Puis, après quelques clics de plus, il ajouta triomphalement :

— Voilà ! J'ai pu supprimer les frais pour deux des chèques refusés.

— Deux seulement ? Vous voulez dire que je devrai payer ceux du troisième ?

— J'en ai bien peur.

— *Trente-cinq dollars ?*

— Je ne peux pas tout annuler.

Elle avait envie de gémir *Pourquoi pas ?* Mais cela n'allait rien changer car, de toute évidence, il ne pouvait réellement pas le faire. Ou ne le voulait pas et ne changerait pas d'avis.

De toute manière, ce type semblait persuadé qu'elle ne méritait pas de s'en sortir à si bon compte.

Il ne lui restait plus qu'à se montrer reconnaissante. Il aurait d'ailleurs été immature de se comporter en ingrate.

— Je vous remercie sincèrement de votre aide, déclara-t-elle en se levant, la main tendue vers lui.

Il la considéra un instant, puis la saisit maladroitement.

— Je vous en prie, mademoiselle Rafferty. Je suis heureux d'avoir pu vous aider au moins un peu.

Si vous voulez vraiment m'aider, vous pourriez virer un million ou deux sur mon compte et cesser de me facturer 7 dollars par mois pour le privilège de détenir un compte sans intérêt dans votre fichue banque, pensa-t-elle.

Mais au lieu de cela, elle dit :

— Avec toutes ces heures supplémentaires que je fais, il m'est difficile de garder un œil sur ce genre de choses. Parfois je retrouve même des chèques de salaire que j'ai oublié d'encaisser.

Pourquoi ce mensonge stupide ? Holden était probablement en mesure de constater que la seule chose qu'elle faisait avec une régularité de métronome, c'était justement déposer son chèque de Jico un vendredi sur deux.

— Je vois.

Tu parles !

— Mais c'est promis, je vais faire un effort pour me montrer plus rigoureuse à partir de maintenant.

Elle se tortilla pour se frayer un passage entre le bureau, son fauteuil et la porte qu'il venait d'ouvrir.

— Merci encore, monsieur Bennington.

Elle parlait plus bas parce qu'ils se tenaient dans le hall central de la banque. Inutile que quelqu'un ici se rende compte qu'elle avait des difficultés bancaires. Autant leur laisser croire qu'elle possédait tellement d'argent qu'elle devait ouvrir un nouveau compte afin d'être entièrement assurée par la FDIC[1].

Il hocha la tête avec raideur.

— Mademoiselle Rafferty, j'espère vous revoir bientôt. Ou plus exactement : j'espère *ne pas* vous revoir trop tôt.

Ha ! Ha ! Ha ! Lorna aurait pu l'étrangler !

Mais, autant regarder les choses en face : elle n'était pas en situation de pouvoir étrangler qui que ce soit.

Plus tôt elle prendrait des dispositions pour régler ses problèmes de sous, mieux elle s'en porterait.

Le monde selon Phil Carson.

Beaucoup de publicités pour lessives vantent leur capacité à retirer les taches de sang, de chocolat, de vin… mais jamais elles ne mentionnent les taches de vomi.

Arrivée dans sa chambre, Joss passa avec précaution sa chemise souillée par la tête et la mit en boule afin d'enfermer la partie mouillée à l'intérieur. Puis elle enfila un tee-shirt, prit la poubelle et retourna vite dans la chambre de Bart où celui-ci était alité avec une grippe intestinale.

1. *Federal Deposit Insurance Corporation* : organisme garantissant la sécurité des dépôts dans les banques qui en sont membres. Chaque compte aux États-Unis n'est garanti qu'à concurrence de 100 000 dollars. Au-delà, il faut ouvrir plusieurs comptes. *(N.d.T.)*

— Comment te sens-tu, mon grand ? demanda-t-elle doucement en déposant temporairement le chemisier dans la poubelle avant de s'asseoir à son chevet. Tu vas mieux ?

— Non, gémit-il misérablement. Mais est-ce que je peux avoir un peu de Coca ?

Il avait l'air tellement petit, maintenant. Tellement innocent et vulnérable que Joss se souvint avoir choisi ce métier parce qu'elle… aimait les enfants. Elle n'appréciait pas particulièrement les petites terreurs et elle avait quelques doutes sur l'avenir de Colin, mais Bart arrivait à toucher chez elle une corde sensible.

— D'accord, répondit-elle en se souvenant de l'épais sirop de Coca que sa mère lui versait sur des glaçons quand elle se sentait nauséeuse. Je vais descendre démarrer une lessive et ensuite je t'en apporterai.

— Et aussi un peu de Choco Cerea, ajouta Bart.

Ce n'étaient pas les céréales bio sans goût et sans saveur que Deena voulait que la nounou serve aux enfants, mais sa patronne n'était pas là et Joss était prête à tout pour que ce pauvre gamin se sente mieux.

— Entendu, mais seulement un peu.

Elle sortit la chemise souillée de la poubelle et la descendit dans la buanderie, prête à faire tourner la machine.

Quelle ne fut pas sa surprise en trouvant deux grosses corbeilles remplies de linge sale devant la machine à laver avec, sur le dessus, une feuille de papier à son nom, inscrit en gros caractères au feutre noir.

Craignant de deviner ce que c'était, Joss ramassa le message avec appréhension.

Joss : séparer le blanc des couleurs et tout laver, uniquement à l'eau froide.

Pas de *s'il vous plaît*, remarqua Joss. Non que cela aurait fait une quelconque différence… Un instant, elle envisagea même de quitter la pièce comme si elle n'y était jamais entrée, mais elle savait que Deena Oliver avait installé des caméras vidéo un peu partout dans la maison et qu'elle surveillait ses moindres faits et gestes.

Mieux valait qu'elle obtempère lors de ses heures de service et décampe de cette fichue maison pendant son temps libre.

Poussant un long soupir, elle saisit les deux corbeilles et renversa leur contenu sur le sol, faisant un tas avec la couleur et un autre avec le blanc. Ou ce qui était supposé être blanc, rectifia-t-elle mentalement, en tombant sur un caleçon douteux du maître de maison.

Nounou était un métier. Femme de ménage quelque chose de tout à fait différent. Joss n'avait pas signé de contrat pour faire le ménage. Alors pourquoi était-elle là, dans une cave au fin fond du Maryland, à laver des taches organiques qui n'étaient pas les siennes pour environ deux dollars cinquante de l'heure ?

Vu les circonstances, l'offre de Robbie Blair semblait de plus en plus attrayante. Même un couvent devait être plus exaltant.

Plus tard, ce soir-là, quand Joss profitait d'un moment de répit entre la fin de la grippe de Bart et le retour de Colin d'un cours d'arts martiaux, Deena Oliver la convoqua dans ce qu'elle appelait « le parloir ». Chez Joss, cela aurait été nommé « le salon chic avec les canapés qu'on n'a pas le droit d'utiliser ».

— Joss, commença Deena sans préambule. Y a-t-il quelque chose que vous voudriez me dire ?

Oh, il y avait beaucoup de choses que Joss aimerait lui dire, mais il y avait peu de chances que Deena veuille les entendre.

— Je ne vois pas de quoi vous voulez parler, répondit-elle.

— Ah, non ?

Le sourcil interrogatif, Deena attendit. En silence.

Une culpabilité, qu'elle n'avait aucune raison de

ressentir, commença à submerger Joss. La même impression qui la gagnait quand elle passait par ces portiques de sécurité à la bibliothèque, en espérant ne pas déclencher d'alarme alors qu'elle n'avait rien emporté.

— Je ne pense pas, répondit Joss, intriguée.

— Et si je prononce le mot *sous-vêtement* ?

Si l'expression de Deena, sur ce visage tanné et auréolé d'un nuage de cheveux décolorés, n'avait pas été aussi menaçante, Joss aurait éclaté de rire.

— Je suis désolée, madame Oliver, dit-elle, l'estomac noué. Je ne sais toujours pas de quoi vous voulez parler.

À moins que Deena n'ait le pouvoir parapsychique d'avoir remarqué la grimace de Joss un peu plus tôt, devant les caleçons de M. Oliver. Mais qui n'aurait pas ressenti de dégoût devant *ça* ?

Deena la fixa froidement pendant un instant puis se pencha en avant et sortit de derrière son dos un petit bout de tissu chiffonné, imprimé façon léopard. Elle le jeta sur Joss qui sursauta.

— C'est de *ça* que je parle ! Vous voulez bien m'expliquer ?

Expliquer quoi ? Joss ne voulait même pas ramasser la chose pour essayer de l'identifier.

— Qu'est-ce que c'est ? demanda-t-elle.

Deena se leva et entama le genre de pas théâtral dont Bette Davis avait le secret quand elle jouait le rôle de sale garce. Il ne lui manquait plus que la ponctuation d'un nuage de fumée de cigarette.

— Vous savez parfaitement que c'est un cache-sexe d'homme !

Joss n'en revenait pas.

— Je ne savais même pas que les hommes portaient des cache-sexe !

Une fraction de seconde, Deena sembla déconcertée. Puis perplexe. Enfin la colère refit apparition sur son visage.

— J'ai trouvé ça sous mon lit ! Sous *mon* lit !

— Je… je ne sais pas quoi dire, bredouilla Joss. Je ne suis même pas certaine de comprendre.

— Je ne vous demande rien du tout. Je vous dis que cela doit cesser immédiatement. Et si j'ai le moindre soupçon que vous faites de nouveau entrer des hommes dans ma maison et dans mon lit, je vais non seulement vous virer sur-le-champ, mais vous poursuivre en justice pour chaque penny que je vous ai payé. Vous comprenez ?

Joss était horrifiée. Elle sentit son sang se retirer jusqu'aux orteils, laissant un passage glacé dans sa poitrine et son estomac.

— Madame Oliver, je vous *jure* que je n'ai jamais vu ce… ce truc de ma vie et que je n'ai jamais fait entrer *qui que ce soit* dans la maison.

Deena sembla moins à l'aise avec la dénégation de Joss qu'elle ne l'aurait été avec une confession.

— Est-ce que j'ai été assez claire ? demanda-t-elle, cependant.

— Oui… mais…

— *Est-ce que j'ai été assez claire ?*

C'était comme si elle rassemblait toute son énergie dans sa voix et éructait avec la fureur du grand méchant loup dans un film de Disney.

Joss n'était pas idiote. Il valait mieux être d'accord et filer plutôt que de commencer à discuter.

— Oui, madame.

Satisfaite, Deena acquiesça d'un signe de tête.

— Ce sera tout.

Joss sortit, regrettant que sa patronne ait mentionné des poursuites judiciaires sur le salaire déjà versé, sinon la perspective d'un renvoi n'aurait pas été une si désagréable nouvelle.

— Et ça, ce sont des Max Azria ?

Dieu merci, il y avait ces réunions du mardi soir ! Ces

jours-ci, c'était le seul moment dans la vie de Lorna qui lui apportait un peu de bien-être.

Certes, elle se réjouissait de voir décroître sa dette, mais était-il possible d'enfiler une dette décroissante à ses pieds et changer aussitôt d'humeur ? Eh bien, non !

Lorna avait besoin de chaussures pour cela.

Hélène acquiesça et lui tendit les Max Azria.

— Tu sais, elles sont superbes mais ne m'allaient pas très bien. Essaie-les !

Lorna y glissa son pied qui s'y sentit comme dans un gant. Elle fit quelques pas.

— Oh, mon Dieu ! C'est quoi ? Des chaussures de massage ? Elles sont incroyables !

Puis, se disant que sa réflexion pouvait sembler indélicate envers Hélène, Lorna précisa :

— Pour moi, en tout cas. C'est peut-être à cause de la forme bizarre de mes pieds.

Hélène sourit.

— Ce sont plutôt les miens qui sont bizarres. Maintenant passe-moi ces Miu Miu. À propos, où est Sandra ? demanda-t-elle en prenant la boîte.

— Elle a appelé, il y a une heure, pour dire qu'elle ne pouvait pas venir ce soir. C'était assez curieux. D'abord elle a annoncé qu'elle avait un rendez-vous, mais à la fin de la conversation, elle a dit qu'elle était malade. Alors je ne sais pas ce qui se passe. J'espère que ce n'est pas moi qui ai dit quelque chose ou fait une bourde.

Hélène se resservit un verre de vin.

— Je suis sûre que non. Elle est probablement trop occupée, c'est tout.

Lorna acquiesça, à moitié convaincue seulement.

— Est-ce qu'il y a quelqu'un d'autre qui vient ? s'enquit Hélène.

Comme il était déjà dix-neuf heures trente, c'était peu probable mais une personne bizarre avait téléphoné.

— Il y a une Paula quelque chose…, répondit-elle en essayant de se souvenir du nom de famille.

Un nom de fête assez inhabituel. Ce n'était pas Paula Noël…

— Ah, voilà ! La Saint-Valentin… C'était Paula Valentine, se rappela-t-elle après un moment.

— C'est marrant, dit Hélène. Au début je croyais que nous serions bien plus nombreuses à venir à ces réunions. Mais beaucoup de femmes doivent garder leur marotte des chaussures au fond d'un placard. Enfin, c'est une façon de parler…

— Et puis il y a celles dont la marotte déborde pour envahir les autres pièces. Littéralement.

On frappa à la porte, si violemment que les tableaux accrochés au mur tremblèrent.

Hélène et Lorna échangèrent un regard.

— Tu attendais une petite Valentine ? demanda Hélène, réprimant difficilement un sourire.

Lorna pouffa de rire et se dirigea d'un pas hésitant vers la porte pour jeter un coup d'œil par le minuscule judas.

Ce stupide petit truc avait toujours été insuffisant mais cela n'avait jamais eu beaucoup d'importance. Jusqu'à maintenant. Elle aperçut une silhouette plantureuse dans le couloir, à peine éclairée par le halo du plafonnier.

— Je pense que c'est elle, chuchota Lorna.

— Tu vas la laisser entrer ? demanda Hélène en chuchotant elle aussi.

Puis elle pouffa de rire, aussitôt imitée par Lorna.

— Je deviens parano, souffla celle-ci.

Après une profonde inspiration, elle ouvrit la porte.

La personne qui se tenait devant elle était grande, au moins un mètre quatre-vingt-dix. La perruque n'aurait pas été plus évidente si elle avait été faite en barbe à papa. Le maquillage était très prononcé, tout comme la pomme d'Adam. Sa robe, en revanche, était superbe. On aurait dit un vrai Chanel d'époque si ce n'avait été sa taille démesurée. Les boucles d'oreilles et les perles étaient plus vraies que nature.

Dans un moment de panique, elle se demanda quoi faire. Elle n'avait pas prévu le moindre règlement anti-travesti. Les pieds de cet homme, en revanche, faisaient deux fois la taille des leurs. Quoi qu'il ait apporté dans ce gros sac Chanel en soie, ce ne pouvait être du 7½ !

— Bonjour, dit Lorna d'une voix qui se voulait assurée. Paula Valentine ?

Le type – il n'y avait aucun doute là-dessus ! – ouvrit des yeux grands comme des soucoupes, la considéra un instant, perplexe, puis jeta un coup d'œil derrière elle, où Hélène se tenait assise sur le canapé. C'était comme s'il évaluait le groupe et que celui-ci ne lui convenait pas.

Le silence devint embarrassant.

— Paula ? répéta Lorna.

Il n'avait pas les yeux exorbités d'un cerf pris dans les phares d'une voiture. Plutôt ceux du conducteur apercevant soudain le cerf dans ses phares.

— Paula Valentine ?

Les yeux de l'homme devinrent encore plus grands et il opina vigoureusement du chef.

Il ne fallut qu'une ou deux secondes de plus pour que la situation devienne follement bizarre. Lorna consulta Hélène du regard avec inquiétude : celle-ci avait sorti son téléphone portable en guise d'arme. Il était ouvert et elle avait le pouce posé sur les touches d'appel, prête à appeler Police Secours.

Valentine tourna aussitôt les talons et fila dans la cage d'escalier où le bruit de ses pas résonna comme le tonnerre.

Lorna resta scotchée à l'embrasure, bouche bée, jusqu'à ce qu'elle entende claquer la porte d'entrée de l'immeuble. Puis elle revint vers Hélène.

— Je crois qu'elle n'aimait pas notre style.

À ces mots, toutes les deux furent prises d'un incroyable fou rire.

Hélène et Lorna passèrent une longue soirée à bavarder et à rire en faisant un sort à deux bouteilles de vin et une cafetière entière de douze tasses. Ce ne fut que vers une heure du matin qu'Hélène leva finalement le camp.

Lorna se sentait un tantinet pompette. Elle avait bu nettement plus de vin qu'Hélène, qui, depuis une heure, n'absorbait que de l'eau.

Donc, quand elle se rendit à la cuisine et remarqua qu'une voiture quittait le parking juste derrière la BMW d'Hélène, elle ne se posa pas vraiment de questions. Puis, lorsqu'elle se rendit compte que cela pouvait être le même véhicule qui se trouvait sur le parking la semaine précédente, elle commença à imaginer des tas de choses.

Ces pensées l'obsédèrent longtemps, au point de l'empêcher de dormir.

Finalement, peu après deux heures du matin, quand sa conscience lui assura qu'il valait mieux passer pour une idiote parano plutôt que d'ignorer ce qui risquait d'être une menace réelle, elle appela sa nouvelle amie pour lui dire qu'elle croyait avoir vu quelqu'un la prendre en filature.

Chapitre 11

Hélène se réveilla au quart de tour en entendant l'air de *Ma sorcière bien-aimée.*

C'était son portable, la sonnerie qu'elle avait choisie pour les appels provenant de ses amis. Bref, pour les trucs sympas. Les appels politiques s'annonçaient avec l'air pompeux et menaçant de la *Cinquième Symphonie* de Beethoven.

Très vite, elle ouvrit le clapet pour mettre un terme au bruit, puis jeta un coup d'œil inquiet vers Jim qui dormait à côté d'elle à poings fermés. Ses ronflements auraient pu faire trembler les vitres. Dieu merci, il dormait habituellement dans sa propre chambre. Cette nuit avait juste été une visite conjugale, le prix qu'elle payait pour son confort matériel.

Quand Jim lui avait demandé, en la déshabillant, si elle avait arrêté de prendre la pilule, elle lui avait bien sûr répondu par l'affirmative. Un mensonge. Mais au moins avait-elle pensé à les retirer du tiroir pour les glisser dans une boîte à chaussures, dans son placard. D'ailleurs, elle avait été étonnée que Jim n'ait pas mis la main dessus avant elle. Une journée entière était passée entre son arrestation dans le magasin et le moment où elle s'était rappelé la raison qui avait déclenché toute cette histoire.

Elle s'éloigna de lui, ressentant un mélange de détachement émotionnel et de désir persistant, en rapport avec ses indéniables talents d'amant.

— Allô ?

— Hélène ?

C'était une femme. Avec juste un mot, il était difficile de savoir qui appelait, mais la voix lui semblait familière.

Bien sûr, *familière* n'était pas forcément de bon augure !

— Qui est-ce ?

Hélène murmurait dans l'appareil en traversant la chambre en silence, pieds nus, afin de ne pas réveiller Jim.

Dieu seul savait ce qu'il pourrait en conclure s'il apprenait qu'elle recevait des coups de fil au milieu de la nuit !

En fait, Hélène non plus ne savait trop qu'en penser.

— Qui est à l'appareil ? insista-t-elle avant que le correspondant ait eu le temps de lui répondre.

— C'est Lorna Rafferty, répondit rapidement la femme, mettant un terme au mystère. Je suis vraiment désolée d'appeler si tard.

Les épaules d'Hélène retombèrent de soulagement. Mais de qui avait-elle craint un appel ? De sa mère ? De son père ? D'Ormond's ? Peut-être…

De Gerald Parks ?

Exactement !

Hélène s'était efforcée de le chasser de son esprit, mais rien que son nom provoquait en elle un frisson de dégoût.

— Lorna, souffla-t-elle, rassurée mais profondément déstabilisée d'avoir songé à Gerald Parks. Tout va bien ?

— Je l'espère. Enfin, je pense. Nom d'un chien, tu

dois penser que je suis la reine des idiotes d'appeler en pleine nuit.

Elle semblait nerveuse, trébuchait sur les mots.

— J'aurais dû attendre demain matin. Ou jusqu'à la semaine prochaine…

— Que se passe-t-il ?

Lorna prit une profonde inspiration qui siffla à travers la ligne.

— Bon. Je vais simplement te le dire tel quel, même si je pense que cela ne signifie probablement rien.

Hélène commençait à se sentir nerveuse.

— Allez, Lorna ! De quoi s'agit-il ?

— Je pense… je pense que quelqu'un te suit. Avez-vous un service de surveillance ?

— Non. Pourquoi ?

— Eh bien, avec ton mari dans la politique et le fait que vous soyez très en vue… J'imaginais que peut-être les services secrets…

— Mais qu'est-ce qui te fait soupçonner que quelqu'un me suit ?

Hélène avait conscience de paraître assez sèche et c'était involontaire. Elle aussi avait eu l'impression désagréable d'être suivie et le fait d'en entendre parler par une personne qu'elle connaissait depuis si peu la mettait mal à l'aise.

— La semaine dernière, quand tu es venue à notre réunion, il y avait un type adossé contre une vieille bagnole cabossée sur le parking. Il levait la tête en direction de mon appartement. C'est pour cela que j'étais nerveuse. J'avais peur d'avoir une visite indésirable.

Hélène s'en souvenait. Lorna avait regardé par la fenêtre une vingtaine de fois au moins. Elle avait cru que la jeune femme attendait la visite d'un petit ami après la réunion.

— Bref, poursuivit Lorna, quand vous êtes parties toutes les deux, j'ai jeté un coup d'œil pour voir si le type était toujours là. Je ne sais pas pourquoi, d'ailleurs. Une espèce d'impulsion. Là, j'ai remarqué qu'il quittait le parking tout de suite après toi. D'abord, j'ai cru que c'était Sandra…

— Et ce n'était pas elle ?

— Non, elle avait oublié son sac. Elle était remontée à l'appartement juste après ton départ.

La peur se nicha dans l'estomac d'Hélène.

— Et c'est tout ?

Hélène avait l'impression désagréable que ça ne l'était pas. Et elle avait raison.

— Eh bien, ça s'est reproduit ce soir. Même voiture et tout… Il est possible que ce ne soit qu'une coïncidence, quelqu'un d'autre qui a également un truc le mardi soir dans cet immeuble… Je me fais peut-être juste du cinéma… Forcément…

Hélène avait des doutes.

— À quoi ressemblait ce type ?

— Blond. Insipide. Vraiment quelconque. Taille moyenne. Corpulence moyenne.

Gerald Parks.

— Est-ce que tu as vu s'il avait un appareil photo ?

— Non.

Sur ce point, Lorna n'hésita pas une seconde.

— Il était simplement adossé contre le coffre de sa voiture, les bras croisés. Je ne pense pas que tu aies à t'inquiéter pour des histoires de photos. D'ailleurs, tu ne faisais rien de compromettant.

Pas cette fois-ci.

— Merci de m'avoir mise au courant, dit Hélène en essayant de se persuader que c'était *forcément* une coïncidence.

Gerald Parks n'était pas un timide. S'il l'avait suivie, il l'aurait immédiatement abordée. Après tout, il voulait toujours son argent.

Sa propre parano était sans doute contagieuse et

Lorna avait dû l'attraper. Hélène allait rester sur ses gardes, certainement, mais elle ne voulait pas que sa nouvelle amitié pâtisse d'un quelconque malaise.

— Les petits photographes du coin n'ont parfois rien d'autre à se mettre sous la dent, alors ils me suivent, au cas où ils auraient de la chance…

Quelquefois ils en avaient.

— … c'est agaçant mais il n'y a pas de quoi s'inquiéter.

Lorna laissa échapper un soupir.

— Ouf ! Quel soulagement ! Écoute, je suis vraiment désolée de t'avoir dérangée. Tu dois penser que je suis une vraie débile.

Hélène rit.

— Bien sûr que non ! Je pense que tu es une amie qui s'inquiète et je trouve ça très sympa.

Après avoir raccroché, Hélène resta longtemps allongée sur le lit à contempler les lumières de l'allée qui se reflétaient au plafond. Elle se trouvait dans sa propre chambre. Dans son sanctuaire. Le seul endroit où elle se sentait presque elle-même.

Mais avec Jim à ses côtés, elle ne ressentait absolument plus la même chose.

Un mauvais signe pour leur mariage.

Elle se releva et se dirigea vers la fenêtre, pieds nus sur le parquet. Elle aurait aimé l'ouvrir pour laisser entrer la douce brise d'une nuit d'été, peut-être sentir le parfum du jasmin qui fleurissait dans le jardin. Elle le savait, puisque c'était elle qui l'avait planté.

Mais elle ne pouvait pas ouvrir la fenêtre sans déclencher l'alarme.

Alors, elle se contenta de s'appuyer sur l'étroit rebord de la fenêtre et contempla le ciel pourpre et son semi d'étoiles, au-dessus du faible halo des lumières de la ville qui s'étendait au loin.

Dans des moments comme celui-ci, elle avait la

nostalgie du ciel immense de son enfance, tellement chargé d'étoiles qu'on aurait dit des grains de sucre renversés sur une nappe bleu marine. Elle sentait même l'odeur associée au vert profond de l'ouest de la Virginie et était presque tentée de sauter dans sa voiture pour retrouver le paysage de son enfance.

Bien sûr, elle ne le pouvait pas. Hélène n'avait aucune raison de s'y rendre et si elle y allait – et si certains l'apprenaient – cela soulèverait des questions auxquelles elle ne voulait pas répondre.

Alors elle retourna se coucher, ouvrit le tiroir de sa table de nuit pour prendre le flacon de somnifères que le médecin lui avait prescrits durant la dernière campagne électorale de Jim et en avala deux.

Ainsi, pendant quelques heures au moins, elle se couperait du présent, de l'avenir *et* du passé.

La femme sur l'emballage avait de longs cheveux d'un blond foncé et chatoyant, enrichi d'un subtil balayage dont les nuances mettaient en valeur ses yeux bleus qui brillaient comme du verre coloré. La teinture s'appelait Palomino Profond.

Sandra, quant à elle, s'était retrouvée avec une tignasse hirsute d'un vert grisâtre et des pointes sèches et frisottées.

En revanche, ses yeux étaient vraiment brillants. Ils brillaient toujours quand elle avait pleuré un bon coup. Et pour l'instant, Sandra avait pleuré pendant *Jeopardy* et *Survivor*, des jeux télévisés un peu stressants, et même *Law & Order*, une série pourtant pas bien méchante. Elle avançait doucement vers les infos du soir et, si le pot entier de mayonnaise qu'elle avait appliqué sur sa chevelure, ne donnait pas de résultats, elle allait probablement continuer à pleurer toutes les larmes de son corps jusqu'à la fin du *Tonight Show*, en dépit des jeux de mots du présentateur.

Un peu plus tôt, appeler le numéro inclus dans le mode d'emploi n'avait servi à rien.

— Malheureusement, vous allez devoir attendre un mois avant de pouvoir faire quoi que ce soit, avait répondu l'opératrice.

Avant cela, Sandra avait été mise en attente pendant plus d'une demi-heure pour subir la version instrumentale de toutes les dernières chansons de Henry Mancini !

Des centaines d'autres utilisatrices aux cheveux verts avaient dû appeler avant elle pour avoir suivi le mode d'emploi à la lettre.

— Un mois ? Pourquoi devrais-je attendre un mois ?

— Parce que vous avez ouvert la cuticule du cheveu en appliquant le produit. Vu la description que vous m'avez faite de leur état, le révélateur risque de complètement les brûler si vous ajoutez un autre produit. Je ne vous le recommande pas.

Sandra s'imagina avec la moitié de ses cheveux courts et hirsutes et l'autre moitié en train de se casser mèche après mèche. Effectivement, ils avaient raison de ne pas le recommander…

— Et si j'appliquais un peu de cette teinture qu'on met pour cacher les cheveux gris, comme un brun clair, par exemple… Est-ce que cela pourrait couvrir ce vert ?

— Non, car une partie de vos cheveux a été éclaircie et certains vont prendre la couleur plus que les autres. Vous risquez de vous retrouver avec un motif tacheté.

Aussitôt, Sandra compara mentalement cette image avec celle du vert uni dont elle était affublée pour l'instant. Lequel serait le pire ?

— Et si j'allais dans un salon de coiffure ? Pourraient-ils rattraper ça ?

Et dire qu'elle avait acheté cette boîte pour faire sa teinture elle-même à la maison, justement pour ne pas avoir à sortir et à se rendre chez un coiffeur !

— Leurs produits peuvent tout aussi bien brûler vos cheveux. À votre place, je ne prendrais pas ce risque. Si vous attendez un mois que la cuticule se lisse de nouveau et que la qualité de votre cheveu s'améliore, alors vous pourrez aller chez un coiffeur pour un rattrapage de couleur.

— C'est tout ? C'est tout ce que vous avez à me proposer ?

— Je suis désolée, mademoiselle.

— J'ai acheté votre produit en toute confiance. Comment osez-vous laisser verdir les cheveux des gens pour ensuite leur annoncer qu'ils doivent rester comme ça ?

— Les instructions disent explicitement de ne pas l'utiliser sur des cheveux déjà éclaircis.

— Où ? Où est-ce que c'est écrit ?

Sandra avait lu mot à mot tout le mode d'emploi, du premier au quatrième paragraphe.

— Vérifiez les petits caractères au bas de la feuille.

Sandra était exaspérée.

— Personne ne lit jamais ça !

— Malheureusement pour vous, les avocats le font, répondit la femme d'un air presque compatissant.

C'était catastrophique ! Elle commençait à peine à ressortir et voilà qu'une tuile lui tombait dessus. Vlan !

— Bon, eh bien… merci, balbutia-t-elle, désemparée.

— Je vous en prie. Et pour vous montrer notre bonne volonté, nous serions heureux de vous faire parvenir un bon de réduction sur l'achat d'une nouvelle boîte. Pourriez-vous me donner votre adresse ?

Ce devait être une plaisanterie ! Un bon de réduction pour une nouvelle boîte ? S'imaginaient-ils qu'elle allait en racheter une autre pour renouveler l'opération si bien réussie ?

Dégoûtée, elle raccrocha et surfa sur Internet en quête

de bons vieux remèdes de bonne femme. L'un suggérait d'appliquer un puissant shampooing antipelliculaire et de le laisser reposer pendant une bonne heure pour retirer la couleur. Cela l'aurait obligée non seulement à sortir pour se rendre au magasin mais aussi à le faire avec des cheveux qui ressemblaient à un truc immonde qu'elle aurait récupéré dans les égouts pour se le mettre sur la tête.

Pour ce soir, la mayonnaise semblait donc être la meilleure des solutions. Le vinaigre était censé éclaircir la couleur et l'œuf démêler ses cheveux. Pourvu que la mayonnaise, un savant mélange de ces deux ingrédients, ait les mêmes effets réparateurs. Elle avait utilisé la dernière cuillerée pour améliorer le sandwich à la poitrine de dinde qu'elle s'était préparé pour le déjeuner.

C'était tellement stupide. Vraiment. Elle aurait pu aller chez le coiffeur sans cette fichue phobie. Après une très bonne semaine, commencée par cette réunion avec les Shoe Addicts Anonymes, elle avait soudain eu, Dieu sait pourquoi, une nouvelle crise de panique, juste au moment où elle s'apprêtait à sortir.

C'était curieux tout de même ! Jusqu'à cet instant précis, elle avait cru que l'auriculothérapie donnait de bons résultats. La panique avait été un sacré bond en arrière. Au lieu de se forcer à se rendre chez Lorna, elle était restée dans son appartement à se tordre les mains dans tous les sens, à essayer de reprendre son souffle, souhaitant sincèrement être quelqu'un d'autre.

D'où cette affaire de teinture de cheveux... Elle avait acheté cette boîte quelques mois plus tôt, alors qu'elle se trouvait dans le même état d'esprit. Mais elle ne s'était jamais servie du produit. Ce soir, malheureusement, tandis qu'elle regardait *La Roue de la Fortune* et admirait la magnifique chevelure de Vanna White, elle s'était souvenue des deux boîtes de Palomino Profond rangées dans son armoire à linge et avait décidé de changer de tête. Et donc de vie. En mieux, bien sûr !

Il ne lui était pas venu à l'esprit de vérifier les flacons pour s'assurer que les deux portaient bien la mention « Palomino » et non pas « Blond cendré foncé ». Même si elle l'avait fait, elle n'aurait jamais cru que le blond cendré foncé s'accrocherait ainsi à ses cheveux préalablement éclaircis pour leur donner cette épouvantable couleur d'asperges pourries.

La mayonnaise qu'elle avait tartinée dessus tombait donc très bien. Bon appétit !

La question était de savoir ce qu'elle allait faire ensuite.

Affubler de cheveux verts une personne désemparée qui n'aime pas sortir de chez elle, même dans ses *bons* jours, était particulièrement cruel ! Mais Sandra était le genre de fille à toujours chercher des signes dans ce qui lui arrivait et, là, elle se demandait si ce n'en était pas un.

Peut-être devait-elle faire exactement ce dont elle avait horreur : sortir et se couvrir tout simplement de ridicule.

En psychologie on appelle ça : se jeter à l'eau.

Elle y réfléchit quelques minutes. On était un jeudi soir, peu après vingt-trois heures. Les rues seraient pleines de monde, elles l'étaient toujours dans le quartier Adam Morgan.

Oui, elle allait le faire.

Impossible de dire ce qui la prit. Ni d'où elle tira le courage de sortir, sans chapeau… Toujours est-il que vingt minutes plus tard, elle se trouvait dehors et ravie de l'être !

— *Sandra ?*

Un instant, elle crut que c'était le début d'un cauchemar.

En se retournant, elle aperçut un très beau garçon, pas

très costaud, avec des cheveux bruns joliment bouclés, des yeux noisette et une peau si douce qu'elle hurlait *exfoliation !*

— Sandra Vanderslice ?

Son nom était prononcé par de magnifiques lèvres sensuelles d'acteur de cinéma.

La voix, en revanche, était légèrement haut perchée, manquait un peu de virilité. Était-ce important ?

Ce qui était carrément bizarre, c'était qu'il connaisse son nom.

— Je suis désolée…

Sans réfléchir, elle porta sa main à la tête, se souvint du vert et sentit aussitôt ses joues s'empourprer. Le contraste devait être du plus bel effet !

Elle avait vraiment eu une *très* mauvaise idée…

— C'est moi ! insista le bel Adonis en levant les sourcils, certain d'être reconnu.

En vain. C'était le vide total. Et cela devait se voir à sa mine.

— Je…

Il leva les yeux au ciel, sans doute exaspéré, et tenta de lui rafraîchir la mémoire.

— Mike Lemmington. Du lycée.

Elle en resta baba. Mike Lemmington ! Comment était-ce possible ? Mike Lemmington était la seule personne dans tout le lycée à côté de qui elle pouvait se sentir, peut-être pas vraiment mince, mais au moins un peu moins grosse.

— Mike ?

Devant cette incroyable métamorphose, Sandra en oublia sa propre gêne.

— C'est toi ? Oh, mon Dieu…

Elle secoua la tête, incrédule, puis ajouta :

— Mais comment as-tu fait ?

Il sourit, révélant des dents parfaitement régulières et blanches.

— J'ai simplement perdu un peu de poids.

Si quelqu'un pouvait éviter de tourner autour du pot à propos du poids, c'étaient bien eux.

— Mike, tu as perdu beaucoup de poids. Dis-moi tout !

Il haussa les épaules.

— Weight Watchers.

— Sérieux ?

Elle pensa à sa propre adhésion aux Weight Watchers et se demanda si un peu plus d'assiduité pourrait déboucher sur des résultats aussi spectaculaires.

— Tous les jeudis après-midi.

Il sourit, puis ajouta :

— Et toi ? Qu'as-tu fait à tes cheveux ?

Comment avait-elle pu oublier ? C'était inimaginable. Mais son embarras revint aussitôt.

— Oh, c'est…

— Ils sont verts !

Il lui passa une main dans les cheveux et les ébouriffa légèrement.

— Oui, c'est parce que…

— C'est tellement audacieux ! s'écria-t-il en la considérant avec une sorte d'admiration. Écoute, ma belle, je pensais que tu ne sortirais jamais de ta coquille !

Elle fronça les sourcils. Était-elle donc dans une coquille depuis si longtemps ?

Qui cherchait-elle à tromper ? Elle était carrément née dans une coquille. Elle était pratiquement la Vénus de Botticelli sans ses belles courbes ni son visage angélique de la Renaissance.

— C'est bien que tu t'exprimes de cette manière. Et cela fait carrément ressortir le bleu de tes yeux !

— Vraiment ?

Elle avait besoin de ça. Désespérément.

— Oui, je t'assure !

Sandra décida de se lancer et de jouer la fille qui avait

teint ses cheveux en vert par aplomb plutôt que par un profond sens d'insécurité qui l'avait poussée à se précipiter sur deux boîtes de coloration un jour de déprime.

— Merci, Mike. Qu'est-ce que tu viens faire dans ce quartier ? Tu vis ici ou tu passes rendre visite à quelqu'un ?

— J'habite dans Dupont Circle, dit-il en affichant de nouveau ce superbe sourire.

Avait-il également fait des travaux sur ses dents ou ce changement drastique était-il seulement dû à la perte de poids ?

— Je viens souvent au Stetson. Une amie y tient le bar.

— Oh, j'ai entendu plein de trucs sympas sur cet endroit.

Elle n'y était jamais allée. L'établissement avait une réputation de bar gay mais elle n'était pas certaine que ce soit fondé. En tout cas, c'était un endroit très branché.

Les lèvres pincées, Mike la regarda de la tête aux pieds.

— Je m'y rendais, justement. Pourquoi ne viendrais-tu pas avec moi ?

Le cœur de Sandra fit un looping. Est-ce que ce type canon lui proposait vraiment d'aller prendre un verre avec lui ? Peut-être ces cheveux verts étaient-ils finalement ce qui lui était arrivé de mieux cette année.

Mais bon, ils étaient verts. Et ils étaient sur sa tête. Et, même si elle avait terriblement envie de se sentir à l'aise dans cet état, elle ne l'était absolument pas.

— Écoute, Mike, je ne voudrais pas m'imposer. Tu avais organisé ta soirée.

— Tu plaisantes ? Je serais ravi. Et puis, il y a des gens très intéressants, là-bas. Tu pourrais rencontrer quelqu'un. À moins que…

Il eut l'air de patauger un peu.

— … à moins que tu ne sortes déjà avec quelqu'un ? J'aurais dû te poser la question plus tôt, non ?

— Ne t'inquiète pas. Eh non, je ne sors avec personne. Bon… pourquoi pas ? C'est une bonne idée.

— Génial ! Tu vas adorer cet endroit. Et je suis impatient de te faire rencontrer Debbie. Je suis certain que vous allez très bien vous entendre.

Son amie Debbie. Si elle était sa petite amie, il ne demanderait pas à Sandra de l'accompagner.

— Je suis impatiente d'entendre tout ce que tu as fait ces… combien ?… Treize dernières années ? Mazette ! Ça fait déjà si longtemps que ça ?

— À moi, cela me semble une éternité ! renchérit Mike en passant un bras autour des épaules de Sandra. Et tu sais quoi ? Ma mère aurait été tellement contente qu'on se retrouve plus tôt. Maintenant, elle déteste mon style de vie, bien sûr.

Sandra aurait aimé être une femme frêle et menue afin qu'il passe son bras autour de sa taille et l'attire contre lui, comme le font toujours les héros à la fin des films romantiques, mais elle n'allait pas se mettre martel en tête avec ce genre de détail. Pour l'instant.

— Toujours célibataire ? s'enquit-elle en espérant que la réponse lui permettrait d'évaluer sa vie amoureuse actuelle.

— Exact.

Il rit puis s'arrêta pour la regarder de nouveau.

— C'est vraiment sympa de te revoir. J'ai tellement pensé à toi durant toutes ces années !

— C'est vrai ?

Elle aurait aimé pouvoir en dire autant, mais en vérité elle essayait plutôt d'effacer complètement le lycée de sa mémoire.

— C'est gentil à toi de me dire ça, ajouta-t-elle.

— C'est vrai.

Ils poursuivirent leur chemin.

— À partir de maintenant, continua-t-il, on va se voir bien plus souvent. Je le sens.

Sandra était aux anges. C'était *officiellement* une super soirée ! Elle s'en souviendrait la prochaine fois, quand les choses lui sembleraient épouvantables.

On ne sait jamais ce qui nous attend.

D'ailleurs, on ne sait peut-être même pas de quoi est fait notre passé.

Une chose était certaine : elle n'avait jamais vu ce super beau gosse chez Mike Lemmington. Même pas en rêve.

Trois heures plus tôt, elle était complètement abattue, persuadée de n'être qu'une catastrophe grassouillette et névrosée qui ne serait jamais mince ni heureuse. Pire ! Elle pensait même ne plus pouvoir réussir à sortir de chez elle, devenant la misérable héroïne d'une de ces histoires angoissantes qui paraissaient de temps en temps dans le *Post*. Comme ces gens qu'on retrouvait quinze jours après leur mort, quand les voisins comprenaient enfin que la puanteur qu'ils subissaient ne provenait pas de l'affreux restaurant Hunan du bout de la rue.

Et là, maintenant, elle se retrouvait bras dessus, bras dessous, avec un type si mignon que les femmes *et* les hommes se retournaient sur leur passage tandis qu'ils descendaient la rue ensemble. Elle était en compagnie d'un mec super canon, même si c'était pour aller dans un bar probablement gay. Un mec super canon qui la connaissait depuis sa jeunesse et qui l'acceptait telle qu'elle était.

Les choses se présentaient définitivement sous de meilleurs auspices.

— Il me faut une autre barrette antipanique, déclara Sandra au docteur Lee. Dans l'oreille gauche, cette fois.

— Mademoiselle Vanderslice, ce n'est pas comme ça que ça fonctionne. Il n'y a qu'un seul point qui localise cette anxiété et nous l'utilisons déjà. Je vous assure qu'une barrette est largement suffisante.

— Je pense réellement sentir une différence. C'est pour cela que j'en veux une deuxième. Parce que je ne suis pas encore complètement guérie, vous savez ! Peut-être qu'une autre m'aiderait à définitivement passer le cap ?

Rendez-moi de nouveau normale, pensa-t-elle, mais il lui était impossible d'exprimer quelque chose d'aussi pathétique.

Le docteur Lee l'observa avec un air dubitatif et elle se souvint de ses cheveux verts. Avait-elle besoin de donner une explication ? Non. Il devait voir des choses bien plus bizarres que cela au cours de ses séances.

— Mademoiselle Vanderslice, nous pouvons faire une autre séance d'acupuncture puisque vous êtes ici, mais pour l'auriculothérapie, c'est parfait, ainsi.

— Bon, je comprends, mais j'étais tellement excitée par son efficacité que je voulais doubler le traitement.

Il hocha la tête et sourit avec bonté.

— Ça va continuer à s'améliorer.

Grâce à une nouvelle séance avec des dizaines de fines aiguilles, Sandra repartit avec une pêche d'enfer, impatiente d'en parler au docteur Ratner. Cela faisait très très longtemps qu'elle n'avait rien eu de positif à lui raconter au sujet de ses progrès.

Le moment était enfin arrivé.

Chapitre 12

Heureusement que Joss était seule quand elle trouva l'emballage déchiré d'un préservatif sur le carrelage, au pied des placards de la cuisine.

Bon, ce qu'elle, Joss, faisait là-bas était normal : Deena Oliver lui avait, comme d'habitude, laissé les assiettes dans l'évier, accompagnées d'instructions très précises sur la manière dont il fallait les laver à la main. Alors, quand elle avait laissé tomber une petite cuiller à moutarde en argent, elle avait bien dû la ramasser. Mais le présence de cet emballage de contraceptif était bien plus inattendue…

L'idée que cela puisse avoir un lien quelconque avec le passage des femmes de ménage de l'agence Merry Maids qui venaient deux fois par semaine était absurde. Joss repoussa donc cette pensée aussitôt qu'elle lui vint à l'esprit. Une seule conclusion s'imposait : Deena Oliver avait une liaison.

Et quand elle s'était montrée négligente au point d'en laisser une preuve sous son lit… ou plutôt sous son 4×4 de safari, en imaginant que le cache-sexe imprimé léopard était une quelconque indication du thème de leurs frasques… sa première défense avait été l'offensive. Très judicieux ! Faire porter le chapeau à la nounou et lui jeter l'accusation en pleine figure ! Imparable.

Donc, si Kurt Oliver, le maître de maison insaisissable et vaguement intimidant, avait trouvé les dessous léopard… on lui aurait expliqué que la petite dévergondée de Joss faisait des galipettes avec un inconnu quand la famille n'était pas à la maison. Il en aurait forcément déduit que les préservatifs étaient également à elle.

Cette possibilité était terriblement humiliante.

Et, comme tant d'autres aspects humiliants de ce travail, cela ne favoriserait pas une fin de contrat facile. Un licenciement allait forcément entraîner des poursuites judiciaires, Deena s'était montrée très claire à ce sujet.

Quoi qu'il arrive, elle était coincée.

Et l'attitude de Deena Oliver la confortait dans ce sens.

« Je ne veux pas que vous parliez à mes amies. C'est une contrainte pour elles de prendre le temps d'être polie et de bavarder avec le personnel ! » l'avait-elle réprimandée un jour après que l'une des mères venues à la fête d'anniversaire particulièrement sophistiquée de Colin lui avait demandé où se trouvaient les toilettes.

« Pourriez-vous passer prendre les affaires de Kurt au pressing ? Je ne retrouve pas le ticket mais ne vous en faites pas, ils savent toujours ce qui est à lui ! »

En fait, ils ne savaient pas ce qui était à lui et encore moins *qui* il était. Après avoir passé six coups de fil à Deena, ils avaient finalement trouvé le costume brun Armani… sauf que ce n'était pas un costume Armani brun mais une veste Prada grise.

« Les femmes de ménage Merry Maids ne peuvent pas venir aujourd'hui à cause du mauvais temps ou pour je ne sais quelle autre raison ridicule. Quand vous aurez fini de préparer le dîner, j'aimerais que vous alliez nettoyer les toilettes. Avec les grippes qui sévissent en ce moment, elles sont dans un tel état ! »

Et puis il y avait eu ce dernier incident :

« Est-ce que vous avez bientôt fini, là-dedans ? Les garçons vous attendent ! » avait crié un jour Deena devant la porte des toilettes pendant que Joss changeait de tampon.

Sa vie, ici, était devenue un enfer !

Joss reprit donc sa quête d'une occupation pour ses temps de loisirs et, parmi les propositions qu'elle avait trouvées, celle de Shoe Addicts Anonymes lui avait semblé la plus tentante.

Cela signifiait qu'elle allait devoir sortir en ville et étudier de plus près les chaussures de créateurs.

Joss déambulait tranquillement dans la boutique Something Old, « Quelque Chose de Vieux », un magasin de vêtements d'occasion à Georgetown. Le trajet en bus ne lui avait pris qu'une heure alors il lui restait du temps à tuer jusqu'à dix-neuf heures trente, heure à laquelle elle se rendrait à Bethesda pour la réunion des Shoe Addicts Anonymes. Ensuite, elle attraperait un bus pour retourner à Connecticut Avenue, dans Chevy Chase, et finirait à pied jusqu'à la maison des Oliver.

À cette heure-là, Deena serait certainement endormie et n'exigerait probablement pas de corvées supplémentaires. À moins, bien sûr, qu'elle ne soit somnambule. Ce qui, étant donné sa nature extravagante, ne semblait pas impossible.

— Puis-je vous aider à trouver quelque chose ?

Joss se retourna pour se retrouver nez à nez avec une jeune femme aux cheveux longs en baguettes de tambour et un ensemble du genre tzigane, avec des tissus chamarrés et des volants que Joss aurait hésité à porter.

— Merci, je jetais juste un coup d'œil. J'aimerais trouver des chaussures. Des chaussures de styliste en 7½.

— De styliste ? Je ne sais pas exactement ce que nous avons, mais elles sont toutes par là.

La fille avait l'air aussi ignorante qu'elle-même dans ce domaine. Elle s'arrêta devant un mur couvert d'étagères sur lesquelles les chaussures étaient rangées comme des livres.

— Voilà tout ce que nous avons.

— Merci.

Joss remarqua une étiquette de prix indiquant 75 dollars sur ce qui ressemblait à des vieilleries dans l'armoire de sa grand-mère.

La fille disparut à l'autre bout du magasin et, dès qu'elle eut le dos tourné, Joss commença à fouiller parmi les chaussures en quête de quelque chose de plus abordable. D'abord, il fallait qu'elle trouve un prix correct, ensuite elle se pencherait sur le style. Mais elle ne dénicha pas une seule paire en dessous de 50 dollars. Sur certaines, elle reconnut des marques rencontrées lors de ses recherches sur Internet : Chanel, Gucci, Lindor. Finalement, elle se décida pour une paire de Ferragano légèrement éraflées, une marque qui revenait souvent au cours de ses explorations, et tendit les 50 dollars demandés, plus la TVA.

C'était une cotisation plutôt onéreuse pour entrer dans ce club mais elle n'avait plus le temps de voir ailleurs. Elle avait pensé qu'il serait facile de trouver des chaussures d'occasion. Peut-être avait-elle fait l'erreur de se rendre dans un des quartiers les plus huppés de D. C.... La prochaine fois elle irait plus loin, peut-être dans West Virginia, dans un vrai magasin de fripes.

Quand elle monta dans le bus, son portable sonna.

— Mais nom d'un chien ! Où êtes-vous donc passée ? hurla Deena tellement fort que la dame assise sur la même banquette se retourna vers elle.

— Je suis dans un bus à Georgetown, répondit Joss à voix basse, dans l'espoir que Deena en ferait autant.

Mais cela ne marcha pas.

— *Quoi ?*

— Je suis à Georgetown, répéta Joss un peu plus fort.

— *Georgetown!* Et votre travail ?

Les voyageurs autour de Joss ne la dévisageaient pas mais elle avait l'impression qu'ils pouvaient tous entendre Deena, ce qui était extrêmement embarrassant.

— Les garçons sont à l'école, objecta-t-elle.

— Est-ce que cela veut dire que vous pouvez prendre votre journée ?

Cela n'avait pas de sens. Deena voulait qu'elle fasse quoi ? Qu'elle aille s'asseoir dans leur salle de classe ? Dans les deux ? En même temps ?

— Non, je vais passer prendre Bart dans une heure et demie et ensuite...

— Revenez ici *immédiatement* !

Deena avait hurlé comme une hystérique et le visage de Joss viré à l'écarlate. Quand le bus s'arrêta devant l'une des petites boutiques sur Wisconsin Avenue, elle se dirigea vers la sortie, trop humiliée pour continuer cette conversation devant tout ce monde.

— Je ne comprends pas, dit Joss en faisant d'avance une grimace car elle savait qu'elle allait se faire houspiller pour ça. Les enfants ne sont pas à la maison et...

— Mais leur linge sale y est, *lui* ! Dans la chambre de Colin il s'entasse jusqu'au plafond.

Un mensonge. Joss avait fait la lessive des garçons la veille et le soir, après le bain, il y avait seulement la tenue d'une seule journée dans la corbeille.

— Alors, il a dû sortir des vêtements propres de ses tiroirs pour les jeter sur le sol.

Et il l'avait sûrement fait exprès.

Il y eut un bref silence, puis Deena siffla :

— Vous jouez un jeu dangereux, vous savez ?

Pourquoi ? Joss avait envie de hurler mais elle savait que cela ne servirait à rien. Deena Oliver était définitivement fâchée avec la logique.

— Je suis désolée, madame Oliver. Je rentre tout de suite.

— Vous avez un quart d'heure.

C'était impossible, même avec le taxi que Joss était déjà en train de héler.

— J'y serai, répondit-elle tout de même.

Le chauffeur s'arrêta dans le tournant et Joss ouvrait la portière quand le téléphone sonna de nouveau. Elle fut tentée de ne pas répondre mais cela aurait pu être n'importe qui.

Une urgence, par exemple.

Mais ce n'en était pas une.

— Arrêtez-vous à un Safeway, aboya Deena avant que Joss puisse prononcer un mot. Prenez du lait et un de ces plats Cuisine Minceur que j'adore. Ainsi, votre petite excursion n'aura pas été une totale perte de temps.

En prenant place sur la banquette usée à l'arrière du taxi et en jetant un coup d'œil au compteur, Joss se rendit compte que cette heure et demie passée en dehors de la maison des Oliver, quand tout serait dit, fait et payé… allait lui coûter la modique somme de 75 dollars.

Un investissement assez substantiel pour entrer dans un groupe qui ne l'intéressait pas plus que cela. Il ne lui restait plus qu'à espérer qu'il en vaille la peine !

Shoe-Bond007.

Ça sonnait plutôt bien. Lorna entra un tout nouveau mot de passe dans eBay pour l'assortir avec son nouveau nom d'utilisateur, attendit un e-mail de confirmation, cliqua sur l'hyperlien et reçut le message : QU'AIMERIEZ-VOUS TROUVER ?

Était-il possible que ce soit aussi simple ?

Elle tapa les mots *Marc Jacobs.*

Super ! 450 éléments dans la rubrique chaussures pour femmes ! Elle scanna la page en recherche d'une pointure 7½ et vit immédiatement *Bottes Cuir Marc Jacobs*. Elle cliqua sur le lien et lut la description :

Parfaitement neuves dans leur boîte. Bottes en cuir très sexy arrondies sur le devant, laçage sur face extérieure et fermeture Éclair face intérieure, talon compensé. Doublure et semelles intérieures cuir. Pointure 7½ Médium, talon 9,5 cm – hauteur tige 46 cm.

Hyper génial !

La première mise était de 8,99 dollars et pendant un instant, Lorna crut qu'elle ne pouvait plus respirer… 8,99 dollars pour de vraies bottes Marc Jacobs ? Ce devaient être des fausses, ou… Ah, voilà ! Les enchères avaient déjà considérablement fait escalader le prix. Elles étaient maintenant à 99,35 dollars. Cela représentait tout de même encore une économie de… quoi… 500 dollars et quelques !

Ça valait le coup. Ça valait tellement le coup ! Seigneur, s'il le fallait, elle pourrait les revendre, et peut-être faire un bénéfice. Elle vendrait même autre chose, s'il le fallait absolument.

Voilà ce qu'on appelait faire des affaires ! Avec fébrilité, elle tapa une offre de 101,99 dollars et sourit aux anges quand l'écran changea et annonça : VOUS ÊTES MAINTENANT LE PLUS OFFRANT.

Si la situation n'évoluait pas dans un jour, deux heures et quarante-six minutes, les bottes seraient à elle. À un prix complètement *ahurissant*. Presque du vol et pourtant parfaitement légal.

Phil Carson serait fier d'elle.

Bon, d'accord, Phil Carson ne serait pas exactement *fier* d'elle. Il penserait probablement que c'était une autre de ses extravagances, mais ce brave homme n'y comprenait rien. C'était pourtant bien moins cher qu'une thérapie.

Ça, elle n'en démordrait pas.

eBay, c'était *énorme* ! Si elle avait découvert le site quelques années plus tôt, elle ne serait pas dans cette galère financière.

Durant le reste de l'après-midi, Lorna retourna régulièrement vers l'ordinateur, tapa sur la touche ACTUALISATION pour vérifier si elle était toujours la mieux placée dans les enchères. Chaque fois, c'était bien elle : *le plus offrant, Shoe-Bond007 (0).* Et l'horloge continuait le décompte.

Elle était impatiente de le raconter aux autres shoe addicts ce soir.

Mais juste après dix-sept heures – alors qu'il restait vingt-trois heures et dix-huit minutes d'enchères – le message sur sa page réactualisée devint : VOTRE ENCHÈRE A ÉTÉ DÉPASSÉE.

Pendant un instant épouvantable, Lorna resta scotchée sur sa chaise, ressentant ce qu'avait dû éprouver la belle-mère de Blanche Neige quand le miroir lui avait annoncé « *Vous n'êtes pas mal, Majesté, mais franchement, il y a maintenant quelqu'un de bien plus jolie.* »

Qui avait surenchéri ?

Lorna parcourut la page des yeux – elle était rapidement devenue une experte d'eBay – et vit que l'intruse était *Shoe-alacreme (0).* Le zéro entre parenthèses, avait-elle appris, concernait les nouveaux utilisateurs qui n'avaient pas encore de commentaire de la part des autres.

Ainsi, elle avait été détrônée par une cybernovice ! Peu importait qu'elle fût une novice elle aussi, la vue de *Shoe-alacreme (0)* lui prenait carrément la tête. Surtout que la surenchère atteignait les 104,49 dollars.

Seulement 2,50 minables dollars de plus que sa propre mise.

Sans trop se poser de questions, elle augmenta son enchère. 104,56 dollars. Et Toc ! Un joli nombre un peu bizarre. Si sa concurrente anonyme avait proposé

104,50 dollars comme l'auraient fait la plupart des gens, elle l'aurait battue de 6 cents. Ha ! Prends ça dans les dents, *Shoe-alacreme* ! Et ton *(0)* aussi !

Mais au lieu des caractères bleus du message qu'elle était en droit d'espérer, Lorna reçut un VOTRE ENCHÈRE A ÉTÉ DÉPASSÉE en affreux caractères bruns.

Shoe-alacreme !

Un esprit de compétition, qu'elle ne se connaissait pas, s'empara de Lorna et elle entra son offre maximum à 153,37 dollars, toujours avec l'impression que les nombres bizarres lui portaient chance.

Et ce fut le cas. Elle obtint immédiatement le message VOUS ÊTES MAINTENANT LE PLUS OFFRANT.

Ah, mais !

Satisfaite, elle laissa son ordinateur allumé et se dépêcha de se préparer pour l'arrivée de ses invitées.

Comme la fois précédente, ce fut Hélène qui arriva la première, impeccablement vêtue d'un tailleur en lin vert olive qui la rendait resplendissante. Ses sandales, aux brides d'un vert profond, étaient carrément étonnantes.

— Prada, répondit Hélène à la question non posée de Lorna.

— Sublissiiiimes.

— La nouvelle collection. Tu vas sans doute les voir sur ta table dans quelques semaines, précisa Hélène en souriant.

Lorna éclata de rire.

— J'espère bien !

Comme pour rester fidèle au thème « couleur » de la soirée, Sandra arriva à son tour, avec des cheveux d'un vert saisissant. Non pas qu'ils soient fluo ou très voyants… non, ils étaient simplement verts. Et complètement brûlés.

— Je sais, déclara-t-elle avant que Lorna ou Hélène puisse faire le moindre commentaire. J'ai eu un petit pépin avec une teinture « maison ».

— Denise pourrait réparer ça en un clin d'œil, proposa immédiatement Hélène. Elle est à Bogies, au nord de Georgetown. Je peux te donner son numéro…

Sandra montra son crâne en faisant la grimace.

— Merci, mais je dois garder une tête d'asperge pendant un bon mois si je ne veux pas devenir chauve. Et, crois-moi, j'ai bien réfléchi aux différentes options. Verte pendant un mois ou la repousse pendant deux ans… À moins que tu n'aies une idée à laquelle je n'ai pas pensé, je vais me débrouiller avec cette nuance super tendance !

— Tu as sans doute raison. En mettant trop de produits, le cheveu risque en effet de casser. Mais quand tu seras prête, n'oublie pas de passer un coup de fil à Denise. Elle fait des miracles !

Et, vu ses reflets auburn superbes et sa coupe tellement parfaite que ses cheveux retombaient en place au moindre mouvement, qui serait assez stupide pour ne pas se faire coiffer au même endroit qu'Hélène ?

Si Lorna ne venait pas d'investir plus de 150 dollars dans une paire de bottes irrésistibles – elle commençait à avoir quelques remords et espérait que quelqu'un ferait grimper l'enchère pendant son absence – elle se serait précipitée elle aussi pour prendre rendez-vous.

Après un quart d'heure, on frappa à la porte. Toutes se tournèrent vers Lorna.

— Au fait, j'ai oublié de vous dire qu'il y aura quelqu'un de nouveau, ce soir. Elle s'appelle Jocelyn.

— Pourvu qu'elle reste plus longtemps que celle de la dernière fois, s'esclaffa Hélène.

Puis elle raconta à Sandra l'épisode de l'homme/femme qui avait jeté un coup d'œil unique par la porte avant de détaler sans un mot.

— Nous attirons les frapadingues, conclut-elle. Il faut avouer que nous le sommes un peu aussi, mais il y en a de plus atteints que nous !

Heureusement, cela ne semblait pas être le cas cette fois-ci. Lorna ouvrit la porte à une jolie petite brune très propre sur elle, tout à fait convenable.

— Salut ! dit la fille avec un petit sourire en coin qui lui donna encore plus de charme. Je suis Joss Bowen et je viens pour le truc des Shoe Addicts…

Elle tendit un sac Pier Import et, voyant le regard surpris de Lorna, elle précisa :

— Ne vous en faites pas, elles ne sont pas en rotin ! C'est le seul sac que j'ai pu trouver.

Elles éclatèrent de rire et Lorna, se souvenant de ses bonnes manières, s'effaça pour la laisser entrer. Elle fit rapidement les présentations et expliqua la mésaventure capillaire de Sandra afin que celle-ci n'ait pas à raconter son histoire une seconde fois.

Même si elle avait dix ans de moins que les autres, la dernière venue s'intégra parfaitement dans le groupe et elles passèrent la soirée à bavarder de choses et d'autres, de leur vie, de leurs amours, de leurs jobs.

Joss travaillait pour la famille Oliver. Lorna avait acheté une Ford chez eux – avant qu'ils ne deviennent prétentieux et commencent à ne vendre que des allemandes hors de prix – et avait été tellement dégoûtée par leurs vendeurs arrogants et le service après-vente inefficace que le nom même d'Oliver lui donnait la chair de poule. Elle ne fut pas surprise d'apprendre que la famille au grand complet était aussi infecte que leur équipe de vente.

— Pourquoi est-ce que tu ne démissionnes pas ? s'enquit Lorna.

Il fallait avouer qu'elle-même adoptait cette stratégie dès qu'elle rencontrait le moindre problème. Ce qui expliquait pourquoi elle travaillait à Jico et non pas dans un bureau où elle aurait pu tirer parti de ses diplômes de l'université du Maryland.

— Je parie qu'il y a des centaines de familles en train de chercher une bonne nounou.

— J'ai signé un contrat.

Son regard en disait long sur le poids que pesait dans son cœur cette fichue signature.

— Tu peux le rompre !

Bon, d'accord, Lorna n'était peut-être pas bien placée pour donner des conseils dans le domaine du travail. Elle y était à peine plus experte qu'en finance. Heureusement, il y avait des esprits plus lucides, comme Sandra et Hélène.

— Combien de temps te reste-t-il encore sur ce contrat ? demanda Sandra.

— Neuf mois et quatre jours. Et environ trois heures et demie, précisa Joss en souriant.

— L'as-tu montré à un avocat ? s'enquit Hélène. Il y a peut-être une faille qui te permettrait d'en sortir ? Je suppose que le ménage, les courses au supermarché et les heures supplémentaires n'apparaissent pas dans la description de tes tâches. C'est peut-être sur ces points-là que tu pourras jouer.

Un moment, Joss sembla reprendre espoir, puis elle secoua la tête.

— Il m'est impossible de rompre ce contrat. Si je le faisais, qui voudrait encore m'embaucher ? Les Oliver me traîneraient dans la boue et feraient le maximum pour que plus personne ne m'accorde le moindre entretien.

— Alors il faut sortir de chez eux dès que tu as une minute de libre pour que cette mégère ne puisse pas t'obliger à faire ses corvées, insista Lorna.

— Là, je suis d'accord, intervint Sandra.

— On pourrait peut-être faire du sho…

Lorna se mordit la langue. Le shopping n'était pas à envisager dans un proche avenir. Mais que pouvait-elle proposer d'autre qui ne soit pas un gouffre d'argent ?

Le bridge ? La marche rapide ? Cette situation devenait affligeante.

— … ou autre chose, ajouta-t-elle d'une voix bien plus faible.

À la fin de leur soirée, Lorna avait récupéré une paire de sandales dorées, style Marilyn très Hollywood, ainsi que des escarpins noirs Jil Sander. Maintenant, elle se sentait terriblement coupable d'avoir misé tant d'argent sur les bottes d'eBay.

Quand les filles furent toutes parties, elle consulta son ordinateur avec le fol espoir que *Shoe-alacreme* ait encore frappé, et gagné.

Mais ce ne fut pas le cas. Dès que ses doigts eurent tapé son code d'accès, elle vit les bottes signalées sous : enchères emportées : 153,37 dollars + les frais d'envoi auxquels elle n'avait absolument pas pensé. Ce qui ajoutait 15 autres dollars au total général.

Zut.

Zut zut et rezut !

Elle cliqua de nouveau sur la photo. Elles étaient vraiment belles. Et on pouvait les mettre avec à peu près n'importe quoi. Dès l'arrivée de l'hiver, elle serait sacrément contente de les avoir.

Le moral de nouveau requinqué, elle relut les informations pour trouver l'adresse à laquelle il fallait envoyer le paiement. Elle s'apprêtait à rédiger le chèque quand elle se rendit compte que le vendeur acceptait seulement les chèques de banque ou les mandats.

Le lendemain matin, elle se rendit donc à la banque pour s'occuper du mandat. Heureusement, Holden Bennington III le Prétentieux n'était pas en vue et, quand ce fut enfin son tour de passer au guichet, elle crut que la partie était gagnée.

Mais lorsque l'employé de banque cliqua sur son compte, son visage afficha une expression étrange, du style aïe aïe. Tout de go, il annonça qu'il devait consulter son directeur.

Lorna put à peine bredouiller une protestation qu'il avait déjà disparu. Pendant un moment elle envisagea même de fuir et, quand l'employé revint accompagné de Holden, elle regretta de ne pas l'avoir fait.

— Mademoiselle Rafferty ?

— Monsieur Bennington.

— Si nous allions dans mon bureau ?

Elle fut terriblement tentée de refuser, mais que faire ? Elle devait absolument payer les bottes.

— Quel service personnalisé ! maugréa-t-elle en lui emboîtant le pas dans ce qui était devenu un itinéraire familier au sein des coulisses de la banque.

— Cent soixante huit dollars et trente-sept cents, dit-il en lui faisant signe de s'asseoir dans le fauteuil réservé aux visiteurs.

— C'est exact.

— Votre compte est actuellement à 220 dollars et 49 cents…

— Pour moi, ça ressemble à un feu vert ! triompha Lorna avec un sourire radieux.

— Sauf que vous avez demandé une autorisation de débit pour…

Il cliqua sur l'ordinateur et Lorna résista à l'envie de lui suggérer de mettre son compte dans sa liste de favoris.

— … 204 dollars et 16 cents.

Puis, levant les yeux, il ajouta encore :

— Dont un dollar de frais de pré-autorisation à la station essence pour une dépense en essence sans doute supérieure à ce dollar. Je suppose donc que cela nous ramène de nouveau dans le rouge, n'est-ce pas ?

Lorna déglutit. C'était insupportable de vivre de cette manière et elle aurait aimé pouvoir se montrer odieuse avec Holden. Mais à quoi bon ? Il fallait que le type responsable de son compte en banque soit son allié et non pas son ennemi.

— Écoutez, je fais de gros efforts et ce n'est pas facile. Vous pouvez d'ailleurs vous en rendre compte, ajouta-t-elle en esquissant un geste vers l'écran. Mais j'ai vraiment besoin de ce chèque certifié aujourd'hui.

— Je ne peux tout de même pas vous donner l'argent que vous n'avez pas.

Elle sourit.

— Vous pourriez. N'est-ce pas ce que font les banques ?

À sa grande surprise, il sourit aussi.

Et, à sa plus grande surprise encore, elle pensa qu'il était assez craquant quand il souriait.

Il tapota encore un peu sur son clavier, l'air de vraiment se battre pour trouver une solution et finit par déclarer :

— Désolé, mais il n'y a rien que je puisse faire.

Quelle était la pénalité pour les mauvais payeurs sur eBay ? Le bannissement, probablement. À peine avait-elle découvert ce coin de paradis, où elle pouvait acheter des chaussures de créateurs à des prix imbattables, qu'elle devait déjà y renoncer pour toujours.

Puis Lorna se souvint de l'argent des pourboires qu'elle avait encore dans son porte-monnaie.

— Oh, attendez une seconde !

Elle farfouilla dans son sac pendant que Holden l'observait en silence et finit par trouver ce qu'elle cherchait : une liasse de billets chiffonnés qu'elle n'avait même pas encore comptés.

— Il faut que je fasse un dépôt.

Elle les compta : 204 dollars dont 60 dollars en coupures de un, puis les tendit à Holden.

— Maintenant je peux avoir ce chèque certifié, n'est-ce pas ?

Il eut l'air peiné.

— Oui. Mais je serais enclin à vous le déconseiller.

— J'en prends note, monsieur. Mais vous pouvez émettre le chèque, c'est bien ça ?

Il soupira et la fixa dans les yeux – tiens, elle n'avait encore jamais remarqué la nuance bleu-vert de ses iris ! – puis acquiesça.

— Je sais que je vais le regretter, mais légalement je ne peux pas refuser.

Soulagée, elle lui adressa un sourire d'encouragement.

— Haut les cœurs, Bennington ! Tout se passera bien. Honnêtement.

Chapitre 13

« *I can't help myself... I love you and nobody else*[1]... » Sandra n'était pas du genre à chanter dès le saut du lit, mais ce matin, elle était d'excellente humeur et fredonnait un air de La Toya Jackson qui lui trottait dans la tête. La veille, pendant qu'elle était encore chez Lorna, Mike l'avait appelée et lui avait laissé un message, lui proposant d'aller au Cosmos pour un karaoké.

Jamais au grand jamais elle ne se lèverait devant tout un public juste comme ça, pour *respirer*. Alors, pour ce qui est de *chanter*... Elle était cependant ravie de sortir prendre quelques Martini en sa compagnie. Juste ciel ! Elle était prête à *tout* pour être avec lui.

Comment avait-elle pu survivre toutes ces années sans même avoir une pensée pour ce garçon ? Et quelle chance qu'il réapparaisse dans sa vie au moment précis où elle en avait le plus besoin !

« ... *no matter how I try, my love I cannot hide*[2]... » Elle démarra son ordinateur et esquissa des pas de danse en allant chercher son téléphone pour rappeler Mike. Tombant sur sa messagerie, elle y laissa quelques

1. C'est plus fort que moi, je t'aime toi et personne d'autre. *(N.d.T.)*
2. Quoi que je fasse, je ne puis cacher mon amour. *(N.d.T.)*

mots. Puis elle passa un coup de fil à la coiffeuse d'Hélène. Impossible de décrocher un rendez-vous avant un mois ! Elle envisagea un instant de demander quelqu'un d'autre, mais les cheveux verts ne lui avaient-ils pas porté chance ? Si elle avait été fondue dans le paysage comme d'habitude, Mike ne l'aurait sans doute pas remarquée, l'autre soir.

Et puis, il avait trouvé ça cool !

Bon… alors, OK. Elle allait les garder ainsi un peu plus longtemps. Pourquoi pas ? Ce n'était pas comme si elle passait son temps à se regarder dans un miroir.

Elle s'installa devant l'ordinateur et commença à cliquer selon sa petite routine habituelle : l'e-mail, Zappos, Poundy.com, Washingtonpost.com, eBay, et généralement deux ou trois recherches sur Google selon les sujets qui avaient pu retenir son attention la veille.

Dernièrement, elle avait pas mal Googlé sur Mike Lemmington. Ses dates d'obtention de diplômes étaient toujours affichées sur le site de la fac. Une biographie assez brève, accompagnée d'une minuscule photo, apparaissait également sur le site de son agence de publicité. Sandra avait passé un temps fou à contempler ce portrait. Si elle ne craignait pas autant qu'il tombe dessus un jour, elle l'aurait imprimé depuis belle lurette.

Elle termina sa routine matinale avec ce qu'elle réservait toujours pour la fin, chaque mercredi. Direction la salle de bains : faire pipi, tout retirer, y compris les barrettes dans ses cheveux et monter sur la balance. Et cela une fois par semaine. Pourquoi le mercredi ? Parce que cela lui laissait suffisamment de temps pour se remettre d'un week-end catastrophique. Les vendredis et samedis soir solitaires entraînaient invariablement une forte consommation de calories malsaines…

Prenant une profonde inspiration, elle se plaça sur la balance. Elle détestait voir le résultat. Surtout ces derniers temps où elle ne baissait pas beaucoup, voire pas du tout. Deux semaines plus tôt, elle avait pris une demi-livre et la semaine passée, l'idée même de se peser lui avait donné des envies de suicide.

Mais cette semaine, c'était autre chose. Elle se sentait heureuse. Excitée. *Optimiste.* Mince ! À quand remontait la dernière fois où elle avait pu en dire autant ? Sans bouger, elle attendit donc que les nombres s'immobilisent.

Elle avait perdu quatre livres.

Quatre ! Elle descendit de la balance, la laissa se remettre à zéro et y remonta. Même résultat. Quatre livres en moins.

Sandra n'arrivait pas à y croire. Il est vrai qu'elle n'avait pas beaucoup pensé à la nourriture, ces derniers jours. Mais à ce point ? Quelle surprise !

Elle enfila de nouveau ses vêtements et jeta encore un coup d'œil à la balance, presque assez sûre d'elle pour y remonter tout habillée.

Mais il ne fallait pas pousser trop loin. Elle fit glisser l'appareil sous le lavabo et se promit de continuer ainsi sans céder à la tentation de remettre les pieds dessus avant le mercredi suivant.

Ses affaires rangées et psychologiquement prête pour la soirée, Sandra se mit enfin au travail. Après avoir composé le numéro central pour se connecter, elle attendit les coups de fil tout en suivant à la télévision une émission où deux harpies se chamaillaient avec un grand rouquin qui peinait à se défendre.

Le premier appel ne fut pas long à venir.

— Pénélope, dit une voix épaisse et indistincte. Penny... la... salope. Tu m'excites, bébé.

— Salut toi, qui es-tu ? roucoula-t-elle.

— Oh... appelle-moi Cyber Bite !

Il rit de son jeu de mots pendant un bon moment. Au moins pendant un dollar cinquante.

— Tu as compris, ma belle ? Cyper Bite...

Il éclata encore de rire.

Excellent. Avec un peu de chance, ce pauvre bougre prétentieux prendrait une éternité avant d'être satisfait. Cela tombait bien ! Elle se servirait de cet argent pour offrir des chaussures à Mike. Dans ce domaine, il devait être cruellement inculte et sous-équipé.

Elle pouffa de rire.

— Comme vous êtes drôle !

— Ah, je veux, mon neveu ! J'en ai des millions comme ça !

Il se lança dans une litanie de jeux de mots grossiers, les enfilant les uns après les autres comme des perles, tandis que le prix de son appel atteignait les dix, puis les vingt dollars…

Tout à coup, il s'arrêta net et lança :

— C'est toi qu'es censée me causer. Excite-moi, ma poule. J'veux te sentir. Donne-moi, du plaisir, ma Pé-né-lopppp…

Sandra se cala au fond du canapé, posa les pieds sur la table basse et attaqua d'une voix chaude :

— Je porte des cuissardes noires…

Ce fut une bonne journée. Une *très* bonne journée. Que se passait-il pour que tant d'hommes appellent aussi longtemps et dans un tel état d'excitation ? Résultat : vers quinze heures, elle se déconnecta après six bonnes heures de travail. Largement de quoi aller chercher chez Ormond's cette paire de Hogan en daim beige qui seraient absolument parfaites pour Mike. Ni trop décontractées ni trop sophistiquées, ces Hogan étaient d'un chic discret et élégant.

Quand elle arriva au magasin, elle tomba bien sûr sur Luis qui était de service. Encore lui ! Elle ne lui avait jamais vraiment pardonné la manière glaciale et condescendante dont il l'avait traitée quand ils s'étaient rencontrés pour la première fois. Comme s'il l'avait évaluée d'un simple coup d'œil et décidé qu'elle ferait mieux de faire ses courses au magasin de fripes en bas de la rue.

Leur échange et l'achat qui en avait résulté la lui avaient apparemment rendue inoubliable. Quand il l'aperçut, il leva des sourcils surpris et s'adressa à elle par son nom :

— Mademoiselle Vanderslice, cela fait si longtemps qu'on ne vous a pas vue ! C'est toujours avec grand plaisir, se pressa-t-il d'ajouter.

Pas tant que ça, d'après ses souvenirs.

— Je voudrais une paire de Hogan pour mon petit ami, dit-elle.

Elle avait utilisé le terme « petit ami » parce que c'était plus court que de dire « *ce type que je vois et avec lequel j'aimerais éventuellement sortir* ». Et puis, elle en aimait aussi la consonance, si douce à son oreille.

Petit ami… Elle n'avait jamais vraiment eu de petit ami. Alors, elle répéta ce mot magique, comme si une part d'elle était toujours coincée dans la mentalité du CM2, essayant des mots d'adulte pour « voir comment ça fait ».

— Des Hogan, répéta-t-il, et une lueur brilla dans ses yeux. Bon choix. Moi aussi, j'ai un petit faible pour elles. Dites-moi, quelle est la pointure de votre *petit ami* ?

Quelque chose dans le ton du vendeur portait à croire qu'il avait des doutes sur la nature de cette relation. À moins que ce ne soit un tour de son imagination.

— Il porte du 9.

Sous prétexte de faire un tour aux toilettes, un soir où ils étaient passés chez lui avant de se rendre au Stetson, elle avait jeté un coup d'œil dans l'armoire de Mike.

Luis claqua des doigts et pointa un index vers elle.

— Vous savez, nous venons également de rentrer des Zender. Je pense que vous les préférerez aux Hogan.

Installez-vous dans un fauteuil. Je vais vous apporter quelques modèles de créateurs différents.

— Merci.

Elle prit place et fut abasourdie quand il demanda :

— Désirez-vous un café ?

— Non, merci.

— Du thé ? Autre chose ?

À vrai dire, elle avait du mal à supporter la sollicitude débordante dont il faisait preuve à son égard, mais elle n'allait pas lui faciliter les choses. Au lieu de cela, elle essaya simplement de se comporter en grande dame, au-dessus de ces mesquineries.

— Non, rien, merci.

Il s'éclipsa et fut vite de retour avec cinq boîtes qu'il aligna sur le comptoir avant d'en retirer les couvercles.

— Les Zender coûtent environ 100 dollars de plus, commença-t-il, mais le style n'a pas de prix, n'est-ce pas ?

Sandra se contenta de sourire poliment.

D'un geste expert, il les présenta, mettant en avant leurs plus grandes qualités.

— La couleur de ces Bruno Magli, vous en conviendrez, est absolument ma-gni-fique.

Il montra une paire de mocassins d'un superbe bordeaux profond.

Elle devait l'admettre, elles étaient belles. Mais trop classiques…

— Mon ami, enfin mon *petit ami*, marche beaucoup pendant sa journée de travail et je pense qu'elles sont un peu trop rigides. J'aime les Hogan parce qu'elles sont confortables.

— Absolument.

Luis réorganisa les boîtes afin que les Hogan se retrouvent devant Sandra. Il se débrouilla également pour que les plus chères soient placées en première ligne, juste sous son nez.

— Et que fait-il, votre petit ami ?

— Il travaille dans l'immobilier.

Luis hocha la tête sans montrer un intérêt particulier et glissa les plus chères vers elle.

— Celles-ci sont parfaites pour n'importe quel homme exigeant.

Elle prit délibérément les moins coûteuses. De toute façon, c'était celles-ci qu'elle préférait.

— Luis ?

Une femme un peu plus âgée et que Sandra n'avait jamais vue, sortit de l'arrière du rayon.

— C'est Xavier, au téléphone. Encore !

— Dites-lui que je le rappellerai, rétorqua sèchement Luis.

Puis, se rendant sans doute compte de son ton, il expliqua :

— Vous comprenez, nous avons pour règle de ne jamais abandonner nos clients.

Sandra trouvait cela bizarre et insista.

— Si vous devez prendre un appel, n'hésitez pas, surtout. Je pense pouvoir survivre un instant.

— Non, non. C'est un nouveau règlement.

Puis, après un soupir exagéré, il ajouta sur le ton de la confidence :

— En fait, c'est à cause de ce qui s'est passé avec la femme du sénateur.

— Pardon ? C'est à cause de quoi ?

Elle n'imaginait pas ce qui avait pu arriver à une femme de sénateur qui empêche Luis de répondre au téléphone… Avait-elle eu un accident étrange alors que personne ne s'occupait d'elle ? Peut-être avait-elle été attaquée par une paire d'escarpins en croco ?

— Je ne suis pas censé en parler, reprit Luis sur le ton de quelqu'un qui avait déjà évoqué la chose et avait bien l'intention de recommencer. Mais vous, je peux vous faire confiance.

La vie de Sandra était déjà tellement remplie de secrets d'hommes que ce « *je peux vous faire confiance* » la rendit immédiatement méfiante : Luis allait sûrement lui dire quelque chose qu'elle n'avait aucune envie d'entendre.

— Je ne voudrais pas que vous ayez des problèmes, commença-t-elle. Sincèrement, vous…

— Elle s'est fait prendre en train de voler !

Les lèvres pincées, il fixait Sandra, dans l'attente d'une réaction.

— Qui ça ?

Sandra n'y comprenait plus rien. Avait-elle loupé quelque chose ? Luis n'insinuait sûrement pas qu'une femme de sénateur…

— La femme du sénateur, chuchota-t-il avec jubilation. Hélène Zaharis.

La soirée était abominable, comme le cas de la plupart de ces raouts politiques destinés à collecter des fonds. Pourtant, celle-ci se déroulait à la résidence de la famille Mornini, ce qui aurait dû considérablement épicer les choses… On les disait, en effet, de mèche avec la mafia, ce dont Hélène doutait. Peut-être était-elle simplement trop fatiguée pour apprécier cette soirée à sa juste mesure. D'ailleurs, Jim et elle allaient bientôt partir. Il était déjà… Hélène chercha des yeux une horloge et en découvrit une sur le manteau de la cheminée. Huit heures et quart ? *Seulement ?*

Doux Jésus, elle avait l'impression qu'il était onze heures passées !

S'efforçant de secouer un peu sa fatigue, elle prit la direction du bar pour commander le quatrième Red Bull de la soirée. La caféine allait sûrement faire son effet dans quelques heures, juste au moment où elle irait se coucher.

— Un autre, s'il vous plaît, dit-elle au barman en souriant. Donnez-m'en carrément un double !

Il lui adressa un sourire enjôleur et sortit une petite canette dont il versa le contenu dans un verre en cristal.

— Mon Dieu, ma chère ! Vous avez l'air de vous ennuyer tout autant que moi !

Hélène se retourna pour se retrouver nez à nez avec Chiara Mornini, l'épouse jeune et menue d'Anthony, un vénérable patriarche septuagénaire. Les deux femmes ne s'étaient jamais rencontrées, mais la photo de Chiara paraissait régulièrement dans la page mondaine du *Washington Post* et du *Washingtonian Magazine*.

— Chiara Mornini, dit celle-ci en tendant une main à la manucure parfaite.

— Hélène Zaharis, répondit Hélène, avec l'impression de voir passer une lueur furtive dans les yeux de la jeune femme.

Pourvu que ce ne soit pas parce que la politique de Jim ne lui convenait pas…

— Je suis navrée si j'ai l'air de m'ennuyer. Je suis simplement très fatiguée.

Généralement, elle affichait son masque mondain mieux que cela.

— Oh, ma chérie ! Mais *c'est* ennuyeux ! s'esclaffa Chiara. Nous sommes toutes là *uniquement* pour faire plaisir à nos maris, n'est-ce pas ?

S'ensuivit une cascade de rires flûtés.

— *Et* pour payer les factures, plaisanta Hélène.

Puis elle fit un pas et tituba légèrement. Une erreur. C'était bien trop visible. Il était temps qu'elle prenne un café avant de se rendre complètement ridicule et, Dieu l'en préserve, ridiculise Jim dans la foulée.

Mais Chiara ne sembla pas s'en formaliser. En revanche la maladresse d'Hélène avait attiré l'attention de Chiara sur ses pieds.

— Bonté Divine ! Ce sont des Stuart Weitzman ?

Hélène la regarda, plutôt étonnée.

— Excellente pioche !

— Oh, mais *j'adore* ce qu'il fait ! J'ai presque réussi à convaincre Anthony de m'offrir des mules Cendrillon incrustées de diamants, mais il trouve que 2 millions de dollars c'est un peu exagéré pour des chaussures.

Elle soupira, puis ajouta :

— Il prétend qu'il lâcherait volontiers cette somme pour un collier, mais pas pour des chaussures ! Impossible de le convaincre que cela revient exactement au même. Bon sang ! Quand je pense qu'Alison Krauss les portait pour les *Oscars* !

Même Hélène avait du mal à rationaliser ce genre d'achat, mais elle n'en restait pas moins époustouflée par les propos de Chiara.

— Moi non plus je ne vois pas mon mari cautionner ce genre de petite folie.

— Ils n'arrivent pas à comprendre, n'est-ce pas ?

Il y avait tant de choses que Jim ne comprenait pas.

— C'est vrai, répondit simplement Hélène.

— Alors… vous êtes une dingue de chaussures, vous aussi ? demanda Chiara.

Hélène éclata de rire.

— Vous pouvez même dire que je suis une accro !

Chiara sourit.

— J'en étais sûre ! Dès que nous nous sommes rencontrées, j'ai su que nous avions quelque chose en commun. Plus d'une, et je suis prête à le parier. D'ailleurs…

Chiara fit une courte pause, puis chuchota :

— Venez en haut avec moi un instant. Je voudrais vous montrer un truc.

Hélène jeta un regard incertain en direction de Jim.

— Oui, bien sûr qu'il sera furieux ! Anthony aussi. Ne vous en faites pas.

Chiara prit Hélène par le bras comme une vieille amie et ajouta :

— S'ils veulent qu'on reste dans le coin, ils n'ont qu'à inviter quelques beaux mecs la prochaine fois. Des garçons à regarder.

Hélène adorait cette femme.

Elles montèrent au premier, longèrent un couloir richement décoré, traversèrent une chambre rouge avec un grand lit rond aux draps de satin rouge, pour déboucher enfin sur une grande pièce vide entourée de portes.

— Qu'est-ce que c'est ? demanda Hélène.

Elle avait trouvé le lit formidable et rêvait de s'y allonger pour une petite sieste.

— Ça ? C'est mon dressing.

De sa démarche légèrement chaloupée, Chiara se dirigea vers l'une des portes et l'ouvrit.

Des lumières s'allumèrent immédiatement dans une petite pièce, révélant des casiers couvrant les murs du sol au plafond, équipés de boîtes amovibles.

Des boîtes de chaussures.

Chacune d'entre elles portait une étiquette avec des références de classement. Chiara se dirigea directement vers C-P-4 et en sortit les plus belles sandales à talon aiguille avec fermeture en forme de té qui soient.

— Regardez ça, ma belle ! C'est du jamais vu.

— Elles sont sublimes.

C'était un euphémisme. Hélène retourna délicatement la chaussure entre ses doigts pour l'examiner, comme une œuvre d'art.

La cambrure était une cascade gracieuse perchée sur un talon d'une forme tellement exquise qu'on aurait pu le croire en cristal. Le cuir était aussi doux et souple que des draps en coton égyptien.

Hélène chercha une griffe, un poinçon de la pointure, mais rien. Strictement rien.

— Où les avez-vous trouvées ? demanda-t-elle.

Chiara sourit et arqua un sourcil.

— Mon neveu, Phillipe Carfagni.

— Votre neveu ?

Chiara ne pouvait pas avoir plus de vingt-six ou vingt-sept ans. Quel âge avait donc son neveu ?

— Oh, il a mon âge, mais mon père avait été marié une première fois, vous savez. J'ai une demi-sœur d'une cinquantaine d'années.

Ce qui expliquait effectivement le choix de Chiara. Son mari devait avoir l'âge de son père.

— Bref, mon neveu a créé ces chaussures… ces chaussures fabuleuses. Allez, essayez-les !

— Quelle pointure font-elles ?

— Oh, oui, bien sûr… Elles sont trop petites pour vous. Hmmm, c'est dommage car on dirait de petites mains qui caressent vos pieds.

Cette image fit rire Hélène.

— Où est-ce qu'il les vend ?

— Il ne les vend pas. Pas encore, en tout cas. Je viens juste d'entendre parler de son talent et Anthony…

Chiara se tut pour laisser passer un chapelet de mots en italien, sans doute pas très flatteurs, puis reprit :

— Anthony ne veut pas encourager les efforts de ce brillant jeune homme. Ce serait un placement formidable, pourtant… ça se voit. Mais Anthony… je crois qu'il est jaloux. Phillipe est très jeune et *très* séduisant.

Soudain, Hélène ne désira rien de *plus* au monde que de posséder une paire de chaussures de Phillipe dans sa propre pointure. Peu lui importait si elles étaient inconfortables. Leur beauté méritait qu'on souffre pour elles.

Il en avait toujours été ainsi pour Hélène, cela remontait même à son enfance. Quand quelqu'un lui disait qu'elle ne pouvait pas avoir quelque chose, elle prenait cela comme un défi. Il lui fallait l'obtenir, quel qu'en soit le prix.

C'est ainsi qu'elle en était arrivée là où elle se trouvait aujourd'hui. En voulant prouver à son père – un homme qui la traitait toujours de bonne à rien – qu'elle était capable de posséder tous les biens matériels qu'elle désirait.

Cela ne faisait aucune différence que son père soit mort, qu'il soit parti avant même qu'elle quitte la maison.

Elle avait toujours quelque chose à lui prouver.

Et maintenant, à Jim aussi.

Sur le chemin du retour, dans la voiture, elle aborda l'idée d'investir dans les créations de Phillipe Carfagni.

Quand il réagit en aboyant d'un rire tonitruant, elle comprit que Jim ne serait pas impressionné par sa suggestion.

— Toi, trouver un moyen de gagner de l'argent avec des chaussures ? Ça m'épaterait ! Vraiment.

Son visage était tourné vers elle, mais les lumières de la route ricochaient dessus si rapidement qu'elle ne put décrypter son expression.

— Tu ne préférerais pas que je gagne de l'argent grâce aux chaussures plutôt que d'en dépenser ?

— Ou de les voler, ajouta-t-il, impitoyable.

Aïe ! Jim n'était pas près de lui pardonner cet incident. Ça, ils le savaient tous les deux.

— Tu es injuste.

— C'est pourtant la vérité, mon ange.

Il posa la main sur sa cuisse et ajouta :

— Et tu sais bien que je suis toujours juste et honnête.

Elle pensa au poil pubien entre les dents de Pam, quelques semaines plus tôt, et décida qu'il était préférable de ne pas poursuivre la conversation. Elle aurait bien fini par le persuader de soutenir ce projet mais de là à ce qu'il en récolte les bénéfices…

Elle allait s'en occuper toute seule.

— Ça pue ici ! s'exclama Colin Oliver dans le magasin de vêtements d'occasion, assez fort pour que plusieurs clients tournent la tête.

— Colin ! chuchota sévèrement Joss. C'est très impoli.

Les mains sur les hanches, il réussit à lever les yeux vers elle avec une certaine condescendance.

— Ma maman dit qu'il faut toujours dire la vérité même si ce n'est pas gentil.

C'était du pur Deena Oliver en concentré : une honnêteté blessante mêlée à un manque d'égard envers les autres pour ensuite s'en féliciter.

Une fois de plus, Joss regretta de ne pas avoir eu la possibilité de connaître les Oliver avant de signer un contrat la condamnant à vivre avec eux pendant un an.

— Il est également important d'être gentil, rétorqua Joss, usant de diplomatie au lieu de dire à l'enfant que sa mère avait tort. Et il est particulièrement important d'être poli !

Colin haussa les épaules.

— Mais ça pue vraiment !

— Ouais, ça pue ! renchérit Bart en se pinçant les narines.

— Alors on va faire vite.

Joss prit les deux garçons par la main et les entraîna vers le mur, au fond du magasin, où elle voyait des chaussures alignées sur des étagères.

Les garçons protestèrent tout du long, faisant un tel cirque que les gens pensaient sûrement qu'elle était en train de les kidnapper. Elle était prête à conclure un marché avec eux, à leur promettre une grosse récompense s'ils se tenaient correctement. Mais l'idée même de les récompenser la révoltait.

Elle parvint aux chaussures. Il est vrai que l'odeur était vraiment désagréable. Pire que cela : les chaussures étaient jetées pêle-mêle sur les étagères, toutes pointures confondues.

Ça promettait !

Heureusement, il y avait une section jouets à quelques

mètres des chaussures, alors elle entraîna les garçons récalcitrants jusque-là et leur permit de choisir un jouet chacun, véritables nids de microbes, pour qu'ils s'occupent le temps qu'elle jette un coup d'œil aux chaussures.

Colin prit une petite radio avec une antenne cassée et Bart un distributeur de bonbons Pezz, à tête de Titi, avec quelques vieilles pastilles orange encore coincées dedans.

Parfait. Joss n'avait rien à redire s'ils lui fichaient la paix pendant quelques minutes.

Elle tira une liste de sa poche. Avant de venir, elle avait imprimé quelques noms de créateurs. À sa grande surprise, il ne fut pas difficile de trouver des chaussures de marque. Mais les trouver en pointure 7 ½, dans un état décent, relevait du défi. La plupart des semelles étaient usées, parfois même percées. Les talons étaient cassés, le cuir rayé, les boucles tordues.

Après vingt-cinq minutes de recherches assidues, Joss réussit à dénicher un escarpin Gucci absolument parfait. C'était la bonne pointure, mais il n'y avait qu'une seule des chaussures.

— Excusez-moi, dit-elle à une employée qui passait à côté d'elle. Savez-vous où se trouve l'autre ?

L'air épuisé, avec des cheveux couleur tranche napolitaine – racines noires, bouts acajou –, la femme fit un geste excédé vers le mur.

— Toutes les chaussures sont là.

— Je sais, mais cette paire n'est pas complète et je me demandais si vous sauriez où je pourrais récupérer l'autre. On n'en met pas qu'une seule, n'est-ce pas ? insista-t-elle en fronçant les sourcils.

— Non. À moins que ce soit une chaussure médicale ou un truc du genre.

Joss fut déconcertée par sa réponse mais n'avait pas le temps de s'étendre. Pas aujourd'hui.

— L'autre devrait donc être là, quelque part, vous ne croyez pas ? insista-t-elle.

— En effet… À moins qu'on ne l'ait volée.

Elle repoussa ses cheveux filasse d'un geste impatient en se dandinant d'un pied sur l'autre.

Joss faillit demander si une unijambiste avec des goûts de luxe était récemment passée dans le magasin mais, au même instant, les yeux de l'employée s'ouvrirent comme des soucoupes tandis qu'elle regardait quelque chose derrière Joss.

— C'est votre gamin, là-bas ? Je crois qu'il y a un problème.

— Quoi ?

Joss se retourna et vit Bart, pâle comme un linge, les yeux exorbités et les mains serrées autour de sa gorge.

— Oh, mon Dieu ! s'écria-t-elle en se précipitant vers lui. Bart ! Qu'est-ce qui ne va pas ?

Le garçonnet ne répondit pas, ne laissa échapper aucun son. Il continuait seulement à paniquer en devenant d'un bleu inquiétant.

C'est alors que Joss aperçut le distributeur de Pezz sur le sol, privé de la tête de Titi.

— Est-ce que tu étouffes ? demanda-t-elle d'une voix haletante.

Puis, sans attendre de réponse, elle le retourna et se mit en devoir d'appliquer la méthode de Heimlich.

Il ne se passa rien. Ça ne marchait pas.

— Colin ! hurla-t-elle à l'autre enfant qui était en train de tordre l'antenne de la radio. Prends le portable dans mon sac et appelle le 911 !

— Pourquoi ?

— Dieu du ciel, Colin ! Fais ce que je te dis !

Serrant les mains plus fort, elle frappa de nouveau contre le plexus solaire de Bart.

Toujours rien.

Joss sentit une terreur glaciale la submerger. Colin

semblait se mouvoir au ralenti et l'employée se tenait toujours à côté, observant la scène sans réagir.

— Mais appelez une ambulance, bon sang ! lui hurla Joss à la fois paniquée et furieuse.

Elle comprima encore la poitrine du jeune garçon.

Cette fois, Bart laissa échapper une toux rauque, presque inhumaine, et la tête en plastique de Titi vint rebondir sur un pilier en béton, à plus de cinq mètres de là.

L'enfant toussait et suffoquait comme un pauvre malheureux.

Joss s'agenouilla devant lui.

— Ça va mieux, maintenant ? Tu peux respirer ? Il y a encore quelque chose de coincé dans ta gorge ?

Elle savait que la toux était un bon signe. Aussi longtemps qu'il toussait, l'air circulait.

Finalement, les joues de Bart reprirent quelques couleurs.

— Tu peux respirer ? lui redemanda-t-elle.

Il hocha la tête, bougeant ses lèvres comme un poisson.

Elle le prit dans ses bras.

— Bon. Tout va bien. Reste calme.

Le serrer contre son cœur qui battait à mille à l'heure n'aidait certainement pas à le calmer.

— J'ai eu peur, geignit-il d'une petite voix si frêle et vulnérable qu'elle en eut le cœur brisé.

— Bon, ça va aller maintenant. Il faut que je vérifie s'il n'y a plus rien dans ta gorge, d'accord ? Reste ici et prends de longues et profondes respirations. Je vais juste ramasser les morceaux du jouet, d'accord ?

Il hocha la tête et elle s'éloigna pour chercher le bas du distributeur de Pezz et la tête, s'arrêtant toutes les deux ou trois secondes pour se tourner vers Bart et vérifier qu'il était toujours debout, rose, et qu'il respirait.

Joss savait dans quelle direction avait volé le bout de plastique qui avait méchamment rebondi contre le pilier.

Elle finit par l'apercevoir sur le sol, derrière une bergère au velours fané qui empestait la fumée de cigare froid.

Se mettant à quatre pattes, elle tendit le bras sous le fauteuil pour récupérer la tête de Titi, mais sa main sentit d'abord autre chose. Quelque chose de dur recouvert de poussière. Elle le saisit.

L'escarpin Gucci manquant.

Elle n'avait pas le temps de l'examiner tout de suite et replongea donc la main, s'efforçant de faire fi des moutons qui voletaient sur son passage. Elle récolta enfin la petite tête en plastique.

Celle-ci était recouverte de poussière, mais Joss réussit à l'emboîter sur l'autre partie. Parfait. Il n'y avait pas d'échardes en plastique en train de faire du toboggan dans les poumons ou dans l'estomac de Bart.

Elle prit une minute pour s'adosser contre le pilier, soulagée mais éprouvée par cette expérience.

— Excusez-moi, mademoiselle.

Joss rouvrit les yeux et aperçut l'employée qui se tenait devant elle.

— Oui ?

Pourvu que la femme n'en fasse pas tout un plat, ne la félicite pas pour son comportement héroïque et tout ça… À Felling, la presse ferait largement écho de ce genre d'incident et Joss ne voulait surtout pas devenir le centre d'attention de tout le monde.

Elle avait eu tort de s'inquiéter.

La femme fit un geste vers le Titi en morceaux qu'elle serrait encore dans sa main.

— Il va falloir le payer, vous savez.

Chapitre 14

— Le problème, dit Lorna à Phil Carson qui était installé au bar de Jico pendant qu'elle travaillait, c'est que j'arrive à payer mes factures. Mais à la fin du mois j'ai l'impression qu'il ne me reste plus rien pour vivre un peu.

— Vous devriez peut-être passer au bureau. On pourrait plus facilement parler de tout ça.

— Oh, Phil ! s'impatienta-t-elle devant cette absurdité. Vous voyez bien comment ça se passe. Je travaille un maximum d'heures sup, ici et vous êtes installé là, juste devant moi, à bavarder. Qu'est-ce que vous avez à perdre en m'accordant une minute ?

— Ce n'est pas ça…

— Qu'est-ce que vous buvez ? demanda-t-elle en jetant un bref coup d'œil à son verre pratiquement vide. Un Tequila Citron Martini avec une goutte de Cointreau ?

Il considéra son verre, perplexe.

— Comment le savez-vous ?

En fait, c'était la boisson préférée de tous les cadres moyens.

— J'observe, Phil. Je fais mon boulot sérieusement et je travaille aussi dur que possible. Alors pourriez-vous me donner un petit conseil sans que j'aie à me déplacer jusqu'à votre bureau ?

— Ça devrait être possible.

— Super.

Puis, se tournant vers le barman, elle montra le verre de Phil.

— Boomer ! Un autre ici. Sur mon compte.

— Vous n'avez pas besoin de m'offrir un verre, protesta Phil en rougissant. Pour être plus exact, vous ne *devriez* pas le faire. Vous n'en avez pas les moyens.

— On me le compte au prix coûtant et vous me versez un pourboire. Ne vous inquiétez pas, ajouta-t-elle en lui adressant un clin d'œil. Je toucherai ma part de bénéfice !

Il lui adressa un sourire en coin.

— Encore quelques centaines de fois et vos problèmes seront résolus.

— Très drôle !

Lorna se hissa sur le tabouret à côté de lui et ajouta :

— J'aimerais savoir si vous pouvez négocier un taux d'intérêt plus bas pour certaines de mes cartes de crédit.

— Ils sont déjà très raisonnables !

— Chez Discover, ils sont seulement descendus à 9,9 ! Leur offre de lancement est bien plus basse que ça !

— Oui, mais c'est une offre de lancement. Ils attirent les clients et… vous connaissez la suite.

Lorna se sentit découragée. Oui, elle connaissait la suite. Elle ne la connaissait que trop bien même !

— Mais je ne peux même pas m'acheter de chaussures ! geignit-elle.

Phil laissa échapper un petit rire.

— Alors là, vous exagérez ! Vous avez largement de quoi faire face aux besoins élémentaires. Et vous devriez être tellement fière des progrès que vous obtenez.

— Oui, mais c'est vraiment frustrant de ne pas avoir d'argent.

— Est-ce que ce travail vous procure une couverture sociale ? L'assurance maladie, par exemple ?

— Non, je souscris à une mutuelle privée sur mes propres deniers.

— Combien gagnez-vous de l'heure ?

Quand elle le lui révéla, il eut l'air estomaqué.

— Mais je touche des pourboires en plus. Parfois, j'arrive presque à 15 ou 20 dollars de l'heure.

— Toutes les heures ? Tous les soirs ?

— Non, admit-elle. C'est très variable.

— Mademoiselle Rafferty…

— Lorna.

— … vous devriez envisager un travail plus… régulier. Avec des avantages sociaux et un salaire mensuel. Vous avez un diplôme universitaire, pas vrai ?

— Une licence de lettres, répondit-elle avec un haussement d'épaules.

Elle avait adoré passer toutes ces années à lire. Jusqu'à ce qu'elle se lance à la recherche d'un travail qui lui permette de continuer ainsi et se rende compte que cela n'existait pas.

On apporta le second verre de Phil qui se dépêcha de finir le premier.

— Vous mériteriez un bien meilleur job.

Boomer s'arrêta et lui jeta un regard méfiant. Mais Lorna lui fit comprendre que tout allait bien.

— En attendant, c'est catastrophique ! Il me reste à peine de quoi me nourrir ! Vous pouvez sûrement faire quelque chose.

— Vous continuez à dépenser, n'est-ce pas ? dit-il en la considérant avec une lucidité qu'il n'avait pas encore montrée jusque-là.

Joss se sentir rougir.

— Que voulez-vous dire ?

— Nous avons décortiqué votre budget point par point. Même avec un revenu variable, la moyenne la plus basse devrait vous permettre de faire des versements réguliers pour votre dette tout en payant votre loyer, les charges et la nourriture. Vous continuez à dépenser, miss ! répéta-t-il en secouant la tête. J'ai déjà rencontré ce genre de comportement.

Elle essaya de ravaler la boule de culpabilité qui se formait dans sa gorge.

— Cela fait des *semaines* que je n'ai pas mis les pieds au centre commercial.

— Alors qu'est-ce que c'est ? Du shopping en ligne ? Avec votre carte de paiement ? Il me semble que c'est la seule carte que nous n'ayons pas détruite.

Il l'avait coincée.

Et alors ? Était-elle sa seule cliente ? Comment pouvait-il se rappeler des détails de leur entretien avec autant de précision ?

— Pas du tout. J'ai seulement dû faire face à quelques impondérables. Des dépenses inattendues. Ma voiture, précisa-t-elle pour paraître plus crédible.

Et c'était vrai. Elle avait payé au garagiste une incroyablement grosse somme qu'elle lui devait depuis belle lurette.

— … et les charges aussi ! ajouta-t-elle pour faire bonne mesure.

D'accord, ce n'était pas la semaine passée, mais elle n'allait tout de même pas lui avouer qu'elle avait surfé sur eBay. Un type comme Phil Carson n'admettrait jamais qu'il était plus avantageux de faire des achats que de suivre une thérapie chez un psy.

Il but une gorgée de la boisson qu'elle lui avait offerte.

— Bon. Il est évident que vous avez besoin de plus de revenus. Le budget que nous avons établi devrait suffire pour faire face aux dépenses normales. Si ce n'est pas le cas, et que vous ne réussissez pas à vous limiter, il va falloir gagner plus d'argent. Je suis inquiet, j'aimerais vous faciliter les choses, mais c'est la seule solution.

— Merci, Phil.

Durant le reste de la soirée, elle accomplit toutes ses tâches de routine, sourit et détailla les spécialités du jour tout en essayant de penser à un moyen d'ajouter un autre job dans son emploi du temps déjà surchargé.

Au milieu de la soirée, elle prit un quart d'heure de pause. Les pieds surélevés, elle consulta les petites annonces du *Uptown City Paper*, la feuille de chou locale.

Rien.

À moins qu'elle ne sache conduire un bus ou un camion, ou encore enseigner l'anglais aux étrangers... L'autre solution était de rallonger les journées par magie et de prendre en plus un poste de secrétaire encore moins bien payé que celui de serveuse. Décidément, elle ne s'en sortirait jamais.

Elle tourna négligemment les pages, se sentant plus découragée, plus endolorie et plus fatiguée qu'avant. *Je vieillis*, pensa-t-elle, misérable.

Et, pire que tout, ses superbes Jimmy Choo lui faisaient un mal de chien. Bientôt elle serait obligée de porter de grosses chaussures orthopédiques blanches au travail, comme les infirmières, sinon son dos ne tiendrait pas le coup.

Vers onze heures, elle fut surprise de voir Sandra passer la porte en compagnie d'un très bel homme. Sandra avait parlé de ses sorties avec un vieux copain du lycée, mais ce type semblait sortir droit des pages glacées de *GQ*[1].

Sandra sembla aussi surprise que Lorna et, après des retrouvailles maladroites, elle recula et présenta son ami.

1. *Gentlemen's Quarterly* (magazine mensuel pour hommes avec pages de mode, cinéma, culture...) *(N.d.T.)*

— Voici Mike Lemmington, mon copain de lycée. Je t'ai déjà parlé de lui.

— Ah, oui ! Je me souviens très bien.

Dingue ! Sandra avait touché le jackpot. Ce type était super canon. Peut-être même un peu trop. Du style trop soigné… Mais peu importe. Plus tard, elle demanderait à Tod de jeter un coup d'œil sur lui avec son radar à homos. Il tombait toujours juste.

— C'est très sympa de faire votre connaissance, dit Mike en serrant la main de Lorna en douceur. Mon Dieu ! *J'adore* vos chaussures !

— Oh !

Elle baissa les yeux vers ses Choo et sourit.

— Ah, voilà un client intéressant ! Puisque vous avez fait des commentaires élogieux sur mes chaussures, je pourrais peut-être les déduire des impôts ! On pourrait les considérer comme un outil de travail…

— Pourquoi pas ?

Il rit et Sandra en fit autant. Peut-être un peu trop fort. Elle semblait nerveuse.

— Nous avons rendez-vous ici avec des amis de Mike, dit Sandra. Ensuite, nous irons chez Stetson's. Je serais ravie si tu pouvais te joindre à nous. Tu finis bientôt ?

— Dans deux heures, seulement.

C'était toujours la même chose. Lorna adorait sympathiser avec les clients pendant le travail, mais en même temps, quand ses amis passaient et repartaient vers un autre bar, elle avait l'impression d'être abandonnée. Comme la pauvre gamine qui devait aller se coucher à sept heures alors que tous ses copains restent dans la rue, à faire du vélo jusqu'à la nuit tombante.

— Dommage, rétorqua Mike. Nous allons retrouver mon amie Debbie. Cela fait une éternité que j'essaie de lui présenter cette miss. Ce soir, nous allons enfin y parvenir ! ajouta-t-il en passant un bras autour de la taille de Sandra qui pouffa de rire.

— Oui, enfin !

— Mike ?

Tous, sans exception, se retournèrent. Une grande femme se dirigeait vers eux, superbe dans une robe moulante Diane Von Furstenberg et des mules à talons vertigineux que Lorna fut incapable d'identifier.

L'adorable Mike vint à sa rencontre et la prit dans ses bras.

— Margo !

Sandra s'était raidie devant ces effusions. Comment lui en vouloir ? Cette femme était une bombe. Renversante.

Mike entraîna la nouvelle venue vers Lorna et Sandra.

— Je vous présente Margo St Gerard.

— Ravie de faire votre connaissance, dit Lorna en tendant la main.

— Salut, se contenta de jeter Sandra du bout des lèvres.

Puis elle garda un œil sur Mike qui couvait des yeux cette magnifique blonde d'une beauté sculpturale.

Avec un mètre quatre-vingts et pas plus de soixante kilos sur la balance, cette créature était aussi mince et plate qu'un mannequin. En revanche, ce qui lui manquait en courbes féminines était compensé par des pommettes hautes sur un visage d'ange.

Elle était à ce point saisissante que c'en était franchement déconcertant.

Sandra devait trouver cela insupportable.

— Je suis tellement contente de vous rencontrer, dit Margo d'une voix douce et modulée de speakerine.

Un moment de gêne passa.

— Eh bien… Sandra m'a beaucoup parlé de vous, Mike ! déclara Lorna en espérant rediriger son attention vers Sandra. C'est super de vous rencontrer enfin.

— Vous êtes l'une des Shoe Addicts, n'est-ce pas ?

Elle éclata de rire.

— Oh, oui…

— C'est même Lorna qui a tout commencé, expliqua Sandra.

— Quelle idée fabuleuse ! s'esclaffa Mike. Si je chaussais du 7½ j'y adhèrerais immédiatement !

— Nous avons déjà eu des demandes provenant d'hommes, déclara-t-elle en s'efforçant de ne pas se montrer dédaigneuse. Malheureusement, ils n'avaient pas la bonne pointure.

Pourvu que ce type ne veuille pas sérieusement se joindre à elles ! Pour en avoir le cœur net, elle jeta un regard furtif vers ses pieds qu'il avait très larges.

— Oh, vous parlez du travesti ? demanda-t-il.

De toute évidence, Sandra lui avait raconté leurs réunions dans le moindre détail.

— Vous serez mieux sans eux, chuchota-t-il. Ce sont des gens qui ne s'assument pas et ils sont impossibles à vivre. Vous n'avez pas à supporter les problèmes des autres.

— Tout à fait d'accord !

Ils restèrent tous à bavarder encore quelques minutes. Mike était vraiment adorable et Sandra semblait sérieusement amoureuse de lui. Lorna repoussa donc la légère irritation qu'elle ressentit quand il se lança dans des commentaires péremptoires sur la vie politique. Apparemment, ils n'étaient pas du même bord.

— Je ne sais pas, Mike. Si nous pensions tous la même chose, le monde serait terriblement ennuyeux. La diversité enrichit la démocratie.

— Ne devrions-nous pas filer ? demanda Sandra, mal à l'aise.

Lorna jeta un coup d'œil à l'horloge au-dessus du bar. Pour *elle*, en tout cas, il était largement temps de partir.

Dans huit heures, elle devrait de nouveau se lever pour aller travailler.

— Bon, Lorna…, commença Mike. Nous allons au Stetson's. Voulez-vous vous joindre à nous ? Nous pourrions poursuivre notre débat là-bas.

Comme si elle avait la force de débattre ! Au moins, il n'avait pas l'air de lui en vouloir d'avoir un avis différent.

— Oh, oui ! insista Sandra. S'il te plaît !

Lorna aurait sincèrement aimé lui venir en aide, mais elle était au bout du rouleau. Après tout, depuis onze heures du matin, elle travaillait non stop au restaurant et elle avait *vraiment* besoin d'un peu de repos. Certaines théories prétendent que Dieu aurait créé la terre en sept heures et non pas en sept jours. Alors, si c'était vrai et s'Il s'était reposé la septième heure et s'Il voulait que tout le monde en fasse autant, Lorna avait déjà dépassé de cinq heures et demie la pause préconisée par l'Autorité Suprême.

— Je suis désolée, dit-elle en s'adressant surtout à Sandra. J'adorerais venir mais je suis même trop épuisée pour conduire jusque chez moi. Je ne veux pas imaginer ce que ce serait de veiller deux heures de plus avant de rentrer me coucher.

— Tu pourrais rester dormir à mon appart, proposa Sandra. Mais je comprends que tu sois fatiguée.

— La prochaine fois, promit Lorna.

Elle s'apprêtait à s'enliser dans de plates excuses quand Tod passa rapidement à côté d'elle. Elle tenta de le retenir. Peut-être aurait-il aimé faire la connaissance de Sandra et de Mike ? Il s'était contenté de jeter un regard méprisant sur eux et avait passé son chemin d'un air pincé.

Lorna lui reprocherait plus tard son comportement de sale petit mufle. Mais elle n'y avait pas repensé jusqu'à ce que Sandra, Margo et Mike soient partis et que Tod s'approche d'elle sur le parking.

— Tu connais ce crétin ? demanda-t-il.

Lorna regarda autour d'elle, pensant qu'il parlait *à* quelqu'un d'autre ou peut-être *de* quelqu'un…

— Qui ?

— Mike Lemmington. *Mister 4 B!* lâcha-t-il d'un air dégoûté. Je ne savais pas qu'il lui fallait quelqu'un chaque nuit.

— Oh.

C'est alors que Lorna se rappela combien Tod se réjouissait à propos de son rendez-vous, l'autre soir.

— C'est lui, le… Oh, Tod, je suis désolée. Cela a dû te sembler bizarre de le revoir.

Tod hocha la tête, les lèvres pincées.

— Surtout avec *elle*.

— Sandra ?

— C'est comme ça qu'elle s'appelle ? Je l'ai vue au Stetson's. Elle me rend malade.

Sandra avait en effet mentionné le Stetson's mais Lorna avait du mal à imaginer que son amie puisse inspirer autant de dégoût à quelqu'un d'aussi gentil que Tod. Comme quoi la jalousie a parfois d'étranges effets sur les gens !

Sans doute était-ce dû à la fatigue, car Lorna mit quelque temps avant de comprendre. Les paroles de Tod laissaient entendre que ce Mike avec lequel sortait Sandra était homosexuel. Ou au moins bi.

— Tu es sûr que c'était lui, le type de…

Il la foudroya du regard.

— Bon sang, Lorna ! Attends deux secondes que je me souvienne de tous les mecs avec lesquels j'ai couché cette nuit-là. Voyons…

Un doigt sous le menton, il imita le *Penseur*.

— Eh oui ! Oui, c'est bien lui. Ce petit saligaud…

Il se mordit les lèvres et secoua la tête avant d'ajouter :

— Il est beau, hein ?

— Super sexy ! Aucun doute là-dessus.

— Les hommes sexy sont toujours comme ça. Toujours. Ça m'énerve.

— Moi aussi, ça m'énerve.

Puis Tod la considéra d'un air inquiet.

— Regarde, tu es tellement adorable avec moi et tu t'occupes de mes affaires de cœur foireuses alors que moi, sale égoïste, je ne t'ai même pas demandé ce qu'est devenu ce type avec lequel tu sortais.

— George ? George Mannin ? Oh, c'est fini depuis un mois et demi au moins.

Seigneur ! Elle amassait un tel stock de relations insignifiantes ou avortées... Cette pensée la rendit profondément triste.

Cela avait dû se lire sur son visage parce que Tod eut l'air inquiet.

— Je ne suis qu'un misérable égocentriste. Je ne le savais même pas.

Voilà que Tod se laissait gagner par son délire d'autoflagellation.

— Ça n'a aucune importance. Vraiment, je ne me faisais pas beaucoup d'illusions.

À vrai dire, elle n'avait eu ni de grandes ni même de moyennes illusions depuis très longtemps. Elle était sortie avec George Manning pendant environ deux mois et se souvenait à peine de son nom de famille.

— Mais revenons-en à Mike, dit-elle. Tu es sûr et certain qu'il est homo ?

Tod laissa échapper un petit rire nerveux.

— Ma chérie, j'ai connu plein d'hommes qui prétendaient être hétéro en remontant leur braguette après s'être offert du bon temps. Mike n'est pas de ceux-là. Il est homo à cent pour cent. Et en plus, il est sacrément doué, ajouta-t-il avec un soupir.

— Alors qu'est-ce qu'il fait avec Sandra ? Tu penses que je devrais lui en parler ?

— Elle sait. Crois-moi, elle sait.

— Comment trouves-tu Mike ? s'empressa de demander Sandra au cours de la réunion suivante.

Elle mourait d'envie de savoir ce que Lorna, qui avait toujours très bon goût, pensait de son petit ami.

— Il est charmant, répondit rapidement Lorna, d'un ton plutôt définitif.

— Et super mignon, non ?

— Super mignon. Vraiment, confirma-t-elle après un coup d'œil rapide à Joss et Hélène.

Normalement, Sandra aurait trouvé le jugement expéditif de Lorna plutôt suspect, mais pas ce soir. Elle était carrément aux anges.

— Ah, si les filles du lycée pouvaient me voir aujourd'hui ! soupira-t-elle, sur son nuage.

— On en est toutes là, murmura Hélène.

Joss eut l'air d'hésiter.

— Bof, pas moi ! dit Lorna. Les filles avec lesquelles j'allais au lycée sont toutes devenues médecin, avocate ou chef d'entreprise. À moins qu'elles aient épousé un médecin, un avocat ou un chef d'entreprise. Parfois je me demande si j'ai toujours été à la hauteur.

— À *la hauteur* ? protesta Hélène. Comment peux-tu dire une chose pareille ?

Lorna sourit tristement.

— Le terme est peut-être mal choisi, mais à une époque je passais en voiture devant ces petites maisons de River Road, dans Potomac, en me disant que je réussirais bien mieux que ces gens-là. Et maintenant, ces bicoques valent un ou deux millions de dollars et moi j'arrive à peine à payer mon loyer.

Elle se sentit piquer un fard. Mais comment revenir en arrière alors qu'elle venait d'étaler ses états d'âme sur la place publique ?

Heureusement, Sandra vint à son secours.

— Je vois très bien ce que tu veux dire. Toutes les filles avec lesquelles j'allais au lycée, même les plus garces qui auraient mérité de payer cher leurs vacheries, ont fini par épouser des types géniaux et habitent des propriétés dignes de paraître dans *Architectural Digest*. Franchement, ce n'est pas que je comptais être comme elles, mais j'étais certaine qu'au moins deux ou trois d'entre elles seraient un jour comme moi. Bref, célibataire et en train de galérer... Pas tellement sur le plan financier, mais plutôt sur le plan... perso.

— Mais tu as l'air pourtant à l'aise dans tous les domaines, fit remarquer Joss, surprise.

— Oh, c'est vraiment très gentil de me dire ça. Mais ce n'est pas le cas du tout. Enfin, je vais mieux maintenant. La semaine dernière, je suis allée voir un acupuncteur et il m'a mis cette petite barrette dans le lobe de l'oreille. Tu vois ?

— Aïe ! grimaça Joss. Ils mettent une espèce d'aiguille ?

— Oui. C'est comme pour les boucles d'oreilles, en plus fin. Tu sais, je suis de nature plutôt sceptique mais avant qu'il l'insère, j'avais peur de quitter la maison et maintenant je vais beaucoup mieux.

— Tu étais agoraphobe ?

— Un max ! Et j'ai tout essayé : le Prozac, la thérapie, le Xanax, l'hypnose... Honnêtement, je pensais que rien ne pourrait réussir, et encore moins l'acupuncture. Et pourtant, je pense que ça marche. Ce n'est pas que j'y sois allée en toute confiance, j'étais même carrément hostile.

— C'est quoi, être *agoraphobe* ? demanda Joss.

Désolée, je ne voudrais pas avoir l'air d'une idiote, mais…

— Ne t'en fais pas, l'interrompit Sandra. En fait, j'avais peur de sortir de chez moi, de me retrouver dans un lieu public. La foule me rend nerveuse, presque malade. Même dans la rue ou à l'épicerie.

Joss hocha la tête, mais à son expression on voyait bien qu'elle n'avait jamais entendu parler de ce genre de syndrome.

— Et depuis que ce type t'a mis une aiguille dans l'oreille, tu te sens beaucoup mieux ? s'enquit Lorna, sceptique. C'est possible ?

Sandra haussa les épaules.

— Je suis là, chez toi, pas vrai ? Il y a six mois j'aurais été incapable de venir.

Elle se sentit redevenir rouge tomate et ajouta :

— J'espère que vous n'allez pas toutes penser que je suis une paumée et…

— Mais non, voyons ! protestèrent-elles en chœur.

Et Lorna d'ajouter :

— Et moi qui croyais être la seule personne au monde à crouler sous les faiblesses humaines ! C'est plutôt rassurant d'entendre qu'il y en a d'autres.

— À ton tour, alors ! Quelles sont les tiennes ? la défia Sandra.

Lorna se redressa, s'éclaircit la gorge puis, bonne joueuse, se lança :

— Bon. Voilà. J'avais un super petit ami à l'âge de seize ans, mais comme une gourde, j'ai tout fichu en l'air. Depuis je n'ai jamais pu le remplacer.

Hélène prit une profonde inspiration.

— Vraiment ?

— Chris Erickson. Je sais qu'il est facile d'idéaliser un premier amour, mais avec toute l'objectivité du monde, je reste persuadée que c'était l'homme de ma vie. Ou du moins quelqu'un avec qui j'aurais pu passer le reste de ma misérable existence.

— Et que lui est-il arrivé ? s'enquit Sandra qui avait presque les larmes aux yeux.

Une grosse boule de nostalgie serra la gorge de Lorna.

— Oh, j'ai tout fichu en l'air par pure bêtise d'adolescente immature et nous avons rompu. Maintenant, il est marié, a eu un bébé et tout est merveilleux dans son petit monde.

Elle laissa échapper un rire amer et ajouta :

— De toute manière, je suis sûre qu'il est plus heureux sans moi.

— Détrompe-toi. Je parie qu'il pense toujours à toi, protesta Joss en la considérant de ses grands yeux bleus et sincères. Je t'assure ! Mon petit copain de lycée, Robbie, veut toujours se marier avec moi.

— Et ? demanda Sandra en soulevant un sourcil qui fit glisser ses lunettes vers le bout de son nez, lui donnant un air parfait de maîtresse d'école. Tu envisages de l'épouser ?

— Oh, non, admit Joss. Ce serait renoncer à tous mes rêves.

Hélène, qui avait assisté à ces échanges dans un silence pensif, intervint :

— Croyez-vous qu'il soit possible de rencontrer son âme sœur au lycée, d'en avoir la certitude absolue… pour finalement rompre et gâcher sa vie pour toujours ?

Tous les yeux se tournèrent vers elle.

Est-ce que tu as vraiment fait ça ? avait envie de demander Lorna. Mais la réponse semblait tellement évidente que la question aurait été insultante.

— Je pense que les choses finissent par s'arranger, dit-elle, à demi convaincue. Même si ce n'est pas toujours de la manière la plus confortable.

— Tout à fait d'accord, rétorqua rapidement Sandra

qui, contrairement à Lorna, n'avait aucune trace de doute dans le regard. Si quelqu'un te convient, il finit toujours par te revenir.

Peut-être avait-elle raison…

Toutefois, si Lorna se demandait encore si Chris avait réellement été l'homme de sa vie, elle avait en revanche la certitude absolue que le couple Sandra-Mike ne tenait pas la route.

Mais le destin finirait bien par faire la part des choses, pas vrai ?

Chapitre 15

Aucun doute. Hélène était vraiment suivie.

Elle était sortie pour l'après-midi, faire de brèves apparitions aux organisations caritatives dont elle s'occupait, et avait remarqué une voiture bleue assez quelconque derrière elle.

Si Lorna ne lui avait pas fait part de ses soupçons, Hélène n'y aurait jamais prêté attention. Pourtant, le type ne se montrait pas particulièrement rusé. Il se plaçait toujours trois ou quatre véhicules derrière elle. Maintenant qu'elle le savait, le comportement bizarre de cet individu la mettait mal à l'aise.

Elle n'aurait su dire à quoi il ressemblait. Cela aurait pu être Gerald Parks. À moins que ce ne soit Pat Sajak ? De si loin, impossible de le savoir.

Mais quelle importance ? Hélène en avait plus qu'assez !

Un œil sur la route et une main sur le volant, elle prit son portable et appela les services de police au 411. Elle n'avait pas fait le 911, le numéro des urgences, parce que, ici, en plein milieu de la circulation et dans l'habitacle de sa voiture verrouillée, elle ne se sentait pas en danger immédiat.

— Ici agent 4601. Cette conversation est enregistrée.

Hélène jeta un coup d'œil à son rétroviseur.

— J'appelle parce que… ce n'est pas forcément une urgence, mais… bref, je suis sur la 270, direction nord, et il y a une voiture qui me suit.

— Est-ce que le conducteur vous a agressée d'une manière ou d'une autre ?

— Non, mais cela fait longtemps qu'il me suit.

— Pouvez-vous voir le conducteur, madame ? Est-ce quelqu'un que vous connaissez ?

— Je crois. Mais je n'en suis pas certaine. Je n'arrive pas à bien le distinguer.

Hélène commençait à se sentir ridicule, mais cela n'ôtait rien à son angoisse.

La réponse de son interlocuteur lui fit comprendre qu'il pensait exactement la même chose :

— Désolé, madame ! Mais nous ne pouvons pas envoyer de voiture pour arrêter un individu sous le prétexte qu'il roule sur la même route que vous. Si quelqu'un vous menace ou vous blesse physiquement, appelez le 911.

Jolie réponse, pirouette typiquement exaspérante. Mais comment lui en vouloir ? Helène le remercia donc et raccrocha, espérant que les services de police n'allaient pas diffuser son numéro en précisant qu'il s'agissait d'une folle qu'on ne devait pas prendre au sérieux si elle rappelait.

Empruntant une bretelle de sortie, la voiture bleue toujours sur ses traces, elle s'engagea sur la 355 qui s'étendait du nord du Maryland jusqu'à Georgetown, Washington D.C.

Un moment, elle crut l'avoir semée, mais très vite elle vit réapparaître la voiture qui la suivait maintenant sans complexe, collée à son pare-chocs. Elle observa le conducteur, prenant mentalement des notes pour le rapport de police, tout en essayant de rester attentive à la route qui serpentait devant elle. De toute évidence, c'était

Gerald Parks. Il portait de grosses lunettes de soleil noires, à la Jackie O., et ses doigts agrippés au volant faisaient l'effet de longues saucisses de Francfort.

Elle longea les lacets sinueux de Falls Road, espérant presque se faire arrêter par la police afin de pouvoir signaler ce fâcheux pour qu'ils l'appréhendent enfin. Mais elle savait qu'il continuerait simplement sa route, en toute impunité, et qu'elle-même, pauvre victime, passerait pour une dingue qui, de surcroît, conduisait dangereusement.

Quand elle parvint enfin à Potomac Village, elle accéléra au feu orange pour traverser River Road au lieu de tourner, comme elle l'aurait fait normalement.

Dans son rétroviseur, elle remarqua que la voiture bleue avait dû s'arrêter au feu. Alors elle contourna le parking du centre commercial et rattrapa River Road un peu plus loin pour se diriger vers sa maison. Elle roula ainsi trois ou quatre kilomètres sans être suivie et se détendit un peu, mais son cœur continuait à tambouriner contre ses côtes, prêt à exploser.

En franchissant la ligne de démarcation du comté de D. C., elle laissa échapper un profond soupir avec l'impression d'arriver chez elle saine et sauve quand soudain la voiture bleue resurgit. Elle venait d'une tout autre direction, Little River Turnpike, et se rangea de nouveau derrière elle avec aplomb.

Même si ce type se débrouillait mal pour rester discret, il maîtrisait à la perfection la poursuite d'une proie et, pour la première fois, Hélène sentit une colère sauvage venir se mêler à sa peur. Elle aurait aimé s'arrêter sur le bas-côté de la route pour l'affronter mais avait conscience de l'extrême imprudence d'un tel geste.

En entrant dans Van Ness Street, où se trouvait sa maison, elle se demanda si elle ne ferait pas mieux de poursuivre son chemin afin qu'il ne découvre pas son adresse exacte. Finalement, elle y renonça. Son prédateur avait tourné sur la droite juste avant le dernier pâté de maisons et disparu dans la circulation.

Arrivée sur son parking, elle coupa le moteur et resta assise, enfermée, pendant un bon quart d'heure, attendant que sa respiration reprenne un rythme normal.

Puis, poussée par le désespoir, elle appela Jim.

— Je crois que quelqu'un me suit, lui dit-elle quand il décrocha le téléphone.

— *Quoi ?*

Elle lui raconta que Lorna lui avait signalé une voiture bleue l'ayant suivie à plusieurs reprises au départ de son parking, puis lui révéla que ce même type était resté collé derrière elle pendant quarante-cinq minutes. En revanche, elle ne lui avoua pas son appel de détresse à la police et encore moins la réponse laconique de celle-ci. Inutile d'apporter de l'eau à son moulin !

— Je veux une protection privée.

— C'est débile ! rétorqua immédiatement Jim.

Elle se sentit profondément blessée.

— Tu trouves débile que je veuille me protéger de cinglés dans une ville où on a vu plus d'enlèvements et d'assassinats politiques que nulle part ailleurs ?

— C'est débile que tu t'inquiètes pour si peu. Tu as bien dit que le type ne t'a pas suivie jusqu'à la maison, n'est-ce pas ?

— Exact.

— C'est une ville qui grouille de monde. Tu ne peux pas reprocher à quelqu'un d'être sur la même route que toi.

— Même s'il se trouve sur les *dix* mêmes routes, juste derrière moi, pendant plus de cinquante kilomètres ?

— C'est une coïncidence. Tu es vraiment égoïste de croire que cela te concerne *toi*, personnellement.

Ça, c'était carrément insultant !

— Cela me paraît plutôt normal. Si quelqu'un me suit *moi*, c'est forcément *moi* que ça concerne, pas vrai ?

— Personne ne te suit, Hélène. Ne fais rien qui te rende ridicule !

— Me rendre ridicule ? Moi ? Et comment me rendrais-je ridicule ?

— En appelant la police, par exemple.

Heureusement qu'elle ne lui avait pas parlé de ce détail !

— Pourquoi pas ?

— Parce que cette histoire va s'ébruiter et que tu vas monopoliser *beaucoup* de personnel qui risque de perdre *beaucoup* de temps inutilement. Les journalistes se feront une joie de me le reprocher à la première occasion.

— Et que devient ma sécurité dans tout ça ?

Hélène s'en voulut aussitôt de paraître aussi mesquine et vulnérable. De toute évidence, elle était suivie et en ressentait un profond malaise. Même si la police la croyait, ce qui n'était pas le cas, elle ne pourrait pas intervenir.

Impossible, cependant, d'embaucher son propre garde du corps puisque Jim lui avait coupé toute ressource financière. Et, pour couronner le tout, il ne la croyait pas. Ou bien il s'en fichait éperdument.

Elle était à la merci de son mari qui pourtant était son seul espoir.

— S'il faut que je m'expose à la critique de tout un pays chaque fois que tu fais un mauvais rêve, je suis politiquement bousillé ! s'emporta Jim. Ne me fais pas ce coup-là !

Comment l'homme qu'elle avait épousé avait-il pu devenir aussi froid ?

— Mais il ne s'agit pas de *toi* ! J'ai peur, Jim. J'ai vraiment peur !

Il marmonna dans sa barbe, l'équivalent verbal du je-lève-les-yeux-au-ciel-d'un-air-exaspéré, puis répondit :

— Il faut que j'y aille ! Verrouille les portes et regarde un film. On reparlera de tout ça ce soir.

Les gros titres de la presse défilèrent rapidement dans la tête d'Hélène.

— Ce soir, il sera peut-être déjà trop tard, répondit-elle d'un air sinistre.

Mais Jim n'écoutait plus. Il s'adressait à quelqu'un d'autre dans la pièce. Sans doute à Pam, qui était probablement entrée dans le bureau avec crème Chantilly et cache-sexe, prête à l'action.

— Bon, il faut que je raccroche, dit-il à Hélène. Je rentrerai tard, ce soir. Ne m'attends pas.

Abruti ! *Nous parlerons de ton inquiétude au sujet de ta sécurité ce soir. D'ailleurs, je ne serai pas là. Alors, tu n'as qu'à te coucher...* Cela ressemblait tellement à Jim qu'elle n'aurait pas dû se sentir peinée, mais en raccrochant, Hélène eut envie de pleurer.

Pire que cela : une profonde lassitude s'était emparée d'elle, l'anéantissant littéralement. Était-ce une réaction due à la poursuite ? Une espèce de chute d'adrénaline ? À moins que ce ne soit le vide de sa vie, dénuée de sens, qui la rendait profondément malheureuse ? Ou peut-être tombait-elle carrément dans une déprime carabinée ?

En tout cas, elle allait rentrer chez elle et s'allonger un peu. Un bon petit somme pour soigner ses bleus à l'âme...

Elle ne se réveilla que le lendemain matin.

Seule.

C'était plus simple d'avoir seulement à s'occuper de Bart, sans Colin qui avait une mauvaise influence sur son jeune frère.

La bonne nouvelle, c'était que Colin venait de commencer un stage de deux semaines dans un centre aéré, laissant la possibilité à Joss d'emmener Bart tout seul au parc.

La mauvaise nouvelle, en revanche, c'était que Deena avait interprété cela comme une diminution notable des tâches pour lesquelles elle payait Joss, se sentant donc libre d'ajouter à ses attributions d'innombrables petites choses. Oh, rien du tout… comme le prouvait la liste de courses dans la poche de Joss. Cinq articles, donc cinq magasins différents.

Au moins était-elle autorisée à se servir de la voiture quand elle était en mission officielle. La fois où Deena avait chargé Joss de « prendre quelques trucs juste en passant » sur le chemin du retour après sa sortie « club de ski » un dimanche – un fiasco complet d'ailleurs – elle avait dû se débattre avec deux énormes sacs dans le métro.

Tout de même, par une merveilleuse journée de soleil comme celle-ci, on arrivait presque à oublier les désagréments de ce dur métier. Contrairement à la plupart des autres nounous et mamans, elle s'amusait avec Bart sur le terrain de jeux, montant et descendant avec lui sur le toboggan une trentaine de fois.

— C'est trop super ! hurlait Bart en arrivant une fois de plus au bas de la rampe. Qu'est-ce que je peux faire maintenant ?

Joss regarda tout autour d'eux.

— Je ne sais pas. De la balançoire ?

Bart eut l'air excité, puis le doute traversa son regard.

— Colin dit que la balançoire, c'est pour les mauviettes et les filles.

Oh, ce Colin ! Elle l'étranglerait ! Il avait un tel ascendant sur Bart ! Ça, elle en était de plus en plus convaincue.

— Est-ce que tu vois des filles sur la balançoire ? demanda-t-elle.

Le seul enfant en vue était un garçon costaud, bien plus âgé que Bart.

— Non.

— Peut-être Colin a-t-il seulement dit ça pour te faire

croire que c'est cool de ne pas aller sur la balançoire, suggéra-t-elle. Peut-être a-t-il *peur* d'y aller...

Bon, d'accord, c'était un tantinet injuste de charger ainsi Colin alors qu'il n'était même pas là pour se défendre, mais franchement, Joss en avait par-dessus la tête que l'avis de ce petit crétin influence toutes les décisions de Bart.

Celui-ci ne quittait pas les balançoires des yeux.

— Moi j'aime bien en faire, osa-t-il timidement.

— Moi aussi. Alors on y va !

Joss le prit par la main et l'entraîna vers le portique. Elle l'aida à s'asseoir, passa derrière lui et se mit en devoir de le pousser. Il riait comme un petit fou et criait à pleins poumons :

— Regarde comme je monte haut, Joss !

Bon, sans doute avait-elle quelque peu terni la réputation de Colin mais Bart, au moins, se serait bien amusé.

Elle-même était à bout de souffle.

— Continue un instant sans moi. Il faut que je me repose un peu.

— Regarde-moi ! cria-t-il. Mes pieds touchent le ciel !

— C'est cool !

Joss lui fit un petit signe et il repartit heureux, loin là-haut, dans le grand bleu.

— Jocelyn ?

Surprise, Joss se retourna et aperçut une femme élancée, dont les cheveux noirs aux reflets bleutés mettaient en valeur de grands yeux d'un bleu très clair.

— Euh... oui ?

— Vous êtes Jocelyn et vous travaillez chez les Oliver, n'est-ce pas ? demanda-t-elle en montrant Bart qui continuait son ascension vers le ciel avec force cris d'excitation.

— Oui, c'est bien moi. Qui êtes-vous ?

— Felicia Parsons. Et là-bas, c'est mon fils Zach.

Elle indiqua un gamin aux cheveux noirs aussi,

d'environ sept ans, qui se bagarrait avec un plus petit que lui pendant qu'une jeune femme assez plantureuse essayait de les séparer.

— J'ai besoin d'une nounou et j'aimerais savoir combien vous demandez.

— Je suis désolée, madame Parsons, mais j'ai déjà un emploi.

Un travail qu'elle détestait et dont elle se débarrasserait volontiers.

Mais c'était impossible.

La femme la dévisageait comme si elle était complètement débile.

— Tsss… ça, je le sais ! Je vous ai simplement demandé si vous travailliez chez les Oliver. Ce que j'aimerais savoir, c'est combien cela me coûtera de renchérir sur leur offre.

Joss n'en revenait pas qu'on lui propose pour la deuxième fois un job tout en sachant pertinemment qu'elle était sous contrat avec les Oliver. Un contrat était un contrat et ces femmes devraient comprendre cela. Ce n'était pas comme si Joss pouvait changer d'employeur pour une meilleure offre, même si elle en mourait d'envie.

— Je regrette, dit-elle en gardant un œil sur Bart qui grimpait maintenant sur la corde à nœuds. Je ne peux pas rompre mon engagement.

Puis, alors que la jeune fille semblait retenir le garçon, Joss ajouta :

— J'ai l'impression que Zach a besoin de vous, madame.

Son interlocutrice haussa les épaules.

— Bah, elle n'a qu'à se débrouiller !

Parce qu'une nounou est une nounou, même si ce n'est pas la vôtre ? voulut demander Joss. Mais elle n'en fit rien.

— En tout cas, souvenez-vous de moi si vous changez d'avis, dit Mme Parsons. Avez-vous de quoi écrire ?

— Non, désolée.

La femme poussa un soupir excédé et fouilla dans son sac en croco dont elle finit par extraire un stylo en argent et un bout de papier chiffonné. C'était une enveloppe dont l'expéditeur semblait être un avocat.

— Voici mon numéro de portable. Appelez seulement à ce numéro. Ne cherchez pas à connaître celui de mon domicile et n'essayez surtout pas de me joindre là-bas.

Aucun risque ! Joss ne fit même pas mine de prendre le papier.

— Madame Parsons, je ne pense pas pouvoir vous appeler puisque je suis prise chez la famille Oliver jusqu'à la fin juin.

La femme attrapa carrément la main de Joss et y fourra le bout de papier.

— Vous dites ça maintenant, mais vous pourriez changer d'avis.

Sur ce, elle se dirigea vers son fils en maugréant contre les domestiques qui n'étaient plus ce qu'ils étaient.

À l'idée de travailler pour une femme comme celle-ci, Joss ne put réprimer un frisson. Elle revint vers Bart qui s'amusait avec une petite rousse frisée et n'avait pas l'air d'avoir besoin d'elle pour le moment. Après lui avoir montré le banc où elle allait l'attendre, Joss y rejoignit les autres nounous qui bavardaient déjà entre elles.

— Est-ce que Felicia Parsons t'a demandé de travailler pour elle ? demanda l'une d'entre elles.

— Comment le sais-tu ?

— Oh, elle a déjà posé la question à la plupart d'entre nous. Pauvre Melissa ! ajouta-t-elle en regardant vers la fille qui avait séparé le fils de Mme Parsons de l'autre garçon. Au fait, je suis Mavis Hicks. Je ne pense pas qu'on se soit déjà croisées.

Joss serra la main qu'on lui tendait.

— Joss Bowen. Qu'est-ce que tu veux dire par *pauvre Melissa* ? C'est la nounou de Mme Parsons ?

— Oui. C'est une fille vraiment très efficace. Tu ne trouves pas, Susan ?

Elle tapota sur l'épaule d'une femme corpulente dans la trentaine.

— Quoi ?

— Je disais que Melissa est vraiment efficace avec le petit Parsons.

— Oui, je trouve aussi.

Puis, découvrant la présence de Joss, elle ajouta :

— Oh, est-ce que tu as été approchée par miss Girouette ?

— Oui, juste à l'instant. Cela me gêne beaucoup, d'ailleurs.

— Ne t'en fais pas, la rassura Mavis. Ce n'est pas la première fois que cela arrive à Melissa. Elle va sans doute accepter la prochaine offre qu'on lui fera.

— Ça arrive si souvent ?

Susan et Mavis la regardèrent comme si Joss débarquait d'une autre planète.

— Tu plaisantes ? demanda Susan.

— Ben… non.

Inutile de prétendre qu'elle était habituée à ce petit jeu car tout cela était nouveau pour elle. Nouveau et déconcertant. Mais ces jeunes femmes pourraient sûrement la conseiller au sujet de ces curieuses tractations.

— Enfin, cela m'est déjà arrivé à deux reprises, précisa-t-elle. Dont une carrément pendant la dernière soirée organisée chez les Oliver.

Suzan haussa les épaules.

— Oh, ça arrive tout le temps. Quand on parle d'une bonne nounou, tout le monde la veut.

Joss fut surprise.

— Je ne pense pas que Mme Oliver dise quoi que ce soit de positif à mon sujet.

— Oh, mais elle ne le fait pas, rétorqua simplement Susan. Les rumeurs circulent *via* radio tam-tam. Les mères observent le comportement de chaque nounou, puis décident que la leur n'est pas assez bonne. Alors, elles sont prêtes à tout pour en prendre une nouvelle. Derrière le dos de l'ancienne, ça va de soi…

— Mais nous sommes toutes sous contrat ! Est-ce que cela n'engage pas l'employeur autant que l'employé ?

Joss et son père avaient minutieusement étudié la question et pensaient que le contrat lui assurait un travail rémunéré avec gîte et couvert pendant une période d'un an.

Susan et Mavis éclatèrent de rire.

Puis Susan remarqua la mine déconfite de Joss.

— Mon Dieu ! Tu es sérieuse ?

— Oui, je suis sérieuse.

— Oh, ma pauvre ! Tu n'es pas au courant ?

C'était dingue. Joss avait l'impression d'être dans un univers parallèle bizarroïde, où tout le monde sauf elle savait ce qui se passait.

— Au courant de quoi ?

Susan et Mavis échangèrent un regard.

— La semaine dernière, Mme Oliver m'a demandé si je voulais travailler pour elle, dit finalement Mavis. J'étais sûre que tu étais au courant.

Joss essaya de se souvenir quand les Oliver étaient sortis la semaine passée et aussitôt trois soirées lui vinrent à l'esprit. Trois soirées pendant lesquelles Joss s'était chargée gratuitement de leurs devoirs parentaux.

Et ils pensaient pouvoir trouver mieux qu'elle ? Quelle nounou sur terre travaillerait autant qu'elle durant ses heures prétendument libres ? Quelle autre nounou irait chercher les provisions, le vin, les vêtements au pressing, les enfants des autres et les mille et une tâches parfois incongrues qui venaient à l'esprit de Deena ?

Quelle autre nounou accepterait la manière dont on

la traitait sans se défiler et prendre la poudre d'escampette ?

— Tu es sûre ? demanda-t-elle à Mavis. Tu as peut-être mal compris.

Mavis et Susan échangèrent de nouveau un regard, du style : *allez, dis-lui* !

— Joss, commença Susan, Mavis est sûre. Et moi aussi. Il y a trois semaines, Deena Oliver m'a proposé cinquante pour cent d'augmentation de salaire pour te remplacer au pied levé.

Chapitre 16

— Oh, mon Dieu ! Tu es malade ?

La manière dont la regardait sa sœur inquiéta Sandra.

— Comment ça, malade ? Pourquoi ?

Elle se toucha le visage. Avait-elle une mine si épouvantable ? Avait-elle massacré son maquillage ? Ou bien étaient-ce seulement à cause de ses cheveux verts ?

— Tu es tellement *maigre* !

— Maigre ? Tu plaisantes ?

— Enfin, pas *maigre* pour une personne normale, rectifia Tiffany avec son tact habituel. Mais maigre pour *toi*. Combien de kilos as-tu perdus ?

— Je n'en sais rien.

Bien sûr, qu'elle le savait ! Elle avait perdu très précisément 12,4 kilos. Mais pour une quelconque raison, cela la gênait d'aborder ce genre de détail avec Tiffany. La vie semblait toujours coûter bien peu d'efforts à sa sœur alors qu'elle-même ne cessait de se débattre pour s'en sortir.

— J'ai simplement essayé de manger plus raisonnablement.

— Je ne peux pas en dire autant.

Tiffany tapota son petit ventre légèrement rebondi. On le remarquait à peine.

— J'ai mangé comme un cochon, précisa-t-elle en poussant Sandra vers la cuisine d'un blanc immaculé qui surplombait le trou numéro cinq du parcours le plus récent du Coronado Golf Club.

Tiffany s'était déjà gavée comme une oie lors de sa première grossesse, sept ans plus tôt. Pourtant, elle avait donné naissance à une belle petite Kate et récupéré sa silhouette en quelques semaines. Il y avait de quoi devenir dingue, non ?

— Tu veux du café ? C'est du déca, précisa-t-elle en faisant une grimace.

Sandra s'installa sur un tabouret rembourré.

— Oui, pourquoi pas. Alors, comment ça va ?

Tiffany posa une tasse devant Sandra et alla chercher un pot de crème dans le réfrigérateur.

— Très bien. L'autre jour, j'ai passé l'échographie des dix-huit semaines et ils disent que le bébé est en parfaite santé. Kate est excitée comme une puce. Charlie aussi.

Elle hésita un peu plus longtemps avant d'ajouter :

— Moi aussi, bien sûr !

— C'est formidable.

Sandra versa un peu de crème dans son café, tourna le mélange avec sa petite cuiller et attendit que la spirale blanche se dissolve. Puis elle leva les yeux.

— Tu sais si c'est une fille ou un garçon ?

— Le médecin aurait pu le dire mais Charlie veut que ce soit une surprise, alors je n'en sais rien. Mais je crois que c'est un garçon.

— Wouah, un garçon ! Ça va être bizarre, non ? Nous qui avons grandi dans une maison remplie de filles…

— Je sais. Je…

Quand Sandra reposa sa cuiller et leva les yeux vers sa sœur, celle-ci pleurait.

— Qu'est-ce qui ne va pas, Tif ? Qu'est-ce qui t'arrive ?

Le visage caché dans ses mains, Tiffany secoua la tête.

— Rien. Ce n'est rien.

— Tu es sûre que le bébé va bien ?

Sandra passa un bras autour des épaules de sa sœur. Si seulement leur mère était là pour gérer cette situation. Elle n'avait aucune expérience dans ce domaine et Tiffany était généralement si sûre d'elle…

— Tu me caches quelque chose ?

— Le bébé va bien…

Elle renifla et essuya soigneusement ses larmes, prenant garde à ne pas abîmer son maquillage.

— … c'est juste que… oh, c'est trop égoïste. Je ne peux même pas te le dire…

— Mais qu'est-ce qu'il y a ? insista Sandra, inquiète.

Tiffany était-elle sur le point d'avouer une aventure ou quelque chose de ce genre ? Non ! C'était plutôt Charlie qui devait avoir une aventure. Sandra ne lui avait jamais fait entièrement confiance. Il était froid, distant et plutôt agressif.

— Écoute, on devrait peut-être appeler maman pour lui demander de passer.

— Non ! protesta violemment Tiffany. Surtout pas ! Il ne manquerait plus qu'elle vienne me seriner que tout est merveilleux, que j'ai une vie parfaite et patati et patata…

À vrai dire, Sandra n'aimait pas trop non plus ce genre de conversation. Elle serra les épaules étroites de Tiffany contre elle puis plongea ses yeux dans ceux de sa sœur.

— Qu'est-ce qui ne va pas ? Allez, dis-moi.

Tiffany ferma un instant les paupières et ses lèvres remuèrent comme pour exprimer une horreur indicible, puis confessa :

— Je ne… je ne saurais pas quoi faire avec le pénis.

Comme c'était une phrase que Sandra n'avait encore jamais entendue, elle ne réagit pas immédiatement. Puis…

— Quoi ? Avec quel pénis ?

— Celui du *bébé*. Je ne saurais pas quoi faire avec un bébé garçon. Ce n'est pas comme si nous avions eu des frères ou des cousins. Quand j'ai appris que j'étais enceinte, j'étais prête pour le papier peint rose et les draps à froufrous, les poupées et les contes de fées avec des princesses…

Elle fondit en larmes.

— Oh, Tif…

Sandra tapota affectueusement sur son dos, ne sachant trop quoi dire ni que faire.

— … tout va très bien se passer. Vraiment.

Elle aurait volontiers ajouté que ce n'était sans doute qu'une réaction due aux dérèglements hormonaux, mais le moment était peut-être mal choisi.

— Je… je suis désolée, hoqueta Tiffany. J'adore le bébé. Vraiment. Une part en moi est sûrement déçue que ce ne soit pas une fille, mais j'ai surtout peur de ne pas être une assez bonne mère pour lui apprendre à être un garçon.

— Je suis persuadée que cela viendra tout naturellement.

— Pas forcément. Et l'hygiène ? Quand va-t-il commencer à se raser ? Et les éjaculations nocturnes ? Je ne sais pas comment lui expliquer tous ces trucs. Je n'arrive même pas à imaginer ce genre de conversation avec lui.

Sandra rit doucement.

— *Primo* : tu ne peux pas l'imaginer parce que tu n'as pas encore fait la connaissance de ce petit bonhomme. Toutes ces choses vont arriver le moment voulu. Et *secundo* : n'oublie pas que Charlie sera là pour prendre en charge ces conversations entre mecs.

— Et s'il n'était pas là ? gémit Tiffany.

— As-tu de bonnes raisons de croire qu'il ne le serait pas ? demanda Sandra avec un maximum de tact.

Tiffany prit un mouchoir en papier de la boîte à côté d'elle et émit quelques bruits de trompette.

— Non… Tu dois me prendre pour une folle.

— Pas du tout, voyons ! Ça doit être super difficile d'être enceinte… On doit ressentir des trucs tellement bizarres.

Tiffany hocha la tête.

— Oui, mais ça ne signifie pas pour autant que ces problèmes n'existent pas.

— Non, c'est sûr. Mais ça signifie aussi que ce n'est pas forcément aussi effrayant que tu le crois.

— Mon Dieu…

Tiffany ferma très fort ses yeux et secoua la tête.

— … si seulement je pouvais boire un petit verre de liqueur !

— Je t'en apporterai un à l'hôpital dans quatre mois. Qu'est-ce que tu préfères ? Framboise ou myrtille ?

— Myrtille. Mais mon envie risque de changer d'ici là, rétorqua Tiffany en esquissant un sourire.

Elles éclatèrent toutes les deux de rire.

— Tu sais ce qui me fait le plus peur ? demanda Tiffany après un moment.

— Quoi ?

— Que se passera-t-il quand il voudra connaître l'histoire de sa famille ?

Sandra rit.

— C'est facile ! Papa ressortira l'arbre généalogique qu'il a mis trois ans à établir à la Bibliothèque du Congrès et…

— Je veux dire *sa* famille. Sa famille *biologique*.

Sandra fronça les sourcils.

— Je ne comprends pas. La famille biologique de qui ?

— Des enfants !

— D'accord. Donc, comme je le disais, papa pourra…

— Sandra, je ne vais pas leur mentir !

— À qui ?

— À Kate et au *bébé* !

— Où veux-tu en venir ?

Puis une pensée effleura Sandra.

— Attends. Est-ce que Charlie est un enfant adopté ou…

— Non, pas Charlie ! s'impatienta Tiffany.

Puis l'expression de son visage changea.

— Oh, mon Dieu ! Tu te moques de moi ? demanda-t-elle encore.

Cette conversation devenait vraiment trop bizarre.

— Me moquer à propos de quoi ?

— Tu ne sais donc pas ?

— Alors tu vas me le dire, Tiffany ! Je me fiche que tu sois enceinte ou pas. Si tu ne me dis pas tout de suite de quoi tu parles, je vais te secouer jusqu'à ce que tu craches le morceau !

— Mais Sandra… Ce n'est pas Charlie qui a été adopté. C'est *moi*.

Cher ~~locataire~~ Mademoiselle Rafferty,

Nous avons été heureux de gérer les appartements de Bethesda Commons et nous avons appris à en connaître tous les occupants au cours de ces quinze dernières années. Cependant, les temps changent, et nous avons décidé de convertir l'immeuble en copropriété. Vous, en tant qu'occupant, êtes prioritaire pour en faire l'acquisition à un prix préférentiel.

Tous les appartements seront au prix de 5 000 dollars le mètre carré. Ce qui signifie que ceux qui occupent un deux-pièces paieront en moyenne 340 000 dollars et que les appartements de trois pièces coûteront environ 416 500 dollars. Nous considérons que ce sont là des prix tout à fait raisonnables et compétitifs. Avec les taux d'intérêt particulièrement bas du marché, vous pouvez avoir le plaisir d'être propriétaires avec une augmentation minime de vos mensualités actuelles.

Le dernier de vos contrats de location arrivera à terme le 1er octobre et, par égard envers vous tous, nous allons vous autoriser à louer mois par mois jusqu'à cette date si votre contrat se termine avant cette échéance. Nous pensons que cela vous laissera amplement le temps de prendre une décision et de faire les démarches pour une éventuelle acquisition ou pour trouver un autre logement.

Nous avons été très heureux de vous connaître tous et vous souhaitons bonne chance, quel que soit votre choix.

Sincèrement,
Artie et Fred Chaikin.
Votre équipe de gestion.

De toute évidence, Lorna allait devoir cesser d'ouvrir son courier. C'étaient toujours – *toujours* – de mauvaises nouvelles.

Trois cent quarante mille dollars ! Comme si sa dette n'était pas assez importante dans l'état actuel des choses. Paniquée, elle se connecta à Internet en quête d'un calculateur d'emprunt. Sans apport initial – et c'était la seule manière dont elle pouvait envisager un emprunt quelconque pour l'instant – le versement mensuel serait de plus de 2200 dollars par mois. Ce qui faisait mille dollars de plus que ce qu'elle payait maintenant.

Et ils appelaient ça « une augmentation minime » ?

Sans parler des taxes foncières ! Lorna avait entendu parler de chiffres astronomiques pour certains logements du quartier.

Bon, et que faire maintenant ? Elle était endettée jusqu'au cou, ses découverts étaient faramineux et voilà qu'elle allait perdre son logement par-dessus le marché. Il était temps de réagir. Elle ne pouvait plus se permettre de rester assise les bras croisés et d'ignorer cette lettre en espérant que les choses s'arrangeraient d'elles-mêmes.

Non, non, des foutaises, tout ça ! Elle ne devait pas attendre que les choses changent, c'était à *elle* d'opérer un changement. Il lui fallait un travail mieux rémunéré… ou des heures supplémentaires.

Mais avant tout il lui fallait un nouveau logement.

Résolue à prendre son avenir en main, elle sortit le journal qu'elle avait déjà jeté sans l'avoir lu et s'installa dans le canapé, en quête d'autres locations dans le quartier.

Apparemment, les prix avaient bigrement augmenté depuis qu'elle s'était installée ici, cinq ans plus tôt. Pour rester dans le voisinage, elle devrait rajouter dans les trois cents dollars à ce qu'elle déboursait déjà. Et cela pour les logements les plus minables…

À moins qu'elle ne puisse dénicher un travail mieux payé, il lui faudrait se résoudre à s'éloigner dans le Montgomery County. Peut-être même jusqu'au Frederick County. Mais la perspective de devoir parcourir trente, quarante, ou même soixante kilomètres dans les bouchons pour venir d'une enclave banlieusarde complètement perdue était trop déprimante.

Elle feuilleta les offres d'emploi et encercla quelques propositions. Des postes qui semblaient parfaitement barbants mais prometteurs en terme de salaire et d'avantages sociaux.

Puis elle imprima quelques CV pour les envoyer aux boîtes postales indiquées.

Et enfin, elle se connecta sur eBay. Rien de tel, après une recherche d'emploi démoralisante, qu'une petite récompense…

Peut-être dénicherait-elle une paire de Prada à 4,99 dollars si un vendeur étourdi avait accidentellement tapé *Preda* ? Elle avait découvert ce genre d'astuce au fil du temps. Malheureusement, *Shoe-alacreme* les connaissait également et, pour finir, elles renchérissaient toutes deux sur les mêmes chaussures. Mais Lorna n'avait jamais refait l'erreur de miser des sommes folles.

Elle avait aussi découvert Paypal.com et pouvait donc directement régler ses enchères sans avoir besoin de se rendre à la banque et risquer sa dignité pour obtenir des chèques garantis.

Se frayant un chemin en cliquant jusqu'aux chaussures de créateurs, pointure 7½, elle fut enchantée de tomber sur une paire d'escarpins bicolores Lemer d'époque pour seulement 15,50 dollars. Les talons étaient sublimement hauts et la cambrure d'une telle grâce qu'ils auraient pu devenir, après quelques transformations, de parfaites sandales à lanières super sexy.

Pour l'instant, *Shoe-alacreme* ne semblait pas les avoir repérées et, avec moins de six heures avant la fin des enchères, l'espoir de Lorna avait repris du poil de la bête.

C'est alors qu'elle eut une révélation.

Si elle regardait objectivement les choses en face – et il était temps qu'elle le fasse – un constat s'imposait : elle était *vraiment* accro. C'était devenu compulsif, une véritable drogue. Elle ne parvenait plus du tout à se maîtriser dès qu'il s'agissait de chaussures. À crédit, en liquide… peu importait. Elle réussissait toujours à justifier ses achats et cela lui *pourrissait la vie*. Cela dit, ce n'était pas comme si elle était accro à une substance illicite… Les chaussures n'avaient aucune influence néfaste sur sa santé. Peut-être sur la santé de ses finances… En effet, à force de dépenser… hum… de trop dépenser, son compte en banque s'enfiévrait.

Démarrer *Shoe Addicts Anonymes* avait été un bon début. Les échanges réduiraient sérieusement les sorties d'argent tout en satisfaisant ses besoins vitaux. Et le fait qu'elle concentre son shopping sur eBay allait forcément réduire les dégâts puisqu'elle n'y réalisait que de bonnes affaires avec toutes les promotions qu'on y trouvait.

Bon, ça, elle n'en était pas sûre. Mais une chose était certaine : il était grandement temps qu'elle prenne une mesure drastique !

Déterminée, elle se dirigea vers le congélateur et en sortit la glace napolitaine achetée six mois plus tôt pour un dîner. Elle posa la boîte dans l'évier, souleva le couvercle et fit couler de l'eau chaude sur les cristaux de givre, puis sur la glace elle-même jusqu'à ce que celle-ci fonde suffisamment pour révéler le secret qu'elle contenait.

Sa carte de crédit Nordstrom.

C'était sans doute parce qu'il s'agissait d'une carte de crédit de magasin qu'elle n'était pas apparue sur la liste de Phil Carson quand il l'avait obligée à rendre ses cartes. Elle l'avait donc conservée, comme une espèce de béquille psychologique en cas de force majeure.

La cacher dans la glace n'avait fait que rendre la manipulation plus longue et plus salissante. Depuis, en effet, elle s'en était déjà servie à deux reprises, pour des achats en ligne, parce qu'elle en avait mémorisé le numéro depuis longtemps.

Eh bien, tout ça allait prendre fin sur-le-champ ! Elle devait se débarrasser de ce dernier fil qui l'attachait encore, financièrement, à son addiction.

Alors elle prit son téléphone et composa lentement le numéro qui figurait au dos de la carte. Fort heureusement, on lui répondit immédiatement et elle fut donc obligée de parler avant de battre en retraite.

— Il faut que je ferme un compte, dit-elle.

À partir de maintenant, ce serait du cash ou rien.

Ce n'était pas un plan infaillible, mais c'était un bon début.

Quand les *accros* aux chaussures arrivèrent deux heures plus tard, ce fut Joss qui eut le plus de succès avec ses fabuleux escarpins Gucci. En échange, Lorna proposa sans la moindre hésitation ses John Fluevog. L'une d'elles avait une minuscule rayure, presque rien... du savon de sellerie réparerait cette petite misère en un clin d'œil.

Sandra parla à tout le monde de la grossesse de sa sœur et de ce qu'elle venait d'apprendre sur l'adoption de Tiffany.

— Pourquoi nos parents le lui ont-ils dit à *elle* et pas à moi ? se demanda-t-elle à haute voix.

— Pour que tu ne te sentes pas supérieure, suggéra Hélène.

Et quand Lorna lui lança un regard noir, elle haussa les épaules et ajouta :

— Je ne dis pas que Sandra l'aurait fait, je dis simplement que ses parents avaient peur que cela n'arrive.

— Tu as sans doute raison, concéda Sandra. Mais le plus bizarre, c'est que j'ai grandi en ressentant exactement le contraire. Je n'ai jamais compris pourquoi ils faisaient tant d'efforts pour que Tiffany se sente bien dans sa peau alors qu'elle avait déjà tant de qualités. Elle est vraiment sublime. Grande, mince, blonde. Je pense même que je me suis lancée dans cette boulimie de chaussures à talons pour compenser la différence de taille entre nous. Pour ça et aussi parce que la pointure des chaussures ne change pas quand on prend du poids.

— Pas sûr, fit remarquer Hélène. J'ai récemment pris quelques kilos et mes chaussures me semblent serrées.

— Est-ce que tu vas avoir tes règles ? Juste avant, je gonfle généralement comme un ballon d'eau.

Hélène acquiesça.

— Tu as raison, ce doit être un truc hormonal. De la rétention d'eau. Ce mois-ci je n'ai même pas eu mes règles.

— Une fois ça m'est arrivé trois mois de suite en prenant la pilule, dit Sandra.

Puis, pour répondre à leur air étonné, elle ajouta :

— C'était un essai pour régulariser mon cycle. Cela a fini par marcher mais il n'y a rien eu pendant ces trois mois. Assez génial sauf que je craignais toujours que ça débarque d'une minute à l'autre. Résultat : j'ai porté une protection tous les jours pendant ces trois mois ! J'avais l'impression d'être retombée en enfance avec mes couches ! plaisanta-t-elle.

— Chez moi ça doit être un truc de préménopause, déclara Hélène d'un air contrarié. À partir de trente-cinq ans, ça peut arriver n'importe quand. Alors je suis peut-être en sursis depuis trois ans.

— Je ne crois pas. Tu es encore bien trop jeune ! objecta Joss.

— En tout cas, j'en ai tous les symptômes. Tout le temps fatiguée, un peu nauséeuse, prise de poids, des envies de manger puis pas faim… Quoi ? Qu'est-ce qu'il y a ? Pourquoi me regardez-vous comme ça ?

— Parce que c'est un peu la même chose quand on est enceinte, dit doucement Sandra. Crois-moi, cela fait cinq mois que je vis ça avec ma sœur.

Hélène secoua la tête.

— Non, non. Si je ne prenais pas la pilule, ce serait en effet la première chose dont je m'inquiéterais.

— Alors c'est la pilule ! conclut Lorna. Je n'ai jamais été plus malade que lorsque je la prenais. C'était épouvantable ! Mais tout de même… tu devrais aller voir un médecin.

Hélène repoussa cette idée d'un geste de la main.

— Bon, oublions tout ça ! Je ne suis pas venue pour me plaindre… Et Joss ? Tu n'es pas très bavarde.

Le visage de Joss s'empourpra légèrement, ne faisant qu'accentuer son teint frais de jeune fille.

— En fait, j'aimerais que vous me donniez votre avis sur quelque chose. Vous vous souvenez quand je vous ai dit que je n'arrêtais pas de recevoir des propositions de travail d'autres familles ? Eh bien, figurez-vous que l'autre jour j'ai découvert que Mme Oliver faisait des offres à d'autres nounous !

Lorna eut l'air choquée.

— Quoi ? Tu veux dire qu'elle a proposé ton poste à d'autres et en plus derrière ton dos ?

— Tout juste. Vous ne trouvez pas ça bizarre ?

— C'est un motif suffisant pour que tu résilies ton contrat, maugréa Lorna.

— Tout à fait d'accord, dit Sandra. C'est comme si tu apprenais que ton petit ami sort avec une autre. Ça a dû te faire de la peine.

Joss tourna vers elle un regard chargé de gratitude.

— C'est vrai. Même si je ne trouve pas mes patrons très sympas, j'estime que j'ai vraiment fait du bon boulot pour eux. Les enfants m'obéissent bien, je fais tout ce qu'on me demande et bien plus encore. C'est comme une baffe en pleine figure !

— Mais on t'a contactée, toi aussi, lui rappela Hélène. Avaient-ils déjà une nounou ?

— Je crois. Sauf peut-être Mme Lois Bradley.

— Alors garde-la dans tes tablettes. Au cas où.

— Dans ce monde, c'est tuer ou être tué, dit simplement Lorna.

— Amen.

Ça, c'était Sandra, hochant sa tête toujours couleur asperge.

— Le mieux, c'est que tu consultes un avocat, conseilla Hélène. Montre au moins ton contrat à quelqu'un pour savoir si tu as la possibilité d'en sortir.

— C'est-à-dire que…

— Tu préfères attendre qu'elle te tombe dessus en t'annonçant qu'elle a embauché quelqu'un d'autre à cause d'une faute professionnelle inventée de toutes pièces ?

Lorna n'avait aucune patience avec des gens comme Deena Oliver. Il en passait tout le temps au restaurant et elle n'avait jamais vu la moindre étincelle d'humanité dans leurs yeux.

— Écoute, ajouta-t-elle. Va voir un avocat ! Et ensuite tu pourras décider de ce que tu feras plus tard.

— Tu n'as rien à perdre, renchérit Sandra.

Finalement, Joss déclara qu'elle y penserait, qu'elle consulterait peut-être un de ces avocats qui font de la publicité à la télévision en disant que la première consultation est gratuite.

Mais Lorna eut l'intime conviction qu'elle ne le ferait pas.

— Bon, désolée, les filles, mais il faut que j'y aille ! déclara Sandra vers onze heures du soir. Je suis censée retrouver quelqu'un.

Lorna leva un sourcil inquisiteur.

— Un rendez-vous torride ?

Sandra devint rouge écrevisse mais n'éluda pas la question.

— Oui, avoua-t-elle non sans fierté. Un rendez-vous hyper sympa !

Joss brûlait d'en savoir plus.

— Oh ? Qui est-ce ?

— Un type avec lequel j'allais au lycée. C'est assez drôle, je ne m'étais jamais intéressée à lui… sur le plan romantique en tout cas. Mais maintenant… Il est vraiment super sexy. On se voit beaucoup, ces derniers temps.

Des glapissements de joie accueillirent ce tournant plutôt positif dans la vie de Sandra.

Ses joues s'empourprèrent aussitôt.

— Oh, là, là… je me comporte vraiment comme une gourde ! Je suis désolée, les filles…

Hélène posa une main sur l'avant-bras de Sandra.

— Ne t'en fais pas. Nous sommes toutes très heureuses pour toi. Et je crois que toi aussi, tu l'es. Tu en as l'air, en tout cas. Tu es resplendissante.

— Et tu as perdu beaucoup de poids ! renchérit Joss.

— Et comment ! Plus de treize kilos, répondit Sandra en lançant un poing victorieux vers le plafond. Ça n'a pas été facile !

Lorna sourit. Cela ressemblait si peu à Sandra de se montrer aussi démonstrative.

— Bravo, ma belle !

Les autres se joignirent à ses félicitations, ne tarissant pas d'éloges sur le changement spectaculaire qui s'était opéré en elle.

La soirée se termina sur cette note très positive. Toutes étaient contentes de voir Sandra – si timide et tellement peu sûre d'elle – sortir enfin de sa coquille. Elles mirent donc de côté leurs propres soucis pour fêter l'événement avec leur amie.

Quand tout le monde fut parti, Lorna lava les assiettes et les verres à vin puis fonça sur son ordinateur chéri pour se connecter sur eBay.

Shoe-alacreme avait frappé !

L'enchère sur les Lemer était passée à 37,50 dollars.

Bon. Lorna s'était juré de ne pas parier au-delà de 20 dollars tout en sachant parfaitement que même cette somme était une folie pour son budget.

Mais puisqu'elle allait décrocher un nouveau travail ! Vu tout ce qui était arrivé dans le courant de la semaine, c'était évident. Très bientôt, elle aurait des rentrées d'argent plus conséquentes. Sans compter qu'elle pourrait garder son job chez Jico, ce qui lui permettrait de doubler ses revenus. Bientôt.

Quand trouverait-elle de nouveau des escarpins bicolores comme ceux-ci ? Et *vintage*, en plus ! C'était la *dernière* fois qu'elle aurait cette occasion *unique* de posséder de telles *merveilles*.

Elle imaginait déjà la tête que feraient les *Shoe Addicts*.

L'échéance approchait. Les enchères allaient se terminer dans cinq minutes et quarante-six, quarante-cinq, quarante-quatre…

À toute vitesse, elle tapa 61,88 dollars et retint son souffle.

QUELQU'UN A DÉJÀ SURENCHÉRI annonça l'écran.

Merde !

Elle tapa fébrilement 65,71 dollars.

QUELQU'UN A DÉJÀ SURENCHÉRI.

Lorna colla le nez sur l'écran. *Shoe-alacreme*. Encore elle ! Plus que quatre minutes et dix secondes… *Shoe-alacreme* risquait de décrocher ces merveilles à moins que Lorna ne se secoue les puces.

99,32 dollars.

VOUS AVEZ PROPOSÉ L'ENCHÈRE LA PLUS ÉLEVÉE.

— Ha ! Prends *ça* dans les dents, *Shoe-alacreme* !

Elle cliqua sur ACTUALISER. Elle tenait toujours la plus haute enchère. Super. Les minutes s'écoulèrent avec une lenteur effrayante… Elle cliqua régulièrement sur ACTUALISER. Trois minutes et dix secondes… deux minutes et cinquante secondes… deux minutes et trente-cinq secondes… deux minutes et dix secondes…

Oh, noooon !

QUELQU'UN A SURENCHÉRI.

Comme emportée par un coup de vent, toute logique s'effaça dans l'esprit de Lorna. Elle allait battre *Shoe-alacreme* coûte que coûte !

Il y avait de quoi devenir dingue : cette femme – ou cet homme, on ne sait jamais – était quelque part devant son écran, en train de taper des enchères qui coûtaient une petite fortune à Lorna. Il était hors de question qu'elle laisse gagner cette *Shoe-alacreme*.

À toute vitesse, elle tapa une enchère maximale de 140,03 dollars.

Vous avez maintenant l'enchère la plus haute.

Le prix grimpa à 110,50 dollars – sans doute le maximum de *Shoe-alacreme* – et se stabilisa.

Le cœur battant la chamade, Lorna cliqua frénétiquement sur le bouton ACTUALISER encore et encore, ravie de voir que c'était toujours elle qui tenait l'enchère la plus haute. Moins d'une minute, maintenant. Elle atteignait la ligne d'arrivée. Les bicolores lui appartenaient. Elles n'étaient plus qu'à quelques millimètres… Dans quelques secondes, ce serait officiel.

Dix, neuf, huit… Lorna actualisa la page… cinq, quatre… elle tenait toujours l'enchère la plus haute !… trois, deux, un… elle cliqua de nouveau sur ACTUALISER, certaine de sa victoire.

Et voilà !

152,43 dollars. Gagnant : *Shoe-alacreme.*

Lorna n'en croyait pas ses yeux. Elle en était malade. *Shoe-alacreme* s'était traîtreusement immiscée à la dernière seconde pour lui ravir sa victoire ! Avec une avance de 12,50 dollars ! Seulement 12,50 dollars la séparaient de cette extraordinaire paire d'escarpins bicolores Lemer ? *Vintage*, en plus ? C'était ridicule. À en pleurer !

Shoe-alacreme lui avait *volé* ces chaussures.

Une fois l'affront initial estompé et après avoir retrouvé un peu de bon sens, Lorna se rendit compte que les chaussures perdues auraient coûté bien plus que 12,50 dollars. Elle avait été à deux doigts de débourser 150 dollars, auxquels s'ajoutaient les frais d'envoi, alors qu'elle était en train de perdre son logement.

Ce n'était pas rationnel.

Elle devait se forcer à prendre les choses en main. Ce qui consistait à appeler pour… Elle s'interrompit et réfléchit… Trois. Oui, il lui fallait décrocher trois entretiens d'embauche aujourd'hui. Elle allait passer des coups de fil, faxer des CV et se vendre au plus offrant.

Chapitre 17

— Tu ne vas tout de même pas travailler sur Capitol Hill[1] !

Hélène était arrivée la première à la réunion et Lorna lui avait annoncé qu'elle allait passer un entretien avec le Sénateur Howard Arpege le lendemain matin.

— Ils mettent tout sur le dos de leurs assistantes. Quand ils ne les baisent pas, en prime.

— Quelle horreur ! fit Lorna avec une grimace de dégoût. Mais avec lui, je ne risque plus grand-chose.

Hélène se remémora le vieil Harold Arpege et eut presque un haut-le-cœur.

— Non, mais cela ne l'empêchera pas de faire des tentatives. Ça peut être pire.

— Arrête ! Il est impensable que ce vieux bonhomme songe encore au sexe.

Hélène souleva un sourcil.

— Tu serais étonnée de savoir ce que j'ai entendu sur lui.

— Oh, mon Dieu, ne me dis rien !

1. Quartier historique et très résidentiel de Washington, où se trouvent le Sénat et la Chambre des représentants des États-Unis. *(N.d.T.)*

On frappa à la porte et celle-ci s'entrouvrit.

— Je peux entrer ? demanda Joss en jetant un coup d'œil dans l'entrebâillement.

Lorna se leva.

— Bien sûr. Je vais aux toilettes. Laisse la porte ouverte, comme ça Sandra pourra entrer quand elle arrivera.

Elle disparut au fond de l'appartement et Joss s'installa sur le canapé, à côté d'Hélène.

— Comment s'est passée ta semaine ?

Joss retira une boîte à chaussures de son sac et dévoila une paire de sandales Noel Parker.

— Hé ! J'en avais une paire, moi aussi. Fais voir.

Hélène les prit et les examina. Oui, elle en avait bien possédé une paire. Exactement les mêmes. Jusqu'à la légère tache noire sur le pied gauche. Elle y avait laissé tomber un feutre noir indélébile et n'avait pas réussi à nettoyer la petite marque.

C'est pour cela qu'elle les avait données à Goodwill[1].

— Elles sont fantastiques, dit-elle finalement en les rendant à Joss. Les miennes me manquent. Je les ai tellement portées qu'elles sont complètement usées.

Joss eut l'air soulagée.

— Mais ce sont de bonnes chaussures, n'est-ce pas ? s'inquiéta-t-elle.

— Oh, oui ! Formidables !

Lorna revint au salon et fut perplexe en découvrant Sandra qui venait d'arriver. Depuis qu'elle avait perdu tous ces kilos, c'était la première fois qu'on la voyait porter un joli jean bien coupé et un petit top moulant. À ses pieds, une magnifique paire d'escarpins bicolores à talon vertigineux.

1. Association caritative qui propose dans ses magasins des articles d'occasion remis en état par des personnes en difficulté. *(N.d.T.)*

— Je n'en crois pas mes yeux ! s'exclama Hélène. Ce sont des Lemer ?

Sandra afficha un sourire triomphal.

— Oui. Elles sont top, non ?

Hélène laissa échapper un petit sifflement d'admiration.

— Magnifiques. Ils n'ont fait ce modèle que pendant deux ans, tu sais. Des Lemer bicolores ! Bon sang, où as-tu déniché ça ?

Lorna se précipita vers Sandra.

— Des Lemer bicolores ? Montre-moi ça !

Sandra remonta légèrement une jambe de pantalon pour faire apparaître la chaussure en entier.

— Merde ! souffla Lorna.

Sandra souriait aux anges.

— Je sais ! Tu ne devineras jamais où je les ai trouvées.

— Sur eBay, dit Lorna d'une voix sourde.

Sandra eut l'air choquée.

— Mais comment as-tu deviné ?

— Je n'arrive pas à y croire. C'est toi, *Shoealacreme* ? demanda Lorna d'une voix aiguë qui frisait l'hystérie.

Sandra resta un instant les sourcils froncés, puis elle comprit.

— *Shoe-Bond007…*

— Oui ! hurla Lorna. Sais-tu combien d'argent tu m'as déjà coûté ?

— *Moi ?* Mais tu as fait monter ces merveilles à des prix ahurissants !

Lorna éclata de rire et tendit la main.

— Eh bien, permets-moi de te féliciter, chère rivale. Si j'avais su qu'elles étaient aussi belles, j'aurais probablement fait monter les enchères encore plus haut.

Sandra aussi riait.

— Dieu merci, tu ne l'as pas fait. À ce prix-là, déjà, je

pouvais à peine me les offrir. C'est donc également toi qui as remporté les bottes Marc Jacobs, hein ?

— Eh oui ! Je vais d'ailleurs te les montrer.

— Mais de *quoi* parlez-vous ? demanda Joss, abasourdie. On était censées porter des surnoms ?

Ce qui fit partir Lorna et Sandra dans un incroyable fou rire. Quand elles réussirent enfin à se calmer, elles racontèrent à Hélène et à Joss qu'elles avaient renchéri l'une contre l'autre sur eBay.

Sandra voulut offrir les bicolores tant convoitées à Lorna, mais celle-ci les refusa. Au lieu de cela, elles se mirent d'accord pour une garde alternée des bicolores *et* des bottes Marc Jacobs.

Cet échange donna le ton pour l'une des soirées les plus agréables que le petit groupe ait passé ensemble. C'était drôle, tout de même. Hélène était venue en quête d'une échappée et n'avait jamais espéré s'y faire de *vraies* amies.

— Parle-nous de ce type canon pour lequel tu es devenue tellement mince, dit Joss à Sandra en plongeant la main dans le bol de chips mexicaines.

Sandra sourit et repoussa l'objet de tentation un peu plus loin.

— Pour commencer, j'aimerais que tu éloignes de moi ces trucs.

— Elles ne sont pas frites mais cuites au four, précisa Lorna.

— Vraiment ?

Sandra tendit la main puis se ravisa.

— Non, il ne faut pas que je commence. Trois, ça passe. Mais trente, c'est une autre histoire ! Et je sais que j'en dévorerais trente sans problème.

— Moi aussi, dit Hélène.

À vrai dire, elle avait toujours eu un estomac qui faisait des siennes dès qu'elle mangeait un peu trop de n'importe quoi. Certaines personnes la jalousaient parce qu'elle semblait pouvoir rester mince sans fournir trop d'efforts. Mais se sentir à moitié malade tout le temps était vraiment pénible. Autant qu'un régime.

Et la nervosité n'arrangeait rien.

Ce soir, d'ailleurs, son humeur était catastrophique.

— Continue, Sandra, dit Hélène en s'efforçant d'avoir l'air normale. Tu n'arriveras pas à détourner notre attention avec tes histoires de Doritos. Parle-nous de ce type.

Sandra rougit assez coquettement et le contraste avec ses cheveux verts n'était pas des plus heureux.

— D'accord. Ce garçon, je le connais depuis le lycée. Nous étions tous les deux des gamins obèses. Personne ne s'intéressait jamais à nous. Mais ceux du bahut seraient sacrément étonnés en voyant Mike aujourd'hui.

— C'est son nom ? Mike ? demanda Joss.

— Oui. Mike Lemmington.

Elle rougit encore. Cette fille était bigrement mordue si elle piquait un fard comme ça chaque fois qu'elle pensait à ce type ou prononçait son nom.

— Il est super mignon, continua-t-elle. Je vous assure. Aussi beau qu'un mannequin.

— Et je peux en témoigner, dit Lorna en souriant à une Sandra qui se pâmait de fierté. Je l'ai vu au Jico. Très très mignon. Et très sympa, aussi.

— Ça, c'est la cerise sur le gâteau, renchérit Sandra. Mike est surtout adorable et sensible. Nous pouvons passer des heures à bavarder et à rire. Il est *complètement* en phase avec son côté sensible, ajouta-t-elle en faisant le signe OK du pouce.

— Tu es sûre qu'il n'est pas un peu *trop* en phase avec son moi féminin ? suggéra prudemment Lorna.

Pour Hélène, il était évident que la jeune serveuse avait dû sentir quelque chose que Sandra n'avait pas remarqué.

— Qu'est-ce que tu veux dire ? demanda Sandra, l'air sincèrement intriguée.

— Oh… euh… rien, s'empêtra Lorna. C'est juste qu'à une époque je sortais avec un type qui semblait absolument parfait. Tu vois… beau, sensible… la perle rare. Et finalement j'ai découvert qu'il était gay.

— Oh, mon Dieu ! Ç'a dû être horrible pour toi !

— Vraiment affreux. Et le pire, c'est que je n'avais strictement rien remarqué. Aucun des signes pourtant évidents.

— Je ne voudrais pas passer pour une plouc, intervint Joss, mais comment se fait-il qu'il soit sorti avec toi s'il était homo ?

Lorna haussa les épaules.

— Je suppose que je lui servais de couverture.

— Tu as dû être sacrément furieuse, non ? compatit Joss.

— Et comment ! Si seulement je m'en étais rendu compte avant…

Elle croisa le regard d'Hélène qui s'assura que personne ne la voyait avant d'articuler en silence : *Mike est homo ?*

Lorna acquiesça en faisant une grimace.

Le cœur d'Hélène se serra. Pauvre Sandra. Elle était tombée éperdument amoureuse de ce type, pensant probablement avoir trouvé l'âme sœur, et voilà qu'elle fonçait droit vers une terrible déception.

— Je n'arrive même pas à imaginer ce que tu as dû ressentir, dit Sandra. Franchement, si je ne connaissais pas Mike depuis si longtemps, je m'inquiéterais aussi.

— Est-ce qu'il est sorti avec plein de filles au lycée ? demanda Hélène.

— Non, mais c'est seulement parce qu'il était gros. Ou plutôt, ce qu'il appelle : *handicapé par le poids*. Dans notre lycée, les filles ne s'intéressaient pas à un garçon s'il n'était pas beau ou riche. Et comme la plupart d'entre eux l'étaient, Mike n'avait aucune chance.

— Toi, en tout cas, tu as été plus maligne que les

autres. Est-ce qu'il a des copains… euh… disponibles ? s'enquit Joss, intéressée.

Sandra secoua la tête.

— D'après ce que j'ai pu constater, la plupart de ses amis sont des femmes. Et *ça* me rend dingue !

— Oh, moi non plus, je ne le supporterais pas ! admit Joss. Je préfère le genre cow-boy solitaire, sombre et ténébreux.

— Là, tu vas au-devant de complications, la prévint Hélène.

Elle pensait à son propre mari, lui aussi sombre *et* ténébreux. Mais son mariage était le coin obscur de sa psyché et elle ne voulait pas l'examiner de trop près pour l'instant.

— Fais-moi confiance, ajouta-t-elle, un peu triste. Rien ne vaut un comptable insipide qui conduit une voiture raisonnable et se souvient de la date de ton anniversaire.

— Amen, conclut Lorna.

— Tiens, c'est ce genre de type que ma sœur a épousé, dit Sandra. Il est banquier et sa voiture n'est pas si raisonnable que ça puisque c'est une grosse allemande. Mais c'est un type insipide.

— C'est ce qui compte. Et c'est aussi une bonne chose que ta sœur soit enceinte, n'est-ce pas ?

— Exact. Au fait, je vous ai raconté qu'elle avait été adoptée ?

— Oui.

— Figurez-vous que j'en apprends tous les jours. Elle m'a avoué qu'elle manipulait totalement les parents en leur faisant le coup du « vous ne m'aimez pas autant que Sandra parce que je suis adoptée ».

— Elle t'a dit *ça* ? demanda Lorna.

Sandra prit une chips mexicaine et acquiesça.

— Oui. Elle l'a admis. Elle s'est montrée parfaitement honnête.

— Ça t'a rendue furieuse ?

— Non, au contraire. Ça m'a remonté le moral. Pendant toutes ces années je croyais qu'ils l'aimaient plus que moi, en fait, ils essayaient seulement de la rassurer.

Elle pouffa de rire, et ajouta :

— Et elle n'était même pas déprimée ni malheureuse. Elle les faisait marcher pour ne pas se faire punir ou pour obtenir plus d'argent de poche…

— Et toi tu n'as rien soupçonné pendant toutes ces années ? s'étonna Joss. C'est comme dans les films. Ça peut arriver dans la vie réelle ?

— Oh, tu serais surprise de voir les trucs bizarres qui arrivent dans la vie réelle ! commenta Hélène.

— C'est bien vrai, renchérit Lorna en se levant. Qui reprend un peu de vin ? Sandra, j'ai de l'eau pétillante si tu veux couper le tien. C'est ce que je vais faire avec le vin que nous a apporté Joss.

— Je veux bien essayer, moi aussi ! dit Hélène.

— Pas pour moi, en tout cas ! protesta Joss. Maintenant que j'ai enfin vingt et un ans, je veux boire mon vin pur.

— Pas de problème, ma petite !

Lorna rit et se rendit à la cuisine pour y prendre le vin.

— Bon, dis-moi tout, Hélène ! commença Sandra. C'est mon imagination ou tu as encore maigri, ces derniers temps ? J'espère que tu ne fais pas un régime.

— Non, non.

Hélène s'efforçait de se montrer joyeuse, mais elle était à deux doigts de se sentir mal. Elle prit une profonde inspiration comme le lui avait ensigné son professeur de yoga.

— Ce sont juste les nerfs, ajouta-t-elle.

Tout le monde se rapprocha, y compris Lorna qui apportait un plateau avec des verres de vin.

— Qu'est-ce qui se passe ? demanda-t-elle en en tendant un à Hélène.

— Rien.

Lorna regarda les autres, puis insista :

— Tu n'as pas l'air en forme, ma belle. La semaine dernière tu étais fatiguée mais cette semaine tu sembles fatiguée *et* secouée. Tu as de gros soucis ?

— Si tu as envie d'en parler, tu peux nous faire confiance, l'encouragea Joss en lui posant une main sur l'épaule.

Hélène trouva ce geste si gentil, si apaisant qu'elle en eut les larmes aux yeux.

— Oh, non voyons… Ça va aller, renchérit Sandra en étreignant son autre épaule.

En un clin d'œil, Hélène se retrouva au milieu d'un gros câlin de groupe, pleurant toutes les larmes de son corps.

C'était extrêmement gênant, mais cela lui faisait un bien fou. Enfin, elle pouvait évacuer tous les chagrins accumulés durant toutes ces années. Enfin.

— Je suis désolée, fit-elle finalement en se redressant. Je suis dans un état lamentable.

Tous les regards convergèrent vers elle.

— Comment pouvons-nous t'aider ? demanda Sandra.

Hélène hésita. C'était l'occasion de parler à quelqu'un de cet homme qui la suivait sans qu'on se moque d'elle ou qu'on la rejette comme l'avait fait Jim. Après tout, c'était Lorna qui avait été la première à le remarquer.

Mais si elle le leur disait, ses amies risquaient de s'inquiéter et, ça, Hélène ne le voulait pas.

— Oh, je sens que tu te défiles, dit Sandra en lui serrant l'épaule. On ne me la fait pas ! Il y a deux secondes, tu étais prête à nous le confier et maintenant tu es en train de changer d'avis. Pas vrai ?

Hélène ne put s'empêcher de rire.

— Tu devrais être psy. Les gens pourraient te consulter par téléphone et tu ferais fortune.

Les joues de Sandra s'enflammèrent et Hélène s'en voulut aussitôt d'avoir tourné son inquiétude en dérision.

Mais avant qu'elle puisse dire quoi que ce soit, Lorna intervint :

— Pourquoi as-tu peur d'en parler ?

— Je n'ai pas *peur*, commença Hélène, puis elle regarda ces femmes.

Ses amies. Car elles étaient ses *amies*.

— Bon, d'accord, j'ai peur, admit-elle. Lorna ? Tu te souviens quand tu m'as téléphoné il y a quelques semaines parce que tu pensais que quelqu'un me suivait ?

— Oui, bien sûr.

— Tu avais raison.

Lorna ouvrit des yeux grands comme des soucoupes.

— Ah oui ? J'en étais certaine ! Ce fils de pute est dehors, sur le parking, chaque fois que tu viens ici. Et moi qui continuais à me dire que c'était une coïncidence ou qu'une bande de malfrats se retrouvait également dans le coin tous les mardis soir… Qui est-ce ? On y va et on lui fait la peau !

Elle avait l'air prête à passer à l'action.

— Une minute ! De quoi parlez-vous, toutes les deux ? demanda Sandra. Du type que tu avais mentionné le premier soir où j'étais remontée chercher mon sac ?

Lorna acquiesça.

Sidérée, Sandra laissa échapper un faible sifflement.

— Et qui est ce type ? s'enquit Joss. Pourquoi te suivrait-il ?

— Le mari d'Hélène est un homme assez puissant, expliqua patiemment Sandra. Il se présentera peut-être même un jour pour les présidentielles.

Hélène sentit une nouvelle vague de nausée monter en elle.

— Je sais *qui* est son mari, dit Joss. Et vous croyez que quelqu'un suit Hélène pour essayer de la surprendre en train de faire quelque chose de mal ?

Puis, tournant ses yeux bleu layette vers Hélène, elle ajouta :

— Tu crois que c'est ça ?

— Je l'ignore. Tout ce que je sais, c'est qu'il connaît mon adresse. Quand je sors de chez moi, il apparaît quelques pâtés de maisons plus loin et, quand je rentre, il change de direction à la dernière seconde. Il est toujours collé à mes basques et je n'arrive pas à savoir où il va après m'avoir filée.

— Ça demande en effet une technique de conduite assez sophistiquée, admit Joss en fronçant les sourcils. Je connais un gars, chez moi à Felling, qui est excellent dans ce genre de truc. Quand ils sont venus tourner *Runaway Truck* dans la ville d'à côté, il a même fait des cascades pour eux.

Hélène ne put s'empêcher de sourire en pensant aux habitants de la petite ville de Joss qui s'excitaient pour le tournage d'un film avec un titre comme *Runaway Truck*. Dans le bourg où elle avait grandi, c'était un peu pareil. Oh, bien sûr, il y avait quelques intellectuels, quelques artistes, un peu de tout… mais si peu ! Si on avait projeté la première de ce film dans leur petit cinéma, des voyous auraient pu cambrioler n'importe quelle maison sans se faire pincer.

— Et toi, tu n'as pas fait de cascades ? demanda Sandra.

Joss rit.

— Non, pas vraiment ! Mais je suis douée pour faire le guet.

— Ça pourrait être utile, commenta Sandra en portant le verre à ses lèvres.

— Stop ! Personne ne boit !

Sandra reposa aussitôt son verre comme si elle venait juste de voir un cafard nager dedans.

Joss se dépêcha d'avaler une gorgée avant de poser le sien.

Hélène, quant à elle, n'y avait même pas touché, tellement elle avait la nausée.

— Mais qu'est-ce qu'il y a ? demanda Sandra. Tu m'as fichu une de ces trouilles !

— Désolée, les filles ! J'ai une idée, annonça fièrement Lorna. Une *super* idée.

Elle se leva, fonça vers la cuisine et éteignit la lumière en y entrant.

— Tu as perdu la tête ? demanda Sandra. Qu'est-ce que tu fabriques là-bas ?

Mais Hélène commençait à comprendre où Lorna voulait en venir.

— Il est là ?

Lorna sortit de la cuisine avec la mine gourmande de Gros Minet qui a attrapé le canari.

— Figurez-vous que oui.

— Et quel est ton projet ? demanda Sandra. Sortir pour lui faire la causette ?

— Non, bien sûr.

— Il filerait immédiatement, ajouta Hélène.

— Exactement, approuva Lorna.

— Alors, c'est quoi, ton idée ? demanda Joss, impatiente. Appeler la police ?

— Je l'ai déjà fait, dit Hélène. Ils ne peuvent intervenir que s'il me blesse ou me tue.

— Mais on ne peut pas le laisser te trucider, tout de même ! s'écria Joss.

— Non, on va simplement le prendre à son propre jeu, proposa Lorna.

— Ah, d'accord, fit Sandra. Je vois où tu veux en venir.

Le visage de Joss reflétait son désarroi.

— Moi pas. Je me sens tellement gourde de ne pas comprendre…

Lorna s'assit en face de ses amies.

— Bon, voilà ce qu'on va faire…, commença-t-elle à voix basse comme si le suspect pouvait l'entendre. On va communiquer entre portables…

Hélène commençait à prendre goût à cette aventure.

— D'accord…

— Hélène partira la première en voiture, continua Lorna. Comme d'habitude, le type va la suivre, c'est ça ?

— Absolument, dit Hélène.

— Parfait. Et toi, tu as une voiture, Joss ?

— Non, je prends le bus.

— Alors tu vas monter avec Hélène et surveiller le bonhomme.

— Mais est-ce qu'il va tout de même la suivre si elle est accompagnée ? demanda Sandra.

— Très juste. Qu'en penses-tu, Hélène ?

— Je n'en sais rien. Je n'ai jamais vu personne dans la voiture. Mais il ne prendra peut-être pas ce risque.

— Je suis assez maladroite au volant, fit remarquer Sandra. Joss pourrait éventuellement conduire ma voiture. Ça ne t'ennuierait pas, Joss ?

— Non, pas du tout.

— Super ! s'enthousiasma Lorna. Donc, Sandra et Joss, vous partez directement derrière Hélène pour surveiller ce que fait notre bonhomme au cas où Hélène ne le verrait pas dans son rétroviseur. Quant à moi, je vais rouler derrière vous afin de pouvoir le filer si jamais il change de direction.

— C'est un projet complètement dingue ! déclara Sandra. Mais j'adore !

— Moi aussi, dit Lorna.

Puis, se tournant vers Hélène, elle demanda :

— Tu crois qu'il te suivrait jusqu'à River Road, près d'Esworhy ? C'est un peu à l'écart.

— Il m'a déjà suivie sur la 270 jusqu'à Frederick, a tourné sur la 355 jusqu'à Germantown et il est arrivé à me coller sur tout Wisconsin Avenue sans s'arrêter une seule fois à un feu rouge. Je suis persuadée qu'il me suivra de l'autre côté du Potomac. Un jeu d'enfant.

— En effet, reconnut Lorna.

Puis elle se leva, prit un crayon et un papier pour commencer à tracer une carte rudimentaire.

— Est-ce que tout le monde connaît cet endroit, tout près des écluses ? demanda-t-elle.

— Je prenais des cours d'équitation là-bas, dit Sandra.

— Et moi j'y retrouvais Jim, dit Hélène. Enfin, je veux dire… quand nous avions encore des rendez-vous d'amoureux !

— Bien. Vous connaissez la partie de Siddons Road qui tourne comme ça ?

Elle dessina le tracé inhabituel en double D de Siddons Road et tout le monde acquiesça.

— Essayons la chose suivante : toi, Hélène, tu te gares là…

Elle fit une croix.

— Sandra et Joss vont le bloquer de ce côté et moi j'arriverai de l'autre. Pour filer, il n'aura pas d'autre solution que de bousiller sa voiture contre le mur ou de se jeter dans le Potomac.

— Et s'il décide de bousiller une de nos voitures à nous ? demanda Joss.

Lorna se tapota le menton du bout de l'index.

— Hmmm… tu as raison.

Hélène avait adoré ce plan jusqu'à ce que Joss mette le doigt sur ce risque évident et sérieux. Elle ne voulait pas que quelqu'un soit blessé et encore moins par sa faute.

— Dans ce cas, l'une de nous pourra toujours appeler police secours.

— Parfait ! lança Lorna en claquant des doigts.

— Je suis partante ! piailla Joss, excitée comme une puce.

Dire qu'Hélène avait failli ne rien leur révéler... Et voilà qu'elles frétillaient toutes comme de jeunes chiens de chasse, prêtes à se lancer tête la première dans Dieu sait quoi.

— Étant la plus vieille de la bande, je pense vraiment que je devrais vous convaincre de ne pas vous engager dans cette aventure, dit Hélène, les yeux embués de larmes. Mais vous ne pouvez pas savoir combien cela me touche que vous teniez assez à moi pour prendre tous ces risques.

— Tu plaisantes ? s'étonna Sandra, tout agitée. Je n'ai jamais rien connu d'aussi excitant de ma vie ! Allez, on y va !

Elles se levèrent et rassemblèrent leurs affaires, jacassant nerveusement à propos de cette expédition qui allait résoudre le problème une fois pour toutes.

Hélène attendit Lorna avant de sortir.

— Merci mille fois, lui dit-elle en réprimant ses larmes.

Elle ignorait pourquoi elle était si émotive ces derniers temps, mais s'il existait de bonnes raisons de pleurer, celle-là en était une.

Lorna parut surprise.

— Pourquoi ?

Hélène eut un mal fou à endiguer le flot de larmes qui menaçait d'inonder ses joues.

— Pour tout. D'avoir eu cette idée et de rallier les troupes. Et, pour commencer, d'avoir donné naissance à ce groupe. Vraiment, merci.

Lorna l'étreignit juste assez longtemps pour lui montrer qu'elle était sincère.

— Il n'y a pas de quoi.
— Je suis décidément dans un sale état.
— Pas du tout. Mais tu aurais de bonnes raisons de l'être. Allez, viens ! dit-elle avec le geste du général commandant ses troupes. On va avoir la peau de ce saligaud ! Il regrettera de t'avoir fait des misères.
— J'en suis certaine. Attends…
Lorna s'arrêta et se tourna vers elle.
— … c'est juste une intuition, mais tu regardais souvent *Scooby-Doo* quand tu étais petite ?
Lorna sourit.
— Tous les samedis matin.

Chapitre 18

Sandra était soulagée que ce soit Joss qui conduise. Même installée sur le siège passager, elle pouvait sentir son cœur battre à tout rompre.

Pourtant, ces derniers mois, elle avait fait d'incroyables progrès pour sortir et rencontrer des gens, vivre autre chose que son train-train à la maison. Mais elle n'avait pas encore tout à fait atteint le niveau « course-poursuite à plein pot ».

À vrai dire, elle était excitée comme une gamine de participer à cette aventure. Elle n'avait encore jamais pris part à quelque chose d'important ou de passionnant. Même quand elle répondait aux appels de ses clients – ou peut-être *justement* à cause d'eux – elle avait l'impression de perdre son temps et le leur. Seulement voilà, il lui fallait bien gagner des sous pour vivre, non ?

— Cela fait une éternité que je ne me suis pas autant amusée, déclara Joss.

— Cela ne m'étonne pas. Ça doit être mortel de rester coincée dans cette grande maison à jouer les Cendrillon tout le temps.

Joss haussa les épaules.

— Oh, ce n'est pas trop mon truc de me plaindre… mais je dois avouer que c'est vraiment la barbe. J'ai pourtant l'impression aider ces gamins. Surtout le plus jeune. Je pense honnêtement avoir une bonne influence sur son comportement.

— Combien de femmes disent la même chose pour justifier le fait qu'elles restent dans une situation à la limite du supportable ? interrogea Sandra. Bon, il est vrai que c'est souvent d'un homme qu'elles parlent, mais le résultat est le même. Tu ne peux pas te sacrifier sur l'autel de Deena Oliver parce qu'elle est une mauvaise mère. Quelle que soit la manière dont tu vois les choses, tu ne seras toujours qu'une employée.

— Mais…

— Tu ne peux pas réparer ce qui ne va pas dans leur famille.

— Je sais, soupira Joss. Et parfois je me demande si ça ne leur fait pas plus de mal que de bien de voir leur mère traiter quelqu'un avec un tel mépris. C'est plutôt un mauvais exemple, non ?

— Dis-toi que ce n'est peut-être pas un métier pour toi.

— Peut-être pas, en effet. Malheureusement, j'ai signé ce satané contrat.

— Je sais, on en a déjà parlé et c'est tout à ton honneur de vouloir le respecter à la lettre. Mais si ta patronne est prête à le rompre, pourquoi hésiter ?

Joss resta silencieuse pendant quelque temps et Sandra eut l'impression que son amie envisageait sérieusement cette solution pour la première fois.

— Tu as sans doute raison, finit-elle par répondre.

— Je sais bien. Et dis-toi que tous ces trucs qu'on te pousse à faire en plus ne sont pas marqués dans ton contrat.

— Non, c'est certain.

— J'ai une idée. Je connais un avocat qui accepterait sûrement de t'accorder une consultation par téléphone.

Sandra comptait effectivement un avocat parmi les

hommes qui l'appelaient régulièrement. Sans doute serait-il possible d'organiser une consultation anonyme avec ce client afin qu'il puisse conseiller Joss.

— Ça t'intéresserait ?

Joss lui jeta un regard chargé de reconnaissance.

— Tu es vraiment adorable, dit-elle avec un sourire parfaitement ingénu. Tu ferais ça pour moi ?

Sandra fut surprise de se sentir touchée par sa réaction. Elle n'avait jamais eu d'amis très proches et, depuis peu, elle réalisait combien c'était important.

La manière dont le cours de sa vie avait récemment changé était absolument incroyable : Mike… les Weight Watchers… cette conversation hallucinante avec Tiffany…

Sandra n'avait jamais été aussi heureuse.

— Je serais ravie de te rendre ce service, dit-elle.

Puis, gênée par ses propres émotions, elle regarda la route devant elle et ajouta :

— Nous allons tourner à gauche dans environ cinq cents mètres.

La voiture bleue roulait toujours devant elles, sauf qu'une Land Rover s'était immiscée entre les deux véhicules. Dans un grand tournant, Sandra nota même que la BMW noire d'Hélène les distançait sérieusement.

Le téléphone de Sandra sonna. Elle mit le haut-parleur. C'était Lorna.

— Salut, les filles ! Je suis juste derrière vous. Vous êtes toujours partantes ?

— Bien sûr ! Joss va vérifier avec Hélène.

— Cool ! Est-ce que notre bonhomme est là aussi ?

— Oui, oui. Je le vois, annonça Sandra. Il est à une centaine de mètres d'Hélène.

— On est complètement dingues, dit celle-ci quand Joss parvint à la joindre. Est-ce que l'une de vous a quelque chose qui puisse nous servir d'arme ? Un parapluie ? Un cric ?

— J'ai du gaz lacrymogène, répondit Sandra qui l'avait entendue dans le haut-parleur.

— Ouah ! Vraiment ? s'extasia Joss, impressionnée.

Sandra lui montra le petit vaporisateur accroché à la chaînette de sa clé de contact.

— Et moi j'ai une laisse de chien en métal dans ma boîte à gants, renchérit Lorna. En la faisant tournoyer, on obtient une arme redoutable.

— Dis donc, Lorna, tu n'as pas d'aveu à nous faire ? plaisanta Sandra. Pourquoi gardes-tu une chaîne dans ta boîte à gants ? C'est pour attacher qui ?

— J'en ai toujours une sur moi, répondit Lorna. Au cas où une amie aurait besoin de pourchasser un harceleur en voiture bleue.

Tout le monde éclata de rire.

— Bon, je raccroche, annonça Hélène. C'est votre dernière chance de quitter le navire.

— C'est hors de question ! protesta Lorna.

— Nous sommes toutes avec toi, dit Sandra et, à son grand étonnement, les dernières traces d'appréhension disparurent. On va aller jusqu'au bout, maintenant !

La route devant elles était plongée dans les ténèbres et s'engageait dans un endroit complètement perdu.

Il fallait qu'elles agissent vite.

Comme convenu, Hélène arrêta la voiture et la gara sur le côté. Joss fit crisser ses pneus en tournant pour piler à la dernière seconde. Puis ce fut au tour de Lorna, qui bloqua tous les passages, n'offrant pour toute échappatoire qu'un plongeon dans la rivière.

Elles laissèrent leurs phares allumés et Sandra remarqua que le type, pris en étau, contemplait l'eau d'un air hésitant.

Puis tout se passa très vite, laissant peu de temps à la réflexion. Elles sautèrent hors de leurs voitures et cernèrent l'homme qui sortait un pied de la sienne avec méfiance.

Joss jeta le porte-clés vers Sandra :

— Tiens ! Je ne sais pas me servir de ce truc.

Hélène avançait déjà sur lui.

— Je me doutais que c'était vous ! s'exclama-t-elle, la voix tremblant de colère. Pourquoi me suivez-vous ?

Le type s'extrayait de la voiture tout en gardant les mains en l'air bien visiblement. Soit il était déjà passé par ce genre de situation, soit il avait vu trop de séries policières.

— Bravo, mesdames ! Vous êtes très efficaces ! dit-il du haut de son mètre soixante-dix.

Son visage aux traits réguliers était plutôt inintéressant et, avec le brushing de ses cheveux blonds, on aurait dit un acteur de feuilleton à l'eau de rose.

En d'autres termes, il ne semblait pas très menaçant.

— Qui êtes-vous ? demanda Lorna.

— Il s'appelle Gerald Parks, intervint Hélène. C'est un photographe qui essaie de me faire chanter.

— Je ne suis pas photographe. Je suis détective privé.

— Ah, oui ? C'est nouveau, ça ! s'exclama Hélène, tout de même troublée par cette révélation.

— Non, non, je l'ai toujours été.

— Je ne pense pas que les détectives privés aient pour habitude de faire du chantage, insista Sandra.

— Le chantage n'était qu'un prétexte. C'est ce qu'on m'a dit de vous raconter.

Lorna avança, le bras tendu. La chaîne métallique brillait dans la lumière des phares.

— D'accord. Admettons. Et qui vous a embauché ?

Sandra eut du mal à s'empêcher de rire. Lorna et sa chaîne avaient vraiment l'air redoutables.

En voyant son arme de fortune, il fit une drôle de grimace.

— Vous êtes complètement folles ou quoi ?

Joss ouvrit le clapet de son téléphone et le brandit

devant elle tandis que Lorna fouettait l'air avec sa chaîne, comme un dresseur de fauves.

— Merde ! Vous êtes vraiment folles ! souffla Gerald. Ou alors vous avez vos règles !

Lorna fit siffler la chaîne encore plus près de lui.

— Rien de plus dangereux qu'une femme folle accusée d'avoir ses règles par un homme des cavernes.

La chaîne effleura le sol, à quelques centimètres du revers de son pantalon.

— Arrêtez ! hurla-t-il.

— Qui vous paye pour suivre Hélène ? insista Lorna en approchant d'un pas.

— Je ne vous le dirai pas ! cria-t-il. Vous pouvez me battre avec votre putain de laisse autant que vous le voudrez ! C'est confidentiel.

Son regard passa rapidement de l'une à l'autre et s'arrêta sur Joss.

— Qu'est-ce que vous faites, bon sang ! Si vous appelez la police, c'est *vous* qui allez avoir des problèmes. De sacrés problèmes !

— Je n'appelle pas la police, rétorqua Joss d'une voix calme. C'est pire que ça. Je prends une vidéo de vous, en train de trembler de peur devant quelques faibles femmes sans défense. Je dois dire, Gerald, que ce n'est pas un spectacle très flatteur ! Je dirais même que c'est assez rigolo. Sur Internet, ces images vont faire un tabac !

Puis elle sortit l'atout maître :

— Vous vous souvenez de *Star Wars Kid* ? Le pauvre Raza était partout. Des centaines de millions d'Internautes ont pu voir sa vidéo. Avouez que ce serait terriblement embarrassant, non ?

— Bon, d'accord, d'accord ! lâcha Gerald en levant de nouveau les mains. Inutile d'en arriver là.

Puis, se tournant vers Hélène, il ajouta :

— Je vais vous dire la vérité.

Sandra se rappela l'histoire de Luis au sujet d'Hélène

et du vol de chaussures. Si c'était réellement un détective, avait-il quelque chose à voir avec cette affaire ? Devrait-elle trouver un moyen de l'arrêter avant qu'il en parle et mette tout le monde au courant ?

Indécise, elle resta pétrifiée.

— Je vous écoute, dit Hélène d'une voix posée.

Sandra serra les dents, anticipant la réponse.

— Je ne sais pas pourquoi il m'a demandé de vous faire du chantage. Sans doute pour vous effrayer ou vous garder sous sa coupe. Aucune idée. Je ne pose pas de questions. On me paye et j'exécute les ordres.

— Qui vous a payé ? insista Hélène. Qui vous a embauché ?

Elle semblait au bord du malaise.

— Votre mari.

— Mon mari, répéta-t-elle d'une voix morne, ses soupçons enfin confirmés.

— Ouais. Demetrius Zaharis.

Sandra se précipita vers Hélène et la prit par le bras pour l'aider à se tenir debout.

— Et pourquoi est-ce qu'on devrait vous croire ? demanda Lorna, déconcertée par l'énormité de cette révélation.

— Parce que c'est vrai ! dit Gerald d'un ton sec. Regardez, j'ai même son numéro privé sur mon portable.

Il dirigea une main vers la poche de sa veste.

— Doucement, fit Sandra, adorant le côté *Cagney et Lacey*[1] de cette aventure. Posez-le par terre et poussez-le vers elle avec le pied.

C'était une excellente précaution de sécurité.

Joss pouffa de rire mais réussit à simuler une quinte de toux.

1. Série américaine des années quatre-vingt décrivant la vie agitée de deux femmes détectives dans les quartiers difficiles de New York. *(N.d.T.)*

Sandra s'efforça de ne pas en faire autant quand Gerald obtempéra et donna un coup de pied au téléphone.

Hélène le ramassa et y jeta un coup d'œil.

— En effet. C'est bien ça.

— Appelez-le, Parks ! ordonna Lorna. Il faut qu'Hélène vous entende lui parler.

— Oui, appelez-le ! confirma froidement Hélène.

Sandra prit le téléphone des mains d'Hélène et le renvoya à Gerald.

— Que voulez-vous que je lui dise ? demanda-t-il à Lorna.

— Qu'est-ce que vous lui racontez habituellement à la fin de la soirée ?

— Je lui fais un rapport sur ce qu'elle a fait et où.

— Alors exécution ! Mais interdiction de parler de notre rencontre, ça va de soi !

Puis, se tournant vers Joss :

— Tu filmes toujours ?

— Oui. J'ai déjà déchargé la première partie et là, je recommence à filmer.

— La technologie moderne est formidable, tout de même. Vous ne trouvez pas ? dit Lorna en prenant Gerald à témoin.

Il haussa les épaules et composa le numéro. Puis il actionna le haut-parleur.

— Ça ne t'ennuie pas si on entend aussi cette conversation ? chuchota Sandra à l'intention d'Hélène.

Celle-ci secoua négativement la tête.

— Zaharis.

— Parks à l'appareil.

— Qu'est-ce que vous avez pour moi ?

— Rien de particulier. Vous êtes chez vous ?

— Non, je suis… chez des amis. En quoi cela vous regarde ?

Sandra sentit Hélène se raidir.

— Bon, elle est à la maison maintenant. D'abord elle s'est rendue chez les nanas de Rafferty et y est restée pas mal de temps.

— Il s'est passé quelque chose de spécial ?

Même sous la faible lumière des phares, Sandra vit Gerald rougir.

— Non. La même chose que d'habitude.

On entendit une voix de femme à l'arrière, mais il était impossible de comprendre ce qu'elle disait.

Gerald lança un coup d'œil vers Hélène.

— C'est tout.

— Compris. Ciao.

Jim Zaharis coupa la communication.

Sandra était dégoûtée. Quel sombre crétin, ce Zaharis ! Il avait la chance d'avoir une épouse adorable et faisait l'imbécile avec une autre femme. Et dire qu'il avait le toupet de faire suivre Hélène par un détective pendant qu'il la trompait ! Et ce *Ciao* débile… C'était à vomir !

— Je ne veux pas rentrer chez moi, dit doucement Hélène.

— Viens à mon appartement, proposa immédiatement Sandra. Et si vous veniez toutes chez moi pour qu'on parle de tout cela ensemble.

Gerald, qu'elle avait un peu oublié, intervint :

— Oui, pourquoi pas ?

— Pas *vous* ! lança Lorna. Vous êtes dingue ou quoi ?

Hélène se tourna vers Gerald.

— Qu'est-ce que vous lui avez raconté à mon sujet ?

Il la regarda dans les yeux.

— Juste ce que vous faites, où vous allez, qui vous voyez et pendant combien de temps. C'est ce qu'il m'a demandé.

— Avez-vous… ?

Elle hésita puis s'éclaircit la gorge avant de continuer :

— Lui avez-vous dit autre chose ?

— Vous voulez parler du fait que votre nom n'est pas vraiment Hélène et que vous n'êtes jamais allée dans l'Ohio et encore moins née là-bas ?

Il secoua la tête, les yeux toujours rivés sur ceux d'Hélène.

— Non, je ne lui ai rien révélé de tout ça. Pas encore.

Chapitre 19

— Et si je préparais du thé ? proposa Sandra quand elles furent toutes installées dans son salon. Hélène, tu as l'air de quelqu'un qui aurait besoin d'une bonne tasse de thé pour te remonter.

— Merci, je veux bien.

— Prends quelques inspirations profondes, suggéra Lorna, installée à côté d'elle. Tu as passé une soirée épouvantable.

— Non, non, ça va aller.

Sandra revint de la cuisine avec une tasse de Earl Grey et la tendit à Hélène avant de s'asseoir sur le sol, en face d'elle.

— Écoute, tu peux rester ici aussi longtemps que tu le voudras, d'accord ?

Hélène sourit.

— Merci, mais je vais rentrer à la maison ce soir. Il va falloir faire face à cette situation tôt ou tard.

— N'est-ce pas plutôt à Jim de faire face à ses conneries ? demanda Joss. C'est lui qui a embauché un détective pour te suivre.

— Si le détective n'avait pas découvert des renseignements aussi juteux sur moi je n'hésiterais pas à me confronter à lui. Mais là…

Elle leva un sourcil et ajouta, mi-figue, mi-raisin :

— Et ne prétendez pas que vous ne crevez pas d'envie d'en savoir plus !

— Tu n'as pas à nous dire quoi que ce soit, dit Lorna.

Pourtant, elle était follement curieuse de comprendre à quoi Gerald faisait allusion quand il disait qu'Hélène… eh bien… n'était pas Hélène.

— Tu n'es vraiment pas obligée, renchérit Sandra et Joss acquiesça.

— Vous êtes de sacrées menteuses, les filles ! s'esclaffa Hélène. Mais pour être franche, j'avoue que ça me ferait le plus grand bien de mettre cette histoire sur le tapis. Cela fait tant d'années que je cache tout ça.

Elle prit une gorgée de thé et ses amies attendirent, en retenant littéralement leur souffle, qu'elle continue à parler.

— Gerald a raison. Le nom qui m'a été donné à la naissance est Helena. Helena Sutton.

— C'est pratiquement la même chose ! protesta Joss.

— Ce n'est pas du tout la même chose. J'ai grandi à Charles Town, près de l'hippodrome. Le moins qu'on puisse dire, c'est que ce n'est pas un quartier très… fréquentable. Il m'est souvent arrivé de devoir aller à l'école pieds nus. Authentique. Pas très glamour, tout ça !

— Ohhh.

Joss semblait au bord des larmes.

Lorna n'en était pas loin.

Mais Hélène leva une main :

— Non, non, pas de pitié, je vous en prie. Je dis seulement la vérité. Et comme vous le savez toutes, je mène maintenant une vie de privilégiée, alors vous n'avez aucune raison de me plaindre. Bref, inutile de préciser que mon passé a été assez sordide. Pour ma famille, en tout cas. Mon père alcoolique était violent avec nous. Quand maman est morte, le médecin a dit qu'elle avait eu une attaque cardiaque, mais je suis sûre que c'était pour avoir été trop souvent brutalisée par mon père.

Hélène prit une autre gorgée de thé et Lorna remarqua ses mains tremblantes.

— A-t-il jamais été inquiété pour ça ? demanda Sandra.

— Oh, que non ! Ce n'est pas ainsi que ça fonctionnait, là-bas. De toute façon, je ne peux rien prouver, même si c'était réellement la faute de cet homme si sa vie était un tel fiasco. Mais bon, ajouta-t-elle en haussant les épaules, elle a choisi son propre enfer. Nous le faisons tous.

Lorna pensa à ses dernières liaisons, à celles qu'elle avait supportées pendant trop longtemps, simplement par paresse ou par peur de se retrouver toute seule.

— C'est vrai, admit-elle.

Sandra, elle aussi, hocha la tête, le regard perdu au loin.

— Alors, c'est tout ? C'est tout ce que ce type sait de toi ? demanda Lorna. Pas très compromettant, tout ça ! Je dois avouer que je m'attendais tout de même à quelque chose d'un peu plus croustillant.

Hélène éclata de rire.

— Bon, rassurez-vous, je n'ai *tué* personne. Mais le truc, c'est que j'ai inventé toute une histoire qui n'est pas la mienne. J'ai inventé un passé fictif, j'ai prétendu avoir grandi dans le Midwest, je me suis attribué des parents morts qui étaient adorables et venaient d'un milieu tout à fait enviable. J'étais cheerleader[1] et vice-reine de beauté du campus lors de ma dernière année à la fac.

— Seulement vice-reine ? demanda Sandra. Pourquoi pas reine tout court ?

Hélène sourit.

— Il fallait que ça semble réaliste. J'ai ajouté une petite déception fictive à ma vie imaginaire pour qu'elle ne paraisse pas trop parfaite.

1. Majorette qui stimule l'enthousiasme des équipes sportives et leurs supporters. *(N.d.T.)*

— C'est assez marrant ! s'exclama Joss. Nous devrions tous faire ça : inventer la personne qu'on voudrait être. Les gens seraient probablement beaucoup plus heureux sans toutes leurs valises du passé à traîner derrière eux.

— Et quand Jim est arrivé, tu travaillais à Garfinkels, c'est ça ? demanda Lorna.

— Et j'allais à la fac.

— Alors cela s'est vraiment terminé comme l'histoire de Cendrillon, fit remarquer Lorna. Enfin dans une certaine mesure. Tu auras eu ton palais à défaut du prince.

— Oh, Jim avait tout d'un prince, au début, dit Hélène en souriant à quelques souvenirs heureux. Il n'est pas complètement mauvais garçon, même maintenant. C'est un homme plutôt bien, dans l'ensemble. Comme mari, en revanche, il est moyen-moyen.

Moyen-moyen ? Lorna avait envie de hurler :

Mais il te trompe et te fait suivre par un détective !

Elle n'en fit rien. Si Hélène avait pris la décision de rester avec un sale type capable d'agir ainsi, ce n'était pas à elle d'intervenir.

N'était-elle pas restée avec des tas de types bien pires que cela et pour beaucoup moins d'argent et de prestige qu'Hélène tirait de cet arrangement ?

— Je persiste à penser que tu aurais pu faire plus choquant que ça, la taquina Lorna. Ça ne ferait même pas la une d'un tabloïd !

— Et si je vous disais que je me suis fait piquer en train de chiper dans les rayons d'Ormond's, en juillet ? demanda Hélène, le sourcil interrogateur.

Joss poussa un petit cri.

Lorna resta bouche bée.

Sandra…

Assez curieusement, Sandra n'eut pas l'air très surprise.

— Bon, oubliez le thé ! Cela mérite au moins une margarita. Tout le monde est d'accord ?

Tout le monde était d'accord.

— Tu es sérieuse ? demanda Joss quand Sandra se rendit à la cuisine pour préparer les remontants bien mérités.

— Hélas oui. C'était un manque total de jugement de ma part. Un moment de colère parce que Jim avait résilié mes cartes de crédit. Alors j'ai pensé *qu'il aille au diable !* Pour ne pas rester sur cette frustration, je suis sortie du magasin avec une paire de Bruno Magli aux pieds. J'y ai abandonné ma paire de Jimmy Choo mais, apparemment, Ormond's n'est pas là pour faire du troc.

Elle essayait de se montrer détachée de l'événement, mais son visage était couleur pivoine.

— Et tu t'es fait prendre ? demanda Lorna, incrédule.

— Oh, que oui ! Comme je vous le disais, j'ai été stupide du début jusqu'à la fin. Et voilà ! Vous connaissez mes pires secrets. Et vous savez pourquoi je serai dans de sales draps le jour où Jim, ou le public, sera mis au courant de cette affaire. Quand tout le monde apprendra que le CV de sa femme, qui est imprimé dans d'innombrables catalogues d'associations caritatives et de biographies politiques, n'est qu'un ramassis de mensonges, ce sera l'humiliation garantie pour notre candidat aux présidentielles !

— As-tu déjà envisagé de le quitter ? demanda prudemment Sandra en entrant dans la pièce avec trois verres à la main. Je ne dis pas que tu *devrais*…

Elle en tendit un à Hélène, puis à Joss et Lorna.

— Oh, bien sûr que je devrais, dit Hélène en ingurgitant une bonne lampée de margarita. Mon Dieu ! Si j'entendais cette histoire, je me demanderais pourquoi cette pauvre nana ne l'a pas quitté depuis longtemps au lieu de subir le stress de cette vie de mensonges et de faux-semblants…

Elle laissa échapper un petit rire amer puis ajouta :

— La réponse est que je suis simplement trop faible. Ou je l'étais. Ces derniers temps, j'y ai pas mal réfléchi. Politiquement, le divorce n'est plus aussi négatif qu'il l'a été. Si Jim et moi divorcions maintenant, il pourrait toujours se présenter aux prochaines élections.

Sandra revint avec son propre verre, s'assit et prit une gorgée.

— Bien sûr, tu serais juste sa Jane Wyman, dit Lorna. Personne ne pense jamais à elle en tant qu'ex-épouse de Ronald Reagan. Elle est juste Angela dans *Falcon Crest*.

— Ah, oui, exact ! dit Sandra en reposant son verre dont un tiers avait déjà disparu. J'essayais de me rappeler dans quelle série elle jouait.

— Je suis incollable sur *Falcon Crest*, déclara Lorna.

Peut-être devrait-elle proposer d'aller préparer une carafe entière de cette margarita puisque tout le monde risquait d'être à sec assez rapidement.

Sandra dut avoir la même idée, parce qu'elle commença à se lever :

— On va avoir besoin d'un peu plus de remontant !

Mais Lorna l'arrêta.

— Non, toi tu te reposes, maintenant. C'est moi qui vais en préparer. Est-ce que tous les ingrédients sont encore sortis ?

— Oui, tout est sur la table, répondit Sandra, reconnaissante.

— Je reviens dans une minute.

En effet, Sandra avait une excellente bouteille de tequila reposado, du jus de citron vert, du triple sec et du Grand Marnier. Voilà une fille qui savait faire la fête !

Lorna mélangea les ingrédients, ajouta quelques glaçons qu'elle fit tomber du distributeur intégré dans la porte du réfrigérateur en inox et rapporta le tout dans le salon au moment même où Sandra s'apprêtait à raconter sa propre histoire.

— Puisque nous en sommes aux révélations inavouables, j'ai moi aussi une identité secrète, annonça-t-elle en prenant une bonne lampée du cocktail. En fait, j'en ai même plusieurs !

— Allez, à ton tour de tout confesser ! l'encouragea Lorna en remplissant son verre pratiquement vide.

Sandra s'éclaircit la gorge et se redressa pour les énumérer sur ses doigts :

— Je suis… docteur Pénélope, sexologue. Britney, la vilaine écolière. Olga, la dominatrix suédoise…

C'était vraiment bizarroïde.

— … Tante Henrietta, la vieille tante méchante qui distribue toujours des fessées. Et l'incontournable Lulu, la bonne française ! Ce n'est là qu'un petit échantillon, ajouta-t-elle avec un sourire. Pour tout vous avouer, je suis opératrice de téléphone rose.

Voilà qui était beaucoup, *beaucoup* plus choquant que l'histoire d'Hélène. Sandra ? Une opératrice de téléphone rose ? Elle semblait si timide ! Si conformiste ! Si… si… peu portée sur la sexualité !

Lorna descendit d'une traite la moitié de son verre.

— C'est quoi au juste ? demanda Joss. C'est comme ces pubs à la fin des magazines ? Les gens téléphonent et paient des fortunes pour parler à quelqu'un ?

— Exactement. Je gagne 1,45 dollar la minute.

— Mazette !

Lorna se demanda aussitôt si elle arriverait à dire des trucs cochons au téléphone… à des inconnus libidineux.

Plutôt bien payé, non ?

— C'était donc ça, les *télécommunications* dont tu parlais quand on t'a demandé ce que tu faisais pour gagner ta vie ? dit Hélène en secouant un index réprobateur devant elle. Honte à toi ! De ne pas nous l'avoir dit plus tôt, je veux dire. J'adore ! C'est dangereux, non ?

— Ça peut l'être. Certains des clients veulent vraiment des trucs tordus, mais vous seriez surprises de savoir combien d'entre eux désirent seulement parler à quelqu'un. Même à 2,99 dollars la minute.

Devant le regard surpris de Joss, elle précisa :

— L'agence pour laquelle je travaille en garde un peu plus de la moitié et moi je touche le reste.

— Oui, j'ai compris ça. J'essayais de m'imaginer quels étaient les revenus de l'agence avec une équipe travaillant vingt-quatre heures par jour, sept jours sur sept. Ce doit être un marché florissant !

Lorna n'en revenait pas que l'innocente petite Joss ne soit pas choquée par la nature de ce travail mais s'intéresse au contraire à la rentabilité d'une telle activité.

— Tu es une femme d'affaires en herbe, Joss ! Si on te laissait faire, tu deviendrais très vite une vraie mère maquerelle ! plaisanta Lorna.

— Il y a plein d'argent à gagner, rétorqua sérieusement Joss. À Felling, la vieille Mme Cathell a carrément bâti une fortune comme ça. Dans la mesure où elle faisait des donations à la communauté et se montrait généreuse à la quête du dimanche, personne ne trouvait à redire sur son petit trafic.

Puis, pour répondre à l'air surpris de tout le monde, elle ajouta :

— Mais je ne suis intéressée que par le business plan, pas par le travail lui-même, ajouta-t-elle, quelque peu embarrassée. À l'université, j'ai suivi des cours de gestion et de conception de pages web.

— Mes virements me parviennent d'une banque située dans les îles Caïmans, continua Sandra. Je pourrais très bien m'installer n'importe où !

— Et qu'est-ce qui t'a poussée à faire ce genre de métier ? demanda Lorna, fascinée.

— Mon agoraphobie, dit Sandra avec un petit rire. Si, si, c'est vrai… mais il n'y a pas que ça. J'ai toujours été un peu… complexée. Je n'aime pas beaucoup me montrer en public.

— Pourquoi ?

Sandra considéra Joss comme si elle proférait une question idiote.

— Toute ma vie, j'ai été la petite boulotte. À l'école, les autres gamins se moquaient de moi. Et même les adultes, qui auraient dû se montrer plus intelligents, faisaient la même chose. Les gens peuvent être tellement cruels.

Hélène posa sa main sur celle de Sandra et la pressa avec compassion.

— Tu mérites mieux que ça.

— C'est ce que je commence à comprendre. En fait, c'est depuis que je vous ai rencontrées. Ces dernières semaines, je suis sortie bien plus souvent que je ne l'avais fait ces cinq dernières années. J'ai fait la connaissance de Mike, ajouta-t-elle en rougissant, et tout va beaucoup mieux. Oh, mon Dieu ! Je ne vais tout de même pas me mettre à pleurer…, paniqua-t-elle, les yeux brillants de larmes.

— Ne t'en avise surtout pas, sinon on s'y mettra toutes ! protesta Lorna qui sentit son cœur se briser.

Sandra renifla.

— Bon, ça suffit. Ce n'était pas censé être une histoire pour nous faire pleurnicher. Bien au contraire. Les chaussures ont toujours été mes amies. Quand j'étais petite, maman devait faire tailler mes uniformes d'école sur mesure. Ado, je n'ai jamais pu acheter de vêtements à la mode au centre commercial comme les autres filles. Les chaussures, elles, m'allaient toujours. Quel que soit mon poids, quelle que soit la taille de mes vêtements, quel que soit le rayon où je devais les acheter… pour les chaussures, c'était toujours du 7½. Ni plus ni moins. Je pouvais commander des chaussures sur simple coup de fil, demander du 7½, sans révéler la moindre information sur moi. J'aurais même pu passer pour Jennifer Aniston. D'ailleurs, c'est un peu la même chose avec mon travail de téléphone rose.

— Alors ce n'est sans doute pas une coïncidence, fit remarquer Hélène. Tu aimes ton travail ?

Sandra éclata de rire.
— Parfois, oui. J'avoue ne jamais avoir confessé ça à personne. Pas même à moi-même.
— Mais c'est une bonne chose, insista Joss. C'est important d'aimer son travail. Si seulement je pouvais en dire autant ! déplora Joss.
— Je te le souhaite sincèrement, dit Lorna. Je suis impatiente que tu puisses parler au copain avocat de Sandra…
Une pensée effleura soudain Joss :
— … au fait, cet avocat… Ce ne serait pas l'un de tes…
— À qui le tour ? demanda Sandra en lui lançant un clin d'œil. Et toi, Lorna ? Tu n'as pas de cadavre dans ton placard ?
Bon. On changeait de sujet.
— En plus de *toutes* mes chaussures, tu veux dire ? En fait, oui. C'est vrai, moi aussi j'ai failli planquer une paire de Fendi sous mon chemisier avant de sortir d'Osmond's, le mois dernier. Elles étaient tellement belles…
Lorna se souvint du cuir noir, de la petite boucle parfaite sur le côté.
— … je les aurais bien achetées, mais je suis fauchée. Complètement fauchée. J'ai plus de trente mille dollars de dettes sur mon compte de cartes de crédit. J'ai donc vu un conseiller qui m'a réduit les intérêts et imposé des coupes drastiques dans un budget de misère.
— Ça va mieux maintenant ? demanda Hélène en l'observant attentivement. Si tu as besoin d'argent, je serais heureuse de t'aider. Vraiment !
— Cela me touche plus que tu ne crois, Hélène. Mais en fait – je touche du bois en disant cela – je crois que je commence à y voir plus clair. J'ai refait mes comptes l'autre nuit et j'ai mis quelques-uns de mes bébés en ligne pour les vendre…
— Les Gusto ! souffla Sandra.

— Exact !

Lorna se souvint de son excitation quand *Shoealacreme (1)* avait renchéri sur ces chaussures et de sa profonde satisfaction quand une nouvelle personne, *Shoeshoe-chérie (0)* avait fait intrusion pour renchérir et ramasser les Gusto pour la somme incroyable de 210,24 dollars.

— Dommage que tu les aies loupées. Mais pour être honnête, je ne les avais payées que 175 dollars dans une solderie du Delaware.

— Ah ! Je sens qu'on va bientôt aller faire un tour là-bas ! se réjouit Sandra. Enfin, plus tard, quand tu seras de nouveau autorisée à fréquenter les magasins ! précisa-t-elle.

— Il faut d'abord que je me trouve un nouveau boulot, admit Lorna. Cela devrait tout changer et me permettre d'acheter *occasionnellement* une paire de chaussures neuves dans une vraie boîte. C'est tellement plus jubilatoire !

— En attendant, tu as créé ce groupe, dit Hélène. C'était une idée géniale.

Lorna lut de l'admiration dans son regard alors que son amie Lucille l'avait aussitôt blâmée quand elle lui avait annoncé le montant incroyable de ses dettes.

— Exact, sauf que j'enchéris contre Sandra sur eBay, en me privant de nourriture pour posséder encore plus de chaussures !… Je suis vraiment une accro ! ajouta-t-elle en riant.

— Moi aussi, admit Hélène.

— Et moi donc ! ajouta Sandra.

— Hum… Moi pas.

C'était Joss. Elle les observait avec ses grands yeux bleus et ses joues roses.

— Puisque c'est le moment d'avouer ses secrets, j'en ai un moi aussi, à confesser.

Le cœur de Lorna manqua un battement. Elle n'allait

tout de même pas leur annoncer qu'elle n'aimait pas les chaussures !

— D'abord, pour commencer…

Elle ôta les Miu Miu qu'elle avait eues grâce à Sandra la semaine passée et en retira le petit tampon d'ouate qu'elle avait glissé dans la pointe.

— … je ne fais qu'une pointure 6.

Lorna resta interdite.

— Mais… ça ne doit pas être très confortable ?

— Finalement, ce n'est pas aussi désagréable que certaines des chaussures bon marché que j'achète d'habitude. Je comprends pourquoi vous appréciez celles-ci. Je n'avais jamais eu l'occasion de porter des chaussures de prix auparavant. Je me suis inscrite aux Shoe Addicts parce que j'avais besoin de sortir de la maison des Oliver le mardi soir et qu'une « réunion chaussures » me semblait plus tentante qu'un groupe de parole pour détraqués sexuels… Je ne dis pas ça pour te vexer, ajouta-t-elle en jetant un regard timide vers Sandra.

Cette dernière éclata de rire.

— Rassure-toi, tu as fait le bon choix.

— C'est vrai, admit Joss avec sincérité. Vous êtes tellement géniales, toutes les trois. Je ne sais pas ce que je ferais si je ne vous avais pas rencontrées.

— Eh bien, on ne va pas te laisser tomber maintenant, même si tu as des pieds plus petits que nous ! dit Lorna. Mais où as-tu donc déniché les petites merveilles que tu as déjà apportées ?

— Magasins d'occasions, dépôts-ventes… Tu sais, Hélène, quand tu as dit que tu possédais une paire de ces chaussures vertes, j'étais absolument terrifiée à l'idée que tu aies pu les donner à Goodwill…

Hélène éclata de rire.

— Oh, non, certainement pas !

— Si, je t'assure !

— Eh bien, on pensait toutes que c'étaient tes propres

trésors, déclara Hélène encore étonnée par l'innocence des aveux de Joss. Et qu'as-tu fait des chaussures que tu as échangées avec nous ?

— Elles sont toutes dans mon placard chez les Oliver. Je suis comme une pie avec toutes ces perles que j'ai collectionnées. Mais à présent que je vous ai tout avoué, je vais bien sûr vous les rapporter.

— Je dirais que ce n'est pas nécessaire, mais qu'en feras-tu, sinon ? dit Lorna. Je dois avouer que je serais ravie de mettre la main sur ces Miu Miu de Sandra, ajouta-t-elle en désignant les chaussures que Joss venait de retirer.

— Prends-les ! Elles sont à toi, fit Sandra.

— Dis, tu pourrais me prêter une paire de chaussettes pour rentrer chez moi, Sandra ?

Joss tendit les chaussures à Lorna avec une mine contrite qui les fit éclater de rire.

— J'ai encore un secret, avoua Hélène quand elles se calmèrent.

— Oooooh ! On attaque une deuxième tournée ? demanda Lorna.

— J'espère que non, rétorqua Sandra. Je parie que vous n'avez aucune envie de savoir ce que j'ai fait avec la balle de golf du proviseur en classe de sixième ! Bon, quel est le scoop, Hélène ?

La jeune femme les regarda à tour de rôle avec, dans l'expression de ses yeux, un mélange de bonheur et de crainte.

— Je crois…

Puis elle prit une profonde inspiration et se lança :

— Je crois que je suis enceinte.

Chapitre 20

À Felling, une femme qui entre dans une pharmacie pour acheter un test de grossesse, on la remarque. Inévitablement. La caissière la reconnaît et les rumeurs se propagent aussitôt dans toute la ville.

Ici, c'est sûrement plus discret, pensa Joss. *Sauf quand on arrive à quatre copines pour en acheter un seul.*

C'est pourtant ce qu'elles firent, entourant Hélène comme une garde rapprochée des services secrets. Aucun témoin n'aurait pu dire à qui était destiné le test, et c'était exactement ce qu'elles voulaient.

Elles revinrent à l'appartement de Sandra avec deux boîtes doubles et, quinze minutes plus tard, quatre bâtonnets s'alignaient sur le rebord du lavabo de Sandra.

— Alors ? C'est définitivement positif ? s'enquit Joss.

— Regarde sur le dessin, conseilla Lorna en lui faisant passer la feuille du mode d'emploi. Une ligne : négatif. Deux lignes : positif.

— Et il y a bien huit lignes, constata Hélène d'une voix morne en fixant les tests. C'est exact.

— Comment est-ce arrivé ? s'étonna Sandra. Je croyais que tu prenais la pilule.

— Quand Jim a découvert le pot aux roses, expliqua

Hélène sans quitter les tests des yeux. Je n'ai pas pu la prendre pendant deux ou trois jours, même si j'en ai pris le double ensuite pour compenser, mais… je suppose que ce n'était pas suffisant. Il est même *évident* que ce n'était pas suffisant.

— J'ai lu qu'on était encore plus réceptive quand on a sauté un jour et qu'il faut se protéger davantage dans ce cas, dit Sandra.

Hélène se couvrit le visage de ses mains.

— Mon Dieu. Et dire que je ne voulais même pas faire l'amour avec lui. Surtout après le tour pendable qu'il m'avait joué. Mais c'était tellement plus facile de subir sans rien dire et d'en être débarrassée plutôt que de lui tenir tête.

Elle secoua la tête et ajouta d'une voix un peu tremblante :

— Je parle comme une femme potiche complètement idiote, pas vrai ?

Lorna vint vers elle et lui serra amicalement le bras.

— Nous faisons toutes des trucs que nous ne voulons pas faire, parfois seulement parce que c'est le chemin le moins compliqué. La vie est assez difficile comme ça, personne ne veut y ajouter des disputes sans fin. Tu ne peux pas t'en vouloir pour ça.

— Bien sûr que si ! C'est uniquement ma faute si j'en suis arrivée là.

— Oublie tout ça, dit Lorna. Cela n'a plus vraiment d'importance. La question est de savoir ce que tu veux faire maintenant.

— Je ne sais pas.

— Comme je suis sur le point de perdre mon travail, intervint Joss, je peux te donner un coup de main. Franchement, j'ai plein d'expérience avec les bébés.

Hélène la considéra avec gratitude.

— Ce serait génial.

Puis elle se tourna vers les autres.

— Et si nous commencions par sortir de la salle de bains ?

Elles retournèrent dans le canapé confortable de Sandra, entourant Hélène de leur présence.

— Ça ne va pas arranger ta vie de couple, n'est-ce pas ? demanda Lorna.

— C'est la première chose qui m'est venue à l'esprit. Et sincèrement, je ne sais pas trop quoi faire. Quelle que soit la façon dont on regarde les choses, notre mariage est foutu. Mais est-ce qu'il vaut mieux rester dans la même maison pour le bien-être de l'enfant ?

— Je pense que le mieux, c'est de faire ce qui te rend heureuse et sereine, suggéra Sandra. Si un enfant grandit dans un univers de stress, cela fait bien plus de dégâts que s'il évolue dans un environnement détendu en allant voir son père un week-end sur deux. La vie chez nous était terriblement crispée. Mes parents avaient des chambres séparées, un point sur lequel ils ne se sont jamais expliqués : des silences de plomb, une ambiance glaciale. Papa rentrait souvent très tard *du travail*. Maintenant, je me demande…

— Mon Dieu, cette atmosphère, ajoutée à ton impression que Tiffany était leur fille préférée, ça devait vraiment te peser, fit remarquer Joss.

Sandra haussa les épaules.

— Pour beaucoup de gens, c'est parfois bien pire. Si j'avais été plus forte, je ne serais pas aussi névrosée, maintenant.

— Mais tu n'es pas névrosée !

Joss ne voulait pas que Sandra se décourage, à présent qu'elle semblait reprendre confiance en elle, peut-être pour la première fois de sa vie.

— Non, tu ne fais que patauger parmi les obstacles que la vie t'a jetés dans les pattes, renchérit Lorna. Ça nous arrive à tous.

Les sourcils froncés, Hélène considéra un moment Sandra, puis elle lança :

— J'ai une idée !

Une espèce de force positive était en train de la gagner. De l'optimisme, de l'espoir… quelque chose, en tout cas, qui redonnait de l'éclat à ses yeux.

— Il se peut même que ce soit une excellente idée ! ajouta-t-elle.

— Pour patauger dans la vie ? demanda Sandra.

— Dans un certain sens, oui. Lorna, tu as besoin d'un nouveau job, c'est exact ?

— Exact.

— Joss, toi tu vas bientôt en avoir besoin aussi, n'est-ce pas ?

Cela semblait vraiment prometteur.

— Absolument.

— Sandra ? Je sais que tout va bien en ce qui concerne ton travail, mais serais-tu intéressée par un projet d'entreprise en plus ?

— Avec vous toutes ? Et comment ! Qu'est-ce que tu as en tête ?

— Il y a quelques semaines, j'étais à une soirée chez les Mornini…

— Oh, à faire des ronds de jambe chez les mafiosi ? demanda Lorna.

— Ces histoires sont probablement d'affreuses rumeurs. En tout cas, Chiara m'a emmenée au premier et m'a montré la plus belle paire de chaussures au monde.

Elle la décrivit avec force détails, Sandra et Lorna poussant des cris à chaque nouvelle précision. Joss, en revanche, était complètement perdue. Une chaussure, c'était une chaussure ! Elle aimait bien ces filles, mais elle ne comprendrait jamais *comment* elles pouvaient devenir aussi dingues dès qu'il s'agissait d'une paire de pompes.

— Où est-ce qu'on peut les acheter ? demanda vivement Lorna.

— C'est justement ça, le hic ! dit Hélène. Le type a besoin d'un soutien financier. Et d'un distributeur américain. Chiara voulait que son mari investisse, parce qu'elle est certaine que ce sera une excellente affaire. Mais il refuse de s'impliquer dans ce domaine. Pas assez viril, je suppose.

— Et tu penses que nous pourrions y arriver ? demanda Lorna. Vraiment ? Ce genre d'aventure doit exiger des sommes colossales.

— Alors on n'a qu'à solliciter un emprunt, suggéra Joss qui avait suivi quelques cours de création d'entreprise. On dépose les statuts de la société, on souscrit un emprunt et on monte un atelier de fabrication et un bureau de distribution. Bien sûr, ça a l'air plus simple que ça ne l'est, mais c'est en gros ce qu'il faut faire.

Soudain, une étrange excitation s'empara de Joss. Elle était venue à D.C. pour goûter à la vie des grandes villes. Ce job de nounou n'était que transitoire. Ce n'était qu'un début, pas son objectif final. Elle avait simplement voulu se donner le temps de mieux connaître la ville et de trouver des opportunités pour construire une vie plus intéressante que celle qui l'attendait à Felling, mariée à un garçon de son lycée.

L'une de ces opportunités se présentait justement à elle.

Elle ressentait pourtant un sentiment d'échec devant ce qui attendait Bart et Colin. Leurs parents ne leur transmettaient pas ce dont ils avaient besoin pour grandir et ils en souffriraient forcément.

Bart montrait une telle gentillesse, une telle vulnérabilité… Joss frissonna à l'idée qu'il pourrait changer et devenir aussi capricieux et froid que sa mère. Ou aussi émotionnellement détaché de sa famille que son père.

Voire les deux.

Mais Joss avait fait de son mieux et l'ambiance, si elle restait là-bas, n'allait qu'empirer. Cette nouvelle entreprise à créer tombait droit du ciel. Elle n'aurait pu arriver à un meilleur moment ni avec des personnes mieux choisies.

Hélène continuait à expliquer son projet, de plus en plus excitée :

— J'ai d'excellents contacts avec les magasins et les boutiques. J'ai souvent dû les joindre pour des donations et je suis presque certaine qu'au moins cinq grands magasins seront ravis de proposer les chaussures de Phillipe dans leurs rayons. Je me porte volontaire pour les leur présenter.

— Et les ventes à domicile ? suggéra Sandra.

— Comme Tupperware ? demanda Joss.

— Eh bien… oui. Et comme beaucoup d'autres produits, d'ailleurs. Mais de la vente directe avec une clientèle triée sur le volet, cela va de soi. Ça pourrait même marcher plus vite qu'avec la grande distribution.

— Ce serait encore mieux si nous pouvions jouer sur les deux tableaux en même temps, renchérit Joss.

Elle commençait à aimer cette idée.

Quand Hélène bâilla, Sandra réagit immédiatement.

— Bon, la soirée a été longue et difficile ! Si on se retrouvait demain ?

— Oui, dit Lorna.

— Absolument, répondit Joss. À condition que ce soit après vingt heures. Ce n'est pas trop tard pour vous ? demanda-t-elle en se tournant vers les autres.

— Moi, je peux, dit Hélène.

— Plus près de vingt-deux heures me conviendrait mieux, proposa Lorna.

Elle fut soulagée quand toutes acquiescèrent.

— Entendu, déclara Sandra. En attendant, est-ce que quelqu'un peut se renseigner sur les conditions d'obtention d'emprunt pour notre start-up ?

— J'ai une matinée assez chargée, mais je pourrais y arriver, proposa Hélène.

— Non, non… l'interrompit Lorna. Tu as besoin de te reposer. Demain je ne commence qu'à midi. Je passerai d'abord à la banque. J'ai un contact. Enfin, si on peut appeler ça ainsi…

Et sur ce, l'avenir de Joss prit un nouveau tournant. Tout comme celui de Sandra, Lorna et Hélène.

Hélène n'arrivait pas à dormir.

Trop de choses à digérer. La trahison de son mari qui n'en était pas à sa première et dont le palmarès aurait mérité des semaines de réflexion… s'il n'y avait pas eu plus important. Beaucoup plus important, d'ailleurs.

Elle était enceinte.

Oh, ce n'est pas qu'elle le voulait… Quand elle avait fait le premier test dans la salle de bains de Sandra et découvert la double ligne indiquant un résultat positif, elle avait d'abord culpabilisé. Puis, en continuant à tremper les bâtonnets et en lisant les trois résultats positifs suivants, elle était arrivée à la conclusion que ses propres désirs étaient secondaires. Elle était enceinte et, à moins qu'elle ne décide d'avorter, elle allait le rester jusqu'à l'accouchement.

Pour l'instant, elle n'avait pas encore pris de décision.

Résultat : elle avait passé la plus longue nuit de sa vie à se débattre pour répondre à une question qu'elle croyait ne jamais avoir à se poser…

Jusqu'à ces derniers jours, en tout cas.

Dans le tourbillon des pensées qui l'avaient empêchée de dormir, elle ne cessait de revenir au temps de sa propre enfance. À la vie qu'elle avait laissée derrière elle. La vie à laquelle, en fait, elle avait renoncé.

Il n'y avait pas eu que des choses désagréables. Les arbres, les ruisseaux, toutes ces nuances de vert à chaque printemps, quand l'herbe commençait à repousser. Les extraordinaires nuits d'hiver, tellement envahies d'étoiles qu'il était presque impossible de reconnaître l'étoile de Bethléem, celle qui avait mené les rois mages jusqu'à l'enfant Jésus.

Voilà les pensées qui la tirèrent de son lit à cinq heures du matin, comme les fils d'une marionnette, et la poussèrent dans sa voiture pour filer vers le nord. Avant de quitter la maison, elle ne vérifia pas si Jim était rentré. Cela lui était égal. Elle s'installa simplement dans la Batmobile très chic que Jim voulait qu'elle conduise et se lança, avant le gros du trafic, sur River Road, la Circulaire, la 270 nord, la 70 ouest et enfin la route qu'elle pensait ne plus jamais emprunter la 340 ouest jusqu'à la frontière de West Virginia.

Les routes principales avaient changé. Des stations d'essence, de petits restaurants et des boutiques de souvenirs se dressaient maintenant un peu partout. Là où, jadis, poussaient des arbres verts, sous l'ombrage desquels des chemins de terre serpentaient paresseusement. De nombreuses pancartes indiquaient Harper's Ferry et divers hôtels, motels ou restaurants d'où on pouvait admirer la vue majestueuse sur les collines, les arbres et la rivière qui coulait plus bas.

Hélène fut submergée d'un chagrin inattendu, comme si elle avait été personnellement chargée de maintenir ce paysage intact et qu'elle avait, en partant, trahi Mère Nature.

Ou peut-être était-ce seulement le sentiment intime d'un abandon qui l'avait conduite au bord des larmes. N'était-elle pas restée trop longtemps éloignée, ignorant délibérément que le progrès avalerait lentement le paysage de son enfance ?

Dans le matin brumeux, Hélène poursuivit sa route vers la maison dans laquelle elle avait grandi. Sa mère était morte depuis longtemps et, quand elle travaillait encore à Garfinkel, elle avait appris par un voisin que son père s'était tué dans un accident de voiture. Cela n'avait pas étonné Hélène. Et ne l'avait pas peinée non plus.

Le plus triste était de penser à David Price. Amusant et très mignon, il lui jetait des boules de neige quand ils avaient dix ans, lui passait des petits mots doux en classe quand ils en avaient douze, l'embrassait comme un fou à quatorze et lui prenait sa virginité à seize.

À vrai dire, ça s'était merveilleusement bien passé.

La dernière fois qu'elle avait vu son amoureux, il avait dix-neuf ans et elle partait pour les prairies bien moins vertes de la ville. Contrairement à toutes les choses dont elle ne se souvenait pas ou qui s'étaient effacées avec le temps, il lui restait l'image de la douleur dans les yeux noisette de David quand elle lui avait annoncé que tout était terminé entre eux.

Maintenant, en traversant ce paysage vaguement familier, elle se demandait s'il vivait toujours ici et si elle avait eu raison de partir, de perdre tout contact avec le seul événement valable de son passé.

Sa vieille maison était toujours là et on reconnaissait un pan de la façade à colombages. Mais plusieurs extensions avaient été ajoutées et un 4×4 flambant neuf était garé dans l'allée de gravier. Spectacle assez incongru… comme si une image de vaisseau spatial avait été plaquée sur une photo datant de la guerre civile.

Tant mieux. Cet endroit ne lui avait apporté que du malheur quand elle était enfant. Elle était contente qu'il n'ait pas gardé son aspect d'autrefois.

Elle remonta dans sa voiture, étonnée de se sentir aussi petite en ces lieux où elle avait passé presque vingt ans de sa vie.

Mais il y avait un autre endroit qui apporterait son lot d'émotions. Et il fallait qu'Hélène le revoie, même si elle savait pertinemment que ce serait comme toucher une vieille blessure pour voir si elle faisait toujours mal.

La maison de David.

Elle traversa le centre de la bourgade, où un petit café et une boutique de location de vidéos avaient pris la place d'un vieil entrepôt aux vitres cassées. Puis elle bifurqua à gauche sur Church Street, à droite sur Pine et emprunta la rue sinueuse au bout de laquelle se dressait enfin la maison isolée.

Sauf que l'habitation n'était plus isolée, mais entourée de petits arbres fraîchement plantés et de nombreux pavillons récents. Étonnée par tant de changements, Hélène fut soulagée de constater que la maison avait su résister à cette invasion.

C'était une jolie demeure qui avait la réputation d'avoir appartenu au frère de George Washington. Les parents de David avaient une bien meilleure situation que les siens, et à l'époque on parlait même de classer le bâtiment comme monument historique.

Hélène coupa le moteur sur le trottoir opposé et resta quelques minutes à l'observer. Elle n'avait pas changé. Il est vrai que les chênes étaient déjà centenaires vingt ans plus tôt et ne risquaient pas d'avoir grandi de manière spectaculaire.

Elle sortit de la voiture et se dirigea lentement vers la maison, essayant de jeter un coup d'œil par les fenêtres, mais le reflet du soleil sur les vitres l'éblouit au point de lui faire monter les larmes aux yeux.

Qu'allait-elle dire quand la porte s'ouvrirait ? Demander à voir David ou interroger les occupants pour savoir s'ils savaient ce qu'il était devenu ? Était-elle prête à entendre leur réponse, quelle qu'elle fût ?

Non, décida-t-elle, submergée par la nausée. Non, elle n'était pas prête. Cela avait été une mauvaise idée depuis le début et, après vingt ans d'absence, elle n'avait plus aucune raison de venir là où, c'était *certain*, on ne voulait plus d'elle.

En revenant vers la voiture elle entendit la porte

d'entrée s'ouvrir, et le grincement familier de la vieille moustiquaire.

— Puis-je vous aider ?

Elle se retourna et aperçut une femme aux formes appétissantes, avec des cheveux blond cendré et un bébé rouquin assis sur ses hanches. La jeune femme devait avoir une petite trentaine et son expression, bien que fatiguée, semblait très amène.

— Euh… non… merci. En fait, je connaissais quelqu'un qui habitait ici, balbutia Hélène.

La femme fronça les sourcils.

— Je veux dire… il y a vingt ans, précisa Hélène afin de ne pas mettre le mari de cette femme dans l'embarras. Un ancien petit ami, bredouilla-t-elle. C'est une vieille histoire. Je suis désolée de vous avoir dérangée.

— Attendez une minute. Êtes-vous… Hélène ?

Quand la femme fit un pas en avant, la moustiquaire claqua avec le même bruit sec qui ponctuait tant de souvenirs d'Hélène.

Elle se figea.

— Je me disais bien que votre visage m'était familier. Ne partez pas… Vous êtes au bon endroit.

— Je n'en suis pas sûre, répondit Hélène avec un sourire gêné.

— David sera de retour d'une minute à l'autre, ajouta la femme en s'avançant vers elle, le bébé rebondissant sur ses hanches à chaque pas. Il a oublié d'emporter son déjeuner, aujourd'hui. Allez savoir pourquoi. Il l'emporte absolument chaque jour, mais aujourd'hui… il l'a oublié. Et il ne l'oublie *jamais*. Oh, mon Dieu ! Il va être tellement surpris. Vous *êtes* Hélène, n'est-ce pas ?

Incapable de retrouver sa voix, Hélène hocha la tête.

— Oh, bon sang ! Attendez que David vous voie ! Au fait, je suis Laura. La femme de David. Et voici Yolande, ajouta-t-elle en touchant le nez du bébé.

— Ah… Eh bien…

— J'ai tellement entendu parler de vous ! Vous avez laissé une sacrée impression sur mon mari, dit-elle sans la moindre trace de jalousie. Bien sûr, on vous a vue à la télé de temps à autres. Vous êtes vraiment très jolie. Mais je suis sûre que vous le savez déjà. Vous devez l'entendre tout le temps. Deviendrez-vous un jour la Première Dame des États-Unis ?

Hélène dut faire un effort pour sourire.

— Non… Non, je n'en suis pas sûre. Vous savez, je n'ai vraiment pas beaucoup de temps ce matin, alors si vous pouviez juste dire à David que je suis passée dire bonjour…

— Ah, le voilà ! Regardez-moi ça, il vient juste à temps ! Il est comme ça, vous savez. Toujours chanceux. Pour lui, tout arrive toujours pile quand il le faut.

Hélène regarda approcher un Toyota Highlander complètement éraflé.

— Il est comme ça, David. Il…

Hélène cessa d'entendre le verbiage de la femme. Tous ses sens étaient entièrement tournés vers l'homme qui sortait de la vieille voiture. Il avait trente-neuf ans, maintenant. Un homme adulte avec une adorable femme bavarde et au moins un bébé rouquin. Un homme avec un travail, et une maison, et une famille, et le souvenir lointain d'une petite amie qui avait quitté la ville comme une fusée sans jamais regarder en arrière.

Tandis que David approchait, Hélène ne vit et ne reconnut pas l'homme en lui, mais le fantôme évanescent du garçon qui lui avait jadis donné son premier baiser. Les yeux bleus qui la scrutaient maintenant lui étaient toujours aussi familiers, même après toutes ces années.

On aurait dit que David mettait une éternité à venir jusqu'à elle. Assez longtemps en tout cas pour que des larmes puissent se former et couler le long de ses joues, réduisant en sanglots silencieux tout ce qu'elle avait perdu.

Elle s'efforça de se ressaisir. Une fois de plus, sa voix lui faisait défaut. Elle ne pouvait que le regarder, s'émerveillant de voir encore, dans cet homme qui se tenait maintenant devant elle, le garçon qu'il fut jadis.

— Tu en as mis du temps pour revenir !

Il la serra fort dans ses bras et absorba, par ce geste tendre, vingt longues années de larmes.

Quand Hélène se sentit enfin assez solide pour parler, elle se détacha de lui et lança en souriant :

— Pourquoi tu n'as pas payé la rançon ?

Comme elle s'y attendait, il entra immédiatement dans son jeu. Enfants, ils partageaient le même humour noir.

— Je savais qu'ils finiraient bien par te rendre. Tu es trop râleuse pour qu'on te garde à tout jamais.

Elle renifla en hochant la tête et, quand il tendit son bras, elle vint s'y blottir comme avant.

— Tu as fait la connaissance de Laura ? Et de ma fille Yolande ?

— Oui. Elles sont toutes les deux très jolies.

Hélène et David se regardèrent longuement dans les yeux.

— Viens, entre. Au diable, le travail ! On a plein de trucs à se raconter.

Quand, trois heures plus tard, elle reprit sa voiture, Hélène se sentait comme régénérée. Un vide douloureux dont elle n'avait pas été consciente s'était enfin, *enfin*, comblé. David allait bien. Et il vivait dans la même vieille maison, gardien du passé.

« *Tu t'en es vraiment très bien sortie*, lui avait-il dit devant une tasse de café. *On dirait que tu as eu raison de mettre les voiles quand tu l'as fait.* »

Et quand il avait parlé de sa propre vie, avec sa femme et son enfant, il avait l'air sincèrement heureux.

Pour Hélène, c'était ça, le conte de fées.

Elle prit le chemin du retour avec l'impression d'avoir obtenu un nouveau bail sur la vie. Enfin, elle pouvait laisser le passé derrière elle. Au moins tout était clair.

En prenant la route, tôt le matin, Hélène ne savait trop comment appréhender sa grossesse. Mais ce soir, elle était décidée à accueillir le bébé, malgré toutes les charges et les difficultés que cela impliquerait.

Tout en conduisant, Hélène s'émerveillait de la paix qui s'était nichée en elle après cette décision. La devait-elle à sa petite expédition dans le passé ou à l'influence des hormones de grossesse dont tout le monde parlait tant ?

Sans doute les fameuses hormones avaient-elles un rôle à jouer dans son inattention car ce ne fut qu'en traversant les limites de Montgomery County, dans le Maryland, qu'elle se rendit compte que la voiture bleue de Gerald la suivait de nouveau.

Furieuse, elle s'engagea dans la bretelle de sortie de la 270 et prit la direction du centre commercial de Lake Forest, s'assurant de rouler assez lentement pour qu'il puisse la suivre. Cette fois, elle ne voulait pas le semer. Elle voulait l'attraper.

Elle trouva une place de parking devant l'entrée des restaurants et coupa le moteur. Gerald se gara juste à côté d'elle sans faire le moindre effort pour se cacher.

— Mais bon sang ! Qu'est-ce que vous faites ici ? demanda-t-elle, le cœur battant.

Il leva les mains devant lui.

— Ne vous fâchez pas !

— Je croyais que vous aviez compris le message.

— Absolument. Et je ne vous suivais pas.

Elle le considéra d'un air incrédule.

— Bon, bon, d'accord, je vous suivais, dit-il. Je

l'admets, mais c'est parce que j'ai quelque chose pour vous.

Hélène se rendit soudain compte qu'elle devrait se montrer bien plus prudente dorénavant : elle avait un bébé à protéger, maintenant. Elle jeta un coup d'œil à la ronde et fut soulagée de voir une bande de jeunes un peu plus loin, en train de mettre de l'antigel dans le moteur de leur voiture.

— Comment ça, vous avez quelque chose pour moi ? demanda Hélène en reculant jusqu'à sa portière, au cas où. Pourquoi auriez-vous quelque chose pour moi ?

Il haussa les épaules.

— Je… euh… j'avais des scrupules de vous avoir suivie. Vous voyez, comme je vous observe tous les jours, j'ai l'impression de vous connaître et je pense que vous méritez mieux que cette ordure avec laquelle vous êtes mariée.

Elle ne savait quoi répondre. On aurait dit qu'il essayait de la complimenter, mais d'une manière tellement bizarre.

— J'apprécie le fait que vous ayez des scrupules à m'avoir suivie, pourtant vous êtes encore en train de le faire, non ? Il faut que ça cesse.

— Absolument. Immédiatement. Presto.

— Bien. Alors nous sommes d'accord.

Elle ouvrit la portière de sa voiture, prête à repartir.

— Attendez une minute !

Gerald se pencha pour prendre quelque chose sur son siège avant.

Prudente, Hélène glissa derrière sa portière tout en sachant que cela ne servirait pas à grand-chose s'il s'avisait à lui tirer dessus.

— Tenez, voici pour vous ! dit-il en lui tendant une enveloppe kraft.

Elle se contenta de fixer la chose, plutôt méfiante.

— Qu'est-ce que c'est ?

— Quelque chose qui pourrait vous être utile un jour.

Puis, agitant l'enveloppe devant elle, il ajouta :

— Allez, prenez-la ! Elle ne va pas vous mordre.

Lentement, elle la saisit.

— Euh… merci.

— Gardez-la, dit-il en se grattant le nez. Mettez-la de côté pour les mauvais jours.

Elle commença à l'ouvrir.

Pendant ce temps, Gerald monta dans sa voiture, mit le contact et s'éloigna, sa petite voiture bleue crachant un nuage de fumée par le pot d'échappement.

L'enveloppe contenait une liasse de papiers. Des photos, constata-t-elle en y regardant de plus près. Elle les sortit.

— Oh, mon Dieu !

C'étaient de grands tirages couleur de Jim et Chiara Mornini, nus dans le grand lit circulaire. Des mains, des jambes, des langues et des prises de vue assez détaillées d'autres parties de leurs corps lui sautèrent à la figure.

Il n'y avait aucun doute sur ce qui s'y passait.

Hélène eut un haut-le-cœur. Elle porta une main sur la poitrine et s'assit sur son siège, ferma et verrouilla la portière avant de regarder les photos une seconde fois.

Elle ignorait ce qui la rendait la plus furieuse : de découvrir Jim, qu'elle savait coureur de jupons, ou de voir Chiara qu'elle pensait être son amie.

Pendant un long moment, elle se contenta de rester assise là, les yeux fixés sur les photos. Si un passant avait jeté un coup d'œil dans la voiture, il l'aurait prise pour une obsédée en train de mater des images pornographiques sur un parking.

Si seulement elle avait de l'argent ou accès à ses cartes de crédit, elle aurait directement filé dans le centre commercial pour y claquer une fortune et effacer ses soucis. Mais c'était devenu impossible. Grâce à Jim.

À *cause de Jim*.

Elle prit conscience de la situation comme dans un film accéléré. Gerald venait de lui faire une immense faveur. Tout comme Chiara, quand on y pense… Sauf que cette garce ne l'avait sûrement pas fait exprès !

Ni Jim ni Chiara ne voudraient que la presse ou, plus grave encore, Anthony Mornini puissent voir ces photos.

Donc, si elle agissait rapidement, Hélène pourrait imposer les termes de son divorce.

Joss était rentrée à la maison et s'était écroulée sur son lit comme une pierre pour aussitôt s'endormir. La soirée avait été absolument épuisante.

Tôt le lendemain matin, son réveil sonna et, comme une somnambule, elle nourrit Bart, l'habilla et l'accompagna à la maison de son ami Gus. Par chance, Julia, la nounou du gamin, une femme adorable plutôt âgée, lui jeta un coup d'œil entendu :

— Rentre chez toi, ma belle ! On dirait que tu as besoin d'un peu de repos.

— Non, je vais bien, protesta Joss.

Mais elle étouffa un bâillement à mi-phrase, ce qui la contredisait complètement.

Julia éclata de rire.

— Moi aussi j'ai eu vingt ans. Va, rentre ! Et un jour tu remplaceras quelqu'un d'autre à ton tour. Ne t'en fais pas, ajouta-t-elle en la chassant d'un geste de la main. Ils ne s'en rendront jamais compte. Je te passerai un coup de fil quand il sera temps de passer prendre Bart.

Joss n'eut pas besoin qu'on insiste davantage, craignant même de s'endormir dans le fauteuil en surveillant les enfants.

— Merci, dit-elle reconnaissante. À charge de revanche !

— Laisse tomber ! Moi aussi, j'ai été jeune un jour. Je me souviens d'avoir bien profité de la vie.

Si seulement elle savait ! Cependant, Joss préférait retourner à la maison pour rattraper un peu de sommeil plutôt que de lui raconter la vérité, bien moins intéressante, sur ses occupations de la veille. Elle remercia donc Julia et conduisit jusqu'à la maison des Oliver.

Seule. Elle allait enfin être seule ! Ce serait la première fois en quoi… trois mois ? Joss se réjouissait d'avance.

En s'engageant dans l'allée, elle remarqua une Saab vert forêt garée dans la rue, mais n'y prêta pas attention.

Pas avant qu'elle entre dans la maison et entende la voix bizarre d'un homme. Pour être exact, c'étaient carrément des grognements étranges qui provenaient de la chambre de ses patrons, deux portes plus loin que la sienne, mais trop aigus pour correspondre à la voix de Kurt Oliver.

Elle resta un instant figée, ne sachant que faire.

Voilà la preuve que Deena essayait de l'accuser de ses propres forfaits ! Théoriquement, Joss pouvait se munir de son portable, ouvrir la porte, et prendre Deena sur le vif. Cela lui faciliterait sérieusement la vie.

Mais… berk !

Elle s'en sentait parfaitement incapable. Aussi horrible que Deena ait pu se montrer envers elle, Joss ne se voyait pas la surprendre en plein adultère pour prendre des photos.

Par ailleurs, elle ne pouvait pas non plus rester ainsi, plantée dans le hall d'entrée. Apparemment, Deena s'imaginait être seule dans la maison puisqu'elle avait laissé la porte de sa chambre entrouverte.

Sur la pointe des pieds, Joss se précipita dans la sienne et appela Sandra.

— Au secours !

— Qu'est-ce qui ne va pas ? demanda aussitôt Sandra sans même vérifier *qui* était à l'autre bout du fil.

C'était formidable d'être devenues des amies suffisamment proches pour ne pas avoir à s'annoncer au téléphone.

— J'ai déposé Bart chez un petit copain, chuchota Joss en s'éloignant le plus possible de la porte et des cloisons mitoyennes. Ensuite je suis rentrée et figure-toi qu'il y a une sacrée partie de jambes en l'air dans la chambre des Oliver.

— Oups ! fut la première réaction de Sandra.

Puis elle ajouta :

— Je suppose que c'est leur droit puisque c'est leur maison et qu'ils pensaient que tu t'absentais avec leur fils.

— Ce n'est pas lui, chuchota Joss précipitamment. J'ai entendu un type qui n'est pas M. Oliver. Je crois qu'elle a une aventure. Dieu sait combien j'aimerais l'humilier en la prenant sur le fait, mais je préférerais nettement prendre mes cliques et mes claques et partir en vitesse pour ne pas savoir ce qui se trame ici.

— Attends ! Vu la manière dont elle te traite… tu pourrais tirer parti de cette situation cocasse.

Joss eut la chair de poule.

— Je sais, mais… non, non. Qu'est-ce que je vais faire, coincée ici ?

— C'est simple, commença Sandra d'une voix ferme et décidée, tu gardes le téléphone collé à l'oreille et, si quelqu'un arrive, tu fais semblant de me parler comme si tu m'écoutais moi et non pas leur grabuge. Je reste avec toi au téléphone.

Joss prit une profonde inspiration.

— D'accord… Bon… j'ouvre la porte Et je sors discrètement dans le couloir.

— *Oooooh!* entendit-elle dans la chambre des Oliver juste avant que la porte ne s'ouvre brusquement.

En sortit en courant un homme fluet aux cheveux blonds-blancs et une petite barbichette, cul nu et arborant un sexe en érection presque comique.

— *Viens m'attraper, mon grand!* dit-il, ne s'étant de toute évidence pas aperçu de la présence de Joss. *Viens, si tu oses!*

— *Si j'ose!*

Contre toute attente, la voix n'était pas celle de Deena.

C'était celle de Kurt.

Joss en eut la certitude quand il bondit dans le couloir à la suite du blond, tout aussi nu, tout autant en érection.

Affolée, elle se réfugia dans sa chambre. Elle en avait assez vu !

Beaucoup trop.

— Joss ? appelait Sandra à l'autre bout de la ligne. Tu vas bien ?

— Oui, oui, je vais bien..., répondit-elle d'une voix rauque en essayant de retrouver son souffle après cette étrange découverte qui la surprenait tout autant qu'elle la paniquait. C'était *Monsieur* Oliver.

— Oh, M. Oliver est avec Mme Oliver ?

— Non..., chuchota Joss.

C'était vraiment trop bizarre. Il ne se passait jamais des trucs comme ça à Felling. Ou si c'était le cas, les gens s'efforçaient de bien le cacher.

— ... c'est M. Oliver avec un autre type.

Voilà qui attira l'attention de Sandra.

— Oh, bonté divine ! Alors prends vite des photos avec ton téléphone !

— Des photos ! Mais tu veux *voir* ça, toi ?

— Non, elles sont pour toi. Garde-les juste au cas où tu en aurais besoin plus tard comme preuve ou pour te défendre. On ne sait jamais...

— Mais...

— … Mais rien du tout ! Ça pourrait être ta meilleure arme contre Deena Oliver si elle t'accuse d'autre chose. Sérieusement, Joss, je sais que tu n'en as pas envie, mais sors et prends quelques photos. Tu n'es pas *obligée* de t'en servir, mais s'il le fallait, tu les aurais.

— J'en suis incapable. Je ne veux même pas les *voir* !

— Tu n'as pas besoin de voir, lève juste le téléphone et appuie. Fais-moi confiance ! la pressa Sandra. Il *faut* que tu fasses ça. Pour ta propre protection.

— Bon, bon d'accord ! Mais après, comment je peux sortir d'ici sans qu'ils me remarquent ?

Sandra éclata de rire.

— Écoute, ma jolie, d'après ce que tu me racontes, ces joyeux loustics ne sont pas très intéressés par ce qui se passe autour d'eux.

C'était exact. Une fois qu'elle eut raccroché, Joss jeta un coup d'œil dans le couloir et, effectivement, les deux hommes n'avaient l'air de s'intéresser qu'à leur petit jeu. Alors elle ferma les yeux sur l'image qui était maintenant imprimée dans sa mémoire et leva son téléphone pour prendre deux photos.

Les bruits ne cessèrent pas pour autant. Joss en conclut donc qu'ils n'avaient rien remarqué. En revanche, étant donné qu'ils se trouvaient encore dans le couloir, elle ne pourrait pas passer inaperçue.

Elle allait devoir attendre jusqu'à ce qu'ils aient terminé. Ou qu'ils aillent s'amuser ailleurs. Le couloir débouchait sur deux escaliers différents menant vers deux parties bien distinctes de la maison. Malheureusement, les hommes se tenaient à mi-chemin, juste entre les deux issues.

Alors elle s'adossa contre le mur, pour se cacher, pour attendre et… quelle ironie… pour tenter de ne pas se faire surprendre.

Joss eut l'impression que leurs ébats duraient des

heures alors qu'elle n'eut à attendre qu'une dizaine de minutes avant qu'ils se dirigent vers la cuisine.

À pas de loup, elle descendit l'autre escalier, comme un enfant le soir de Noël, essayant de surprendre le Père Noël. Sauf que dans son cas, elle essayait *d'éviter* le barbu de la maison.

Quand elle ouvrit enfin la porte d'entrée, elle se retrouva nez à nez avec Deena, les yeux écarquillés de surprise.

Ils devaient refléter son propre étonnement. En partie, du moins, puisque Deena s'apprêtait à entrer et allait donc subir un deuxième choc.

— Mais qu'est-ce que vous faites ici ? grinça Deena. Vous étiez censée accompagner Bart chez son ami Gus.

Joss se demanda si elle devrait parler très fort pour signaler aux hommes sa présence ou faire comme si de rien n'était.

Elle préféra rester en dehors de toute cette histoire.

— J'ai en effet accompagné Bart mais Julia, la nounou de Gus s'en occupe. Alors je suis revenue ici pour…

Elle pouvait difficilement admettre que c'était pour faire une sieste. Sa patronne l'étriperait à la seconde.

— … pour prendre quelque chose.

Deena la dévisagea avec une hostilité glaçante.

— Quoi ? Vous avez laissé mon enfant sous la garde d'une inconnue ?

Oui, pourquoi pas ? C'est ce qu'avait fait Deena elle-même, dix minutes après avoir fait la connaissance de Joss.

— C'est la nounou. Elle est parfaitement capable de s'occuper de Gus *et* de Bart.

— Qu'est-ce qui était *si* important pour que vous ne puissiez pas vous en passer, hein ? insista Deena, un poing sur la hanche.

Joss dut réfléchir à cent à l'heure.

— Mon téléphone. Au cas où il y aurait une urgence.

— Ceci est parfaitement inexcusable ! glapit Deena en faisant une grimace comme si Joss venait de rendre son petit déjeuner sur ses pieds.

— J'y retourne immédiatement, déclara Joss en commençant à se diriger vers la voiture.

— Une minute ! aboya Deena.

— Qu'y a-t-il ? demanda Joss en se retournant.

Deena plissa les yeux qui devinrent deux fentes, comme ceux d'un lézard.

— Vous vous comportez de façon très nerveuse, dit-elle, soupçonneuse.

Quelle ironie ! C'était la première fois que Deena se montrait réceptive à ce que pouvait ressentir Joss.

— Je ne suis pas nerveuse, mentit-elle. C'est que vous n'avez pas l'air d'être à l'aise avec l'idée que Bart soit chez Gus sans moi. Alors je vais juste…

— Attendez ici ! Je vais appeler Maryanne et m'assurer que Bart sera bien surveillé le temps que vous retourniez là-bas.

Puis, levant les yeux au ciel, elle ajouta d'un air excédé :

— Je n'arrive pas à croire que je doive perdre mon temps avec ce genre de sottises avec tout ce que j'ai à faire !

— Écoutez, madame Oliver… je vais y retourner tout de suite. Cela ne me prendra que quelques minutes…

— Vous allez attendre ici parce que c'est ce que je vous ai demandé !

Sur ce, elle entra dans la maison au pas de charge.

Dieu du Ciel ! Joss ne voulait pas se trouver mêlée à cette histoire. Ni attendre sur le pas de la porte que le feu d'artifice commence. Cela allait certainement prendre une éternité…

Deena fut de retour en un clin d'œil, pâle et secouée.

Pendant un instant, Joss se sentit désolée pour elle. Mais seulement un instant.

C'est le temps qu'il fallut pour que Deena explose :

— C'est votre petit copain qui est là ! Maintenant je sais pourquoi vous êtes revenue, espèce de petite dévergondée ! Pour une misérable séance de galipettes !

Joss n'en revenait pas.

— Madame Oliver, vous savez que ce n'est pas vrai, n'est-ce pas ?

— Je sais ce que j'ai vu, fit-elle d'une voix tremblotante.

Joss savait, elle aussi, ce qu'elle avait vu.

— Encore une incartade comme celle-ci, continua Deena, semblant reprendre vie à chaque mot furieux qu'elle déversait, et vous serez virée si vite que vous n'aurez même pas le temps de comprendre ce qui vous arrive ! Et je vais vous traîner en justice. N'imaginez surtout pas que j'y renoncerai !

Sandra avait sans doute eu raison de la pousser à prendre ces photos pour qu'elle se protège. Mais Joss n'arriverait jamais à les montrer dans un tribunal car la rumeur finirait par se répandre et c'étaient les garçons qui risquaient d'en souffrir.

Elle ne pouvait pas leur infliger ça.

Chapitre 21

— Mademoiselle Rafferty ! s'exclama Holden Bennington, apparemment surpris de voir Lorna. Je ne pensais pas que vous aviez de nouveaux problèmes avec votre compte.

— Je ne suis pas là pour des problèmes de découvert.

Puis elle ajouta, en chuchotant assez fort pour qu'il l'entende :

— Et vous devriez vous montrer un peu plus discret quand vous parlez à vos clients dans le hall de la banque.

Holden regarda autour de lui.

— Il n'y a que des employés, fit-il remarquer.

Elle aurait pu se lancer dans une longue discussion et lui demander si tous étaient au courant de ses difficultés mais renonça, préférant en venir à l'objet de sa visite.

— Je suis là pour vous parler d'un emprunt.

Il éclata de rire. Sincèrement. Puis, remarquant qu'elle ne riait pas, il la regarda, se calma et dit :

— Vous n'êtes pas sérieuse.

Elle garda la tête haute.

— Plus sérieuse que jamais !

Puis, avant qu'il la prenne pour une folle, elle ajouta :

— Je pensais que vous pourriez me donner quelques conseils. Cela est-il possible ?

Il la considéra un instant, puis prit une profonde inspiration.

— Bon. D'accord. Mais je pense qu'il me faudra un peu de café pour ça. Vous en voulez ?

— Volontiers. Noir, ce serait parfait.

— Entendu. Allez dans mon bureau. Je vous y retrouve dans une minute.

Lorna se rendit donc dans son minuscule cagibi et s'installa sur le siège toujours aussi inconfortable. Sur le bureau trônait la photo d'un gamin en tenue de base-ball. Était-ce son fils ? Cela changerait du tout au tout la perception qu'elle avait de cet homme et expliquerait pourquoi il se montrait tellement didactique et paternaliste.

— Désolé d'avoir été si long, dit Holden en entrant.

Il posa une tasse en polystyrène expansé devant Lorna, renversant un peu de café – de toute évidence au lait – par-dessus le rebord et sur les dossiers. Il lâcha un juron et s'apprêtait à prendre un mouchoir en papier dans la boîte un peu plus loin quand Lorna arrêta son geste.

— Ne vous en faites pas. Je m'en occupe.

— La cafetière était éteinte. J'ai dû en préparer du frais.

Elle acquiesça et but une gorgée du liquide épais.

— Vous le vouliez noir, n'est-ce pas ? Que je suis bête ! Je suis désolé. Je vais vous en chercher un autre.

— Non, non, c'est très bien comme ça.

Elle prit une autre gorgée, puis ajouta :

— Cela dit, maintenant nous savons tous les deux qu'il y a un domaine dans lequel *je* suis plus douée que *vous*.

— J'avoue être complètement perdu dans une cuisine.

— Peut-être pourriez-vous m'apprendre à décrocher un emprunt pour une start-up et moi je vous apprends à préparer une tasse de café décente.

— Marché conclu !

Il prit une gorgée de son propre breuvage et fit une grimace.

— C'est votre fils ?

Elle montrait le cadre sur le bureau. Soudain, elle espéra que ce ne soit pas le cas.

C'était son jour de chance car Holden secoua la tête.

— Non, c'est mon neveu. Je n'ai pas d'enfant. Ni de femme, d'ailleurs.

Pourquoi en était-elle ravie ?

— Moi non plus, précisa-t-elle inutilement.

Il éclata de rire.

— Finalement, nous avons quelque chose en commun, vous voyez !

Puis il sembla regretter de s'être montré trop familier, même à si petite dose.

— Bon, quelle est cette affaire dont vous vouliez me parler ? Un projet que vous envisagez sérieusement ou seulement en théorie ?

— C'est un *vrai* projet.

— Oh !

— Vous semblez surpris.

— Je le suis.

Elle n'en revenait pas que Holden se montre aussi direct. Il n'avait même pas fait l'effort de cacher sa stupéfaction.

— Ne vous donnez surtout pas la peine de prendre des pincettes avec moi ! dit-elle, mi-figue, mi-raisin.

Il se laissa aller contre le dossier de son fauteuil et croisa les bras.

— Vous n'êtes pas le genre de femme à aimer qu'on enrobe la vérité.

Il avait raison.

— Revenons aux choses sérieuses, dit-elle. Mettons que je veuille monter une affaire avec plusieurs partenaires et que nous ayons besoin d'un emprunt pour démarrer. Qu'est-ce que je fais ?

— Quel genre d'affaire ?

— De l'import. En quelque sorte. De l'import et de la distribution.

— Et si vous me disiez ce que vous avez exactement en tête ?

— D'accord. J'ai une amie qui a une amie très haut placée, une personne dont vous reconnaîtriez aisément le nom mais que je ne peux pas mentionner. Son neveu dessine des chaussures. Il est italien et vraiment très très doué. Et croyez-moi, je m'y connais… en chaussures.

Holden hocha la tête d'un air très sérieux.

— Ça, je veux bien le croire.

Normal. Il avait vu passer toutes les dépenses d'Ormond's, Nordstrom, Zappos, DSW…

— Ce type, donc, en crée de très belles et nous voulons les importer. En être le distributeur exclusif.

Holden se pencha vers elle, l'œil vif, soudain intéressé.

— Très bien. Avez-vous fait un business plan, un projet commercial précis ?

— En dehors de ce que je vous ai raconté ?

— Oui. Quelque chose de formel. Une description précise et écrite de l'affaire que vous voulez monter. Coûts projetés, profits attendus, etc.

— Joss, l'une de mes… hum… associées, travaille là-dessus.

— Parfait. Avez-vous songé à des pourvoyeurs de capital-risque ?

Les années passées sur les bancs de la fac n'avaient pas été complètement inutiles.

— À dénicher des hommes d'affaires prêts à investir ?

— Oui. Beaucoup pensent que cela revient à s'adresser uniquement à de grosses compagnies bancaires pour trouver des investisseurs et c'est là qu'ils se trompent. Celles-ci n'ont pas *besoin* des start-up. Il faut que vous vous tourniez vers les nouveaux investisseurs, qui existent depuis trois à cinq ans.

— Et carrément faire l'impasse sur un emprunt bancaire ?

— Non, pas forcément. Mais les investisseurs vous donneront essentiellement une garantie, ce qui rassure les banquiers.

Là, maintenant, elle commençait à apprécier ce brave Holden. Il était très bien, ce garçon.

Il continua, lui expliquant les manières les plus créatives de trouver des financements. Il suggéra qu'un emprunt collatéral pourrait permettre de compléter les fonds nécessaires si Lorna, ou l'un de ses partenaires, avait un bien de valeur à mettre en garantie. De l'immobilier, par exemple.

Au cours de la conversation, il avoua que les affaires étaient sa véritable passion mais qu'il lui avait fallu trouver un travail rapidement. Comme cette banque était venue lui en proposer un, il n'avait pas pu refuser.

Après une bonne heure de discussion, Holden consulta sa montre.

— Zut ! Je dois absolument me rendre en réunion.

Il leva les yeux vers Lorna et, l'air surpris par sa propre question, il demanda :

— Et si nous dînions ensemble ? Nous pourrions continuer à parler de tout ça.

Elle fut certainement tout aussi surprise par sa propre réponse :

— J'en serais ravie.

Lorna rentra chez elle avec l'impression d'avoir des ressorts sous les pieds, ce qui ne lui était jamais arrivé en sortant de la banque.

Holden Bennington.

Elle allait dîner avec Holden Bennington. C'était difficile à croire. Comme tout ce qui arrivait dans sa vie, ces derniers temps. La révélation de Sandra, par exemple : Sandra la timide… une opératrice de téléphone rose ?

Tout cela prouvait qu'on sait peu de choses sur les gens. Même si on pense être devenue une experte pour les décrypter simplement parce qu'on travaille dans des bars depuis des années !

Plus tard, Lorna put à peine se rappeler leur dîner chez Clyde's car ce qui s'était passé après le repas l'avait déjà effacé de son esprit.

Une fois qu'ils furent revenus à l'appartement de Lorna, elle proposa une bière à Holden.

— Volontiers. Mais tu ne bouges pas. C'est moi qui vais la chercher. Ce n'est pas à toi de me servir.

— Cela ne me dérange pas, dit-elle en pensant à tous ces trucs embarrassants qu'il risquait de trouver dans le frigo.

Des cartons encore à moitié pleins de repas chinois, une vieille portion de tarte aux noix de pécan qu'elle avait rapportée de chez Jico, presque toutes les sortes de fromages qui existent sur terre et des canettes de Slim-Fast tellement vieilles qu'elles portaient encore l'ancien logo du fabricant…

Finalement, cela n'eut aucune importance, parce qu'ils se levèrent en même temps, firent tous deux un pas vers la cuisine, se cognèrent l'un à l'autre dans ce petit espace et ensuite…

Comment était-ce arrivé ? Ça, Lorna n'aurait su le dire… Toujours est-il qu'ils se retrouvèrent dans les bras l'un de l'autre, pris dans un baiser on ne peut plus torride.

Holden était très doué, sachant exactement quoi

faire pour mettre le feu aux sens de Lorna en un temps record.

Deux semaines plus tôt, elle n'aurait jamais pu s'imaginer faire l'amour avec lui. Et maintenant, elle ne désirait qu'une chose : lui arracher ses vêtements.

Ce qui était absolument hallucinant.

Pourtant, elle n'était plus censée être aussi impulsive. N'avait-elle pas pris des résolutions ?

Essoufflée, elle se détacha de lui :

— Qu'est-ce qu'on est en train de faire ? Peut-être devrions-nous y réfléchir avant ?

Il rit et elle ne put s'empêcher de remarquer la manière dont ses yeux magnifiques se ridaient dans les coins quand il souriait.

— Pour moi, c'est tout réfléchi. J'en ai envie depuis la première fois que je t'ai vue.

Puis il l'embrassa de nouveau.

— Mais…

Lorna recula encore une fois. *Les conséquences*, se rappela-t-elle. Elle était censée réfléchir avant d'agir.

— Tais-toi, souffla-t-il avec un sourire.

Il pressa ses lèvres contre les siennes, mettant ses sens en feu.

Elle aurait toujours le temps de penser aux conséquences plus tard.

En dehors du fait que l'avocat recommandé par Sandra continuait à parler d'elle en l'appelant « Pénélope », l'entretien téléphonique que Joss eut avec lui se passa à merveille. Il lui avait assuré que si ses patrons l'avaient forcée à accomplir des tâches non mentionnées dans la description de son poste, elle n'était pas obligée de rester.

Ce serait gentil à elle de leur donner un préavis ou de rester jusqu'à ce qu'ils trouvent une remplaçante, mais elle n'était absolument pas tenue de le faire.

Pourtant, Joss ne se sentait pas très sûre d'elle en partant à la recherche de Mme Oliver pour lui annoncer la nouvelle.

Elle la trouva en train de se faire les ongles en regardant un feuilleton à la télévision.

— Madame Oliver…

Joss aurait aimé avoir un ton plus assuré. Jusque-là elle n'avait quitté ses précédents jobs que pour reprendre les cours… pas parce qu'elle ne pouvait plus supporter ses employeurs ! Décidément, c'était une démarche qui lui déplaisait au plus haut point.

— … est-ce que je pourrais vous parler un instant ? ajouta-t-elle.

Deena Oliver mit un point d'honneur à regarder la télévision quelques secondes de plus avant de se tourner vers Joss.

— Vous voyez bien que je suis en plein feuilleton.

— Oui, mais les garçons ne sont pas là pour le moment et je dois absolument vous parler.

Deena soupira avec exagération et pointa une télécommande vers l'écran pour figer l'image. Puis elle se tourna vers Joss avec un regard glacial particulièrement hideux. Comment un être humain pouvait-il s'adresser de cette manière à son semblable ? Ça, Joss n'arrivait pas à le comprendre !

— Qu'est-ce qu'il y a encore ? souffla Deena, excédée.

Joss nota qu'elle ne l'invitait pas à s'asseoir. Elle s'y attendait. Parfait. Cela lui permettrait de quitter plus facilement la pièce quand l'entretien serait terminé.

— Il s'agit de mon travail ici.

Deena se lima les ongles avec un bruit à faire se dresser les poils sur les bras.

— À quoi bon ? Des excuses ne changeront rien à l'affaire, vous savez !

Des excuses ?

— Le… le travail ne me satisfait pas. Je veux dire…

Non. Ça ne sonnait pas bien. *Satisfaire* n'était pas le terme exact.

Criit criit criit… Elle continuait à limer ses ongles.

— Comment ça, il ne vous satisfait pas ? Est-il censé vous *satisfaire* ? Vous êtes une nounou, pas une espèce de superstar !

Elle répondait elle-même à ses questions…

Joss se lança :

— Bon, ce que je veux dire, c'est que… je ne… j'aime bien les garçons, mais je ne pense pas pouvoir continuer à les aider. Je n'ai peut-être jamais pu le faire.

Ce n'était pas facile et le refus évident de Mme Oliver de la regarder en face n'arrangeait rien.

— Bref, je vous donne ma démission.

Deena cessa de se concentrer sur ses ongles. Elle leva les yeux vers Joss tout en réussissant, allez savoir comment, à la regarder de haut.

— Votre démission ? Impossible, vous avez un contrat d'un an.

— Oui, c'est vrai. Nous avions un contrat…

Elle s'était exercée tant de fois dans sa chambre, mais c'était bien plus difficile dans la situation réelle.

— … mais ce contrat précisait que si l'une des parties estimait que l'autre partie n'en respectait pas les termes, on pouvait y mettre fin avec un préavis raisonnable. Il se trouve que j'ai l'impression de ne pas faire le travail pour lequel j'ai été embauchée.

Deena émit un petit grognement méprisant.

— Ah, ça ! On est bien d'accord là-dessus !

Joss sentit la moutarde lui monter au nez :

— Je veux dire que vous me demandez d'accomplir bien plus de choses qu'il n'est stipulé dans la description de mes tâches !

Il y eut un silence très tendu, presque menaçant. Malgré cela, Joss poursuivit sur sa lancée :

— Et c'est pour ça que je vous donne ma démission avec suffisamment de préavis ! Ainsi vous pourrez trouver quelqu'un qui sera capable de répondre à vos exigences.

Deena leva un sourcil narquois.

— Parfait. Je considère que neuf mois représentent un préavis raisonnable puisque c'est ce que j'avais prévu.

— C'est trop long. Je pensais que deux semaines…

— Deux semaines ne m'aident pas pour un sou ! cracha Deena. C'est moi qui vous ai embauchée et vous allez rester et exécuter le travail pour lequel vous vous êtes engagée en signant ce contrat !

Joss secoua la tête.

— Non, je ne peux pas rester. Désolée.

Deena l'observa longuement.

— Vous êtes sérieuse, n'est-ce pas ? Juste ciel ! Après tout ce que j'ai fait pour vous !

— Tout ce que… ?

Deena devint aussitôt hystérique, avec larmes et toute la panoplie d'une crise de nerfs.

— Nous vous avons offert un foyer, nous vous avons confié la vie de nos propres enfants et c'est comme ça que vous nous remerciez !

Joss aurait voulu protester, mettre en avant toutes les choses dont elle s'occupait sans se plaindre, les heures supplémentaires qu'elle avait dû faire… mais c'était inutile.

Deena Oliver était du genre à se battre jusqu'à la mort, même si elle avait tort sur toute la ligne.

Alors, au lieu de la contredire, de lui mettre sous le nez les frasques de son mari avec le sosie maigrichon du Père Noël et ses accusations injustes, Joss ravala sa fierté.

— Je pense que si vous vous calmiez un peu et si vous regardiez les choses en face, vous comprendriez pourquoi je ne peux pas rester. Je suis désolée.

— Désolée !

— Oui, désolée. Et si je pouvais tout de même voir les garçons de temps en temps pour savoir ce qu'ils deviennent, ce serait formidable.

— Ha ! Ha ! Ha ! Vous voulez voir les garçons ! s'esclaffa Deena. Vous ne voulez pas vous occuper d'eux mais vous voulez mettre votre nez dans leur vie de temps en temps et prétendre que vous avez une influence sur eux. Ha ! Ha ! Sûrement pas !

— Oh, je vous en prie, madame Oliver. Cela n'a rien à voir avec vous, moi ou... leur père ! Honnêtement, les garçons ont besoin de savoir qu'on tient à eux et que rien de tout cela n'est leur faute.

— Rien de *quoi* ? demanda Deena, incrédule. Vous démissionnez en dépit de votre contrat et vous faites tout un plat parce que je ne veux pas que vous reveniez voir les garçons ?

Joss dut se mordre la langue pour ne pas lui dire toutes les horreurs qu'elle méritait d'entendre, à propos de son caractère odieux, de son mari volage et du vernis de respectabilité qui recouvrait ce qu'elle considérait comme une vie parfaite.

— Je veux seulement que les garçons sachent que je les aime, dit-elle pourtant. C'est important pour eux.

— Vous croyez qu'ils s'intéressent à *vous* et à ce que vous ressentez ? Vous vous trompez, ma pauvre fille !

Il y avait tant de haine dans sa voix !

— Mon Dieu, il serait bien plus facile pour moi de partir et de couper tous les ponts ! Mais j'aime vos garçons et je voudrais faire ce qui est le mieux pour eux.

— Parce que vous vous imaginez que vous êtes ce qu'il y a de mieux ? demanda Deena, aussi hautaine que la Princesse de Sheba. Fichez le camp ! dit-elle en la congédiant d'un simple geste. Je vais appeler mon mari pour lui annoncer que nous avons besoin de vous remplacer immédiatement. Merci, Jocelyn, merci beaucoup !

Joss eut de la peine à déglutir. Elle n'avait pas l'habitude de ce genre de scène.

— Écoutez, je pense que nous devrions d'abord penser aux garçons. Alors si je passais les récupérer…

— J'ai dit : Fichez le camp ! hurla Deena. Et tout de suite, sinon j'appelle la police. Je vous jure que je le ferai.

Puis, la fixant d'un regard aussi froid que l'acier, elle ajouta :

— Ramassez vos affaires et sortez de cette maison. Je ne veux plus vous revoir.

— Mais… aujourd'hui ?

— Immédiatement !

Zut ! Où aller ? Que faire ?

Quelle importance ? se dit Joss. Partout ailleurs ce serait toujours mieux qu'ici !

— Je vous donne une heure ! continua Deena. Tout ce que vous laisserez derrière vous, je le céderai aux pauvres. Ou encore mieux : je le jetterai à la poubelle !

Seule Deena Oliver pouvait penser que la poubelle valait mieux que les pauvres pour ses vêtements. Quelle égoïste ! Il était tentant de lui dire combien son mari…

Non, en dépit de toute la colère qu'elle ressentait, Joss se sentait incapable de lui raconter la scène à laquelle elle avait assisté. C'était trop moche.

— Pourrais-je au moins leur dire au revoir ? Je veux qu'ils sachent que je les aime. C'est important.

Devant l'affreux rictus qui déformait le visage de Deena, Joss imagina ce que penseraient d'elle ses partenaires de bridge, s'ils la voyaient. Pas le plus grand bien, en tout cas !

Deena se leva, les orteils pris dans ses séparateurs en mousse rose, et boitilla jusqu'à Joss. Elle était plus menue que Joss, mais sa présence en imposait.

— Écoutez, ma petite. Je vous ai dit de sortir de la maison. Si vous n'obtempérez pas dans l'heure qui suit, j'appelle la police. Est-ce que c'est assez clair pour vous ?

— Parfaitement.

Et Joss avala la boule qui s'était formée dans sa gorge. Il était hors de question qu'elle montre la moindre parcelle d'émotion à cette mégère.

Tournant les talons, elle sortit le plus calmement possible de la pièce. Aussitôt qu'elle fut hors de vue de cette harpie, elle fonça dans sa chambre pour appeler Sandra et lui demander de passer la prendre et la loger une nuit ou deux.

Il ne lui fallut que quelques instants pour rassembler toutes ses affaires. Espérant que Deena n'aurait pas la curiosité de venir la voir, elle se rendit ensuite dans la pièce où se trouvait l'ordinateur et l'alluma.

Chers Colin et Bart,

Quand vous trouverez ce mot, je serai partie et j'ignore les explications que vous donnera votre maman. Je pars parce que mon travail ne me convient plus. Ce n'est pas à cause de vous. Vous êtes des enfants formidables et c'est difficile pour moi de partir parce que je vous aime beaucoup.

Colin, je sais que tu n'étais pas toujours content que je sois ici, mais j'espère que tu liras ce mot à Bart et que tu lui diras combien je l'aime et combien j'ai aimé les moments passés avec vous deux.

Si vous avez un jour besoin de quelque chose, si vous avez des problèmes ou si vous voulez juste bavarder, notez mon numéro de portable : c'est le 240-555-3432. Vous pouvez aussi m'envoyer un e-mail à l'adresse suivante : NewShuz@gregslist.biz

Faites bien attention à vous, les garçons. Je ne vous oublierai jamais.

Baisers, Joss.

Elle tapa sur la touche ENVOYER et descendit rapidement l'escalier, espérant échapper à l'attention de Deena.

C'eût été trop beau !

— Stop !

Sa patronne se tenait à deux pas de la porte d'entrée, toujours pieds nus, mais elle avait ôté les écarteurs d'orteils.

— J'ai fini mes bagages, dit Joss en montrant son sac. Vous ne m'aurez plus dans vos jambes maintenant.

Elle avança vers la porte mais Deena se mit en travers de son chemin.

La peur gagna Joss. Des scènes de films d'horreur défilèrent dans son esprit à une cadence infernale.

— C'est une augmentation que vous voulez ?

Comme Joss avait craint que Deena ne sorte un couteau pour la cribler de coups, elle mit un moment avant de comprendre.

— Une augmentation ? Que voulez-vous dire ?

— C'est plus d'argent que vous voulez ? C'est ça, votre petit jeu ?

— Je regrette, mais je ne comprends pas. Quel petit jeu ?

— C'est juste pour me mettre la pression ? Vous ne partez pas *vraiment*, n'est-ce pas ?

C'était bien ça, Deena avait perdu la boule. Elle ne savait plus ce qu'elle disait.

— Si, je pars vraiment.

Pour preuve, Joss montra son bagage.

— J'augmente votre salaire de dix pour cent.

— Quoi ?

— Bon, vingt ! Et j'ajoute des congés payés… Un bon paquet, même !

Ses yeux brillaient d'une lueur sauvage.

— Euh… c'est généreux… de votre part.

Et bizarre, aussi. Vraiment très très bizarre.

— … mais je ne pense pas que ça puisse marcher.

Deena se balança d'une jambe sur l'autre, comme une ado ronchon.

— Qu'est-ce qu'il vous faut, alors ? Que je vous supplie, c'est ça ?

C'était surréaliste.

— Non, non.

— Parfait. *S'il vous plaît*, ne partez pas. Voilà. Contente ?

— Madame Oliver, je ne veux pas que vous me suppliiez. Ça ne marchera pas, c'est tout.

Deena pâlit. C'était comme si elle se rendait compte que tout ce qu'avait affirmé Joss était vrai et qu'elle partait réellement.

Il n'y avait que les gens comme Deena pour considérer que la démission était la meilleure façon d'obtenir une augmentation.

— Vous voyez bien que je ne peux pas y arriver toute seule, dit Deena si doucement qu'on aurait dit qu'elle chuchotait. Je ne m'en sors pas avec les enfants.

La culpabilité s'empara de Joss et elle envisagea un bref instant de rester afin de pouvoir protéger les enfants de cette cinglée. Mais c'était impossible. Rien ne les protégerait de Deena. Ni de Kurt non plus, d'ailleurs.

— Ce sont de gentils garçons, dit-elle. Surtout Bart. Colin a besoin de plus de discipline – ça, c'était un euphémisme – mais ils ont tous les deux un bon potentiel.

— Je ne peux pas y arriver !

Sa voix frisait l'hystérie.

— Ne partez pas ! continua-t-elle à hurler. Vous êtes la seule personne à être restée plus de trois semaines ! Je croyais qu'on se comprenait, qu'on s'entendait bien. Tenez, je vous augmente même de cinquante pour cent !

Il était temps que cela cesse. La situation devenait trop étrange.

— Non, merci ! Il faut que je parte, madame Oliver…

— Je ne sais pas quoi faire des garçons ! Attendez !

Il était hors de question qu'elle attende. Elle tourna les talons et se précipita hors de la maison, alors que Deena vociférait.

— Non ! Joss, ne partez paaaas !

— J'ai un rendez-vous, ce soir, annonça Sandra en sortant l'une des valises de Joss du coffre de sa voiture. Mais je peux annuler si tu veux que je te tienne compagnie.

— Oh, non, ce serait dommage !

Joss était tellement reconnaissante envers Sandra qu'elle avait failli pleurer à trois reprises sur la route, en direction de Adams Morgan.

— Ça ira très bien, ajouta-t-elle. Je vais appeler l'agence pour voir s'ils ont une autre place à me proposer. Beaucoup de parents sont en demande, tu sais.

Elles étaient en train de traîner les bagages sur les marches du perron quand un garçon qui sortait de l'immeuble se précipita vers Sandra pour lui prendre la valise des mains.

— Laisse-moi te donner un coup de main, Sandy.

Il était plutôt mignon. Probablement dans les vingt-huit ans. Pas très grand, des cheveux bruns partagés par une raie peut-être un peu conventionnelle et de grands yeux bleus qui rendaient son visage intéressant. Il regardait Sandra comme si elle était une déesse tombée du ciel.

— Merci, Carl. Je vais y arriver, tu sais.

Elle fit un geste vers Joss et ajouta :

— Au fait, je te présente mon amie Joss. Elle va habiter chez moi quelque temps.

— Oh, ravi de faire votre connaissance.

Il tendit la main. Elle était douce et tiède.

— Carl Abramson. J'habite au-dessus de chez Sandy.

— Bonjour, Carl.

Joss jeta un coup d'œil vers Sandra pour voir si elle s'intéressait à ce garçon, elle aussi, mais voyant son indifférence, elle ajouta :

— J'espère avoir l'occasion de vous voir dans le coin.

Il hocha la tête et enfonça les pouces dans les passants de son jean.

— Vous êtes sûres, les filles, de ne pas avoir besoin d'un coup de main ?

— Non, non, c'est bon, répondit Sandra. Merci tout de même.

— Euh… écoute, Sandy…

Il s'approcha de Sandra et parla d'une voix plus basse, l'air tellement mal à l'aise qu'il se dandinait d'un pied sur l'autre.

— … je me demandais si tu aurais le temps d'aller au cinéma ce week-end.

Elle eut l'air surprise.

— Carl, c'est vraiment sympa de ta part. Et je serais ravie…

Il sembla un instant plein d'espoir.

— … mais mon petit ami risquerait d'être jaloux. Je suis désolée.

— Oh, je ne peux pas lui en vouloir. Je pensais juste tenter ma chance. J'aurais dû me douter que tu avais un petit ami.

Sandra devint rouge tomate et sourit.

— Je te remercie, Carl.

Il lui jeta un dernier regard énamouré puis s'engagea sur le trottoir.

— Ouah ! chuchota Joss. Il est fou amoureux de toi !

— Tu crois ? demanda Sandra en le suivant des yeux. C'est marrant. J'avais le béguin pour lui quand il a emménagé ici il y a quelques mois, mais je n'ai jamais été assez culottée pour lui adresser la parole. Maintenant que j'ai renoncé, on se croise à tout bout de champ.

— Pauvre garçon. Il avait le cœur brisé.

— Ça m'étonnerait, ricana Sandra. Allez, viens, on rentre !

Quand elles arrivèrent à la porte de l'appartement, Sandra se tourna vers Joss :

— Tu sais, j'ai réfléchi. Je peux me tromper, mais peut-être n'as-tu plus envie d'être une nounou à plein temps.

Joss rit.

— C'est exact. Tu ne te trompes pas du tout. Mais c'est le seul boulot qui m'apporte le gîte et le couvert en même temps qu'un salaire comme ça, au pied levé.

— J'ai une chambre en plus, tu sais. Si tu as envie de trouver un autre genre de travail, tu peux rester ici aussi longtemps que tu voudras.

— Oh, c'est vraiment adorable de ta part, répondit Joss, émue. Mais je ne voudrais pas t'envahir.

— Ça me ferait carrément plaisir de t'avoir ici. Il y a une éternité que je vis seule dans cet antre.

Puis, éclatant de rire, elle ajouta :

— Et, j'ai tout à fait intérêt à te garder sous la main pour cette affaire de chaussures. On a besoin que tu sois disponible. Tu es la seule à être capable de concevoir un plan de gestion ou un site Web.

Joss sentit une douce chaleur envahir ses joues.

— Oh, je serais tellement contente de pouvoir me lancer là-dedans. C'est une opportunité formidable.

— Alors c'est décidé. Tu restes ici. Tu trouveras peut-être un mi-temps dans un bureau, mais le reste du temps nous est réservé. Marché conclu ?

Joss n'avait encore jamais été aussi heureuse de sa vie.

— Marché conclu !

— Bon, sur ce, il faut que j'y aille ! Je suis en retard. Souhaite-moi bonne chance. Je pense que ce soir, ce sera le *jour J* pour Mike et moi.

— Oh… Alors ce n'est pas le moment que je reste ici. Je pourrais ressortir plus tard, aller chez Lorna, par exemple, quand elle quittera son travail…

Sandra leva la main pour l'arrêter.

— Ne t'inquiète pas. Mike a un appartement. Souhaite-moi juste bonne chance.

— Tu es vraiment sûre ? Alors bonne chance !

— Debbie vient ce soir ! annonça Mike tandis qu'ils prenaient un verre au Zebra Room.

Chaque fois qu'ils se trouvaient ensemble, il mentionnait systématiquement Debbie. Ce soir, il n'avait même pas attendu trois minutes… Essayait-il de lui faire passer un message ? Mieux valait lui poser la question clairement. L'ancienne Sandra aurait été trop timide, mais la nouvelle était directe. Pas de chichis.

Elle était, en quelque sorte, plus sûre d'elle.

— Mike, je voulais te poser une question à ce sujet.

— Au sujet de Debbie ?

Tiens, comment avait-il deviné ?

— Oui. Je me suis rendu compte que tu ne cessais de me parler d'elle. Essaies-tu de me dire quelque chose ?

Il eut soudain l'air dérouté.

— Je… euh… je ne vois pas où tu veux en venir.

Sûre d'elle.

Culottée.

Directe.

— Est-ce que vous êtes ensemble, Debbie et toi ?

— Est-ce qu'on…

On aurait dit qu'il venait de manquer la dernière marche.

— Qu'est-ce que tu entends par *être ensemble* ?

— Est-elle ta petite amie ? Est-ce pour ça que tu ne cesses de mentionner son nom à tout bout de champ ?

Là, le visage de Mike se referma carrément.

— Non… Debbie n'est pas ma petite amie.

Puis ce fut le moment le plus pénible, car il ajouta avec ce qu'il devait considérer comme son ton le plus rassurant :

— Je croyais que *toi* tu avais peut-être le béguin pour elle.

— *Moi ?*

Comme les victimes du *Titanic* s'accrochant aux derniers mètres du bateau avant de se faire à l'idée de glisser dans l'eau froide, Sandra se demanda si Mike faisait partie de ces types un peu tordus qui veulent voir leur petite amie avec une autre femme.

Mais elle savait que ce n'était pas ça.

Il était un de ces types qui ne veulent pas que leur *petit ami-i* soit avec une autre femme.

Sandra était naïve, trop naïve, mais elle n'était pas stupide.

Le visage de Mike s'empourpra.

— Tu n'es pas homo.

— Et toi, tu l'es.

Il hocha la tête, cacha son visage dans ses mains et gémit :

— Sandy, je suis tellement désolé.

— Mais qu'est-ce qui t'a fait penser que je pouvais être lesbienne, bon sang ? Suis-je donc si peu désirable pour les hommes ? ajouta-t-elle en sentant remonter toute son insécurité.

— Non, bien sûr que non ! Et même si tu l'étais, cela ne voudrait pas dire que tu serais automatiquement désirable pour les lesbiennes.

Il y a quelque chose qui l'agaçait foncièrement chez lui, maintenant elle l'admettait. Elle détestait qu'il soit toujours aussi politiquement correct à propos de tout. Il ne pouvait jamais se contenter d'une généralisation.

— Mais là n'est pas le problème, ajouta-t-il rapidement.

— Non, le problème c'est que j'ai cru que nous sortions ensemble, tous les deux. Et qu'en réalité tu essayais de me coller une nana dans les pattes. En plus, elle n'est même pas jolie ! ajouta Sandra en reniflant.

— Margo la trouve très belle.

— Margo ? Margo est sa petite amie ?

— Eh bien… non. Margo est *ma* petite amie…

— Mais je pensais…

— Avant, elle s'appelait Mark.

— D'accord, je crois avoir pigé. Tu veux dire que Debbie est lesbienne…

— Exact.

— … et que toi tu es gay…

— Indéniablement.

— Et que Margo était un homme gay, mais que maintenant elle est devenue une femme hétérosexuelle qui sort avec toi. Même si elle est maintenant techniquement une femme et toi un homme.

— Ou… oui, acquiesça Mike d'un hochement de tête. Je suppose que tu peux voir la situation comme ça. Même si j'agis ainsi pour changer, en espérant que ma mère finirait par être plus… réceptive. À vrai dire, j'aime que mes mecs soient bien machos.

— Moi aussi, lâcha Sandra.

Oups ! Mon Dieu, elle n'arrivait pas à le croire ! Pourtant, elle ne voulait pas insulter Mike. Après tout, ce n'était pas sa faute à lui si elle avait sciemment voulu ignorer *sa vraie nature*.

— Excuse-moi, je suis désolée. J'essaie seulement d'y voir plus clair ! En ce qui me concerne, j'aimerais savoir ce qui t'a mis sur la mauvaise piste. Surtout à ce point ! Je croyais que toi et moi…

Il leva une main :

— Je sais, je sais, je me sens terriblement fautif. Mon gay-radar devait être éteint. Il y a des années de ça, lorsque tu as dit que tu allais t'intéresser aux femmes, j'ai pensé que c'était réellement ce que tu faisais. Je me suis basé sur des suppositions qui remontaient à plus de quinze ans au lieu de regarder ce qui se passait juste devant mon nez.

— Quand j'ai dit *quoi* ?

C'était tout de même incroyable ! Est-ce que Mike pensait qu'elle était quelqu'un d'autre depuis le début ? En plus de ne pas être amoureux d'elle ?

— Tu avais dit que tu en avais marre des mecs et que tu allais t'intéresser aux femmes.

Elle le dévisagea, consternée.

— Mais de quoi parles-tu, Mike ?

— Ce fameux jour, après le cours de gym. En première ? Non, peut-être en terminale. Tu espérais que Drew Terragno te donnerait un rendez-vous et il ne l'a pas fait. Alors tu avais dit que tu ferais aussi bien de t'intéresser à Patty Reed.

Elle se souvenait de Drew Terragno. Elle avait effectivement été amoureuse de lui. Cela remontait à des millions d'années.

Sandra réfléchit quelques instants.

— Drew sortait avec Patty, n'est-ce pas ?

— Exact.

— Et j'ai dit…

Puis soudain, elle se rappela cette histoire. Mike était-il dans les parages ?

— J'ai dit que je ferais aussi bien de m'intéresser à Patty…

— C'est exact.

— … parce que c'était ce que je pouvais faire de mieux pour m'approcher de Drew.

À sa décharge, Mike l'écouta. Puis il hocha la tête. Il avait pigé.

— C'était sarcastique ?

— Plutôt, oui !

— Et moi qui croyais que nous avions tant de choses en commun.

— Apparemment pas assez pour sortir ensemble.

Il éclata de rire et lui passa un bras autour de la taille.

— Je n'avais absolument pas compris que c'était cela que tu voulais. Je suis flatté.

Elle lui lança un regard de travers.

— Non, sincèrement ! dit-il l'air parfaitement sérieux. Je le pense vraiment. Un type aurait de la chance d'avoir une fille comme toi.

— À moins qu'il ne préfère une fille comme Margo, continua-t-elle.

Puis elle regretta aussitôt son ton amer.

— Si je ne voulais pas Margo, si je ne voulais pas un mec comme Margo, dit affectueusement Mike en caressant les cheveux de Sandra, c'est une fille comme toi que je voudrais avoir. Honnêtement.

Et, pour une raison inconnue, ces paroles aidèrent Sandra. Non, elles ne réparaient pas son cœur brisé, loin de là, mais elles lui permettaient de se sentir beaucoup mieux. Peut-être parce que cela prouvait que le rejet de Mike ne la concernait pas *elle*, Sandra, mais le concernait *lui*, Mike. Et le fait qu'il voulait quelque chose qu'elle ne pourrait jamais lui donner.

Sandra avait vécu de nombreuses années avec un amour-propre en berne, mais elle avait assez de sagesse pour être réaliste :

Si Mike l'Hétéro l'avait rejetée, elle aurait pu trouver à cela des millions d'explications.

Mais si Mike l'Homo la rejetait… il n'y en avait qu'une seule.

— Très bien, alors ! conclut Sandra comme pour

passer à autre chose. Donc Margo sort avec toi et non pas avec Debbie. Y a-t-il autre chose que je devrais savoir ?

Mike hocha la tête.

— Debbie est retournée avec Tiger, dit-il avec le plus grand des sérieux.

Et s'il n'avait pas été aussi sérieux, Sandra se serait abandonnée à son envie de rire. Au lieu de cela, elle s'enfonça les ongles dans la paume et demanda :

— Tiger ?

— Oui. Son ex-petite amie *i-e*, précisa-t-il. C'est ce dont je voulais te parler tout à l'heure. Elles se sont remises ensemble.

Donc… Debbie n'était pas disponible non plus.

Décidément, Sandra avait perdu sur toute la ligne ! Quel manque de bol !

— Bon. Voyons si j'ai bien tout compris, dit-elle en se concentrant de son mieux. Non seulement tu essayais de me faire sortir avec une nana, mais tu avais également l'intention de mettre une fin à cette histoire imaginaire ce soir parce que la nana en question sort de nouveau avec quelqu'un d'autre.

C'était tout de même incroyable ! Elle avait eu des moments difficiles dans sa vie – le jour où elle était entrée en collision avec un homme-sandwich en sortant du parking du concessionnaire Volkswagen et avait explosé le pare-brise de sa Coccinelle toute neuve – mais ça, c'était le pompon !

Elle venait de se faire larguer par une femme avec laquelle elle n'était jamais sortie *et* par un type avec lequel elle aurait adoré sortir sauf que celui-ci était finalement gay.

Mike acquiesça en hochant du chef d'une manière adorable, humble et finalement très homosexuelle.

— Je crains que ce ne soit exactement ça.

Et, jusqu'à ce qu'il le lui dise carrément, elle ne

l'avait pas entièrement cru. Comme une idiote, elle avait continué à espérer que son instinct fasse fausse route sur toute la ligne.

— Hé, dit-il. On essaie simplement tous de Boire, Bouffer, se Bidonner et Baiser. C'est la seule façon de s'en sortir dans cette vie.

Chapitre 22

— Ainsi, il a essayé de te refiler une lesbienne ! conclut Lorna, essayant de résumer l'incroyable histoire que Sandra venait de lui raconter.

— Oui. C'est exactement ça. Dites-moi, ce n'est pas encore le moment de me rincer les cheveux ?

Hélène consulta sa montre.

— Non, encore cinq minutes. Je pense tout de même que tu aurais dû aller voir Denise.

— Oh, non ! Depuis que j'ai compris que je ressemblais à une lesbienne à cheveux verts, je ne peux plus passer une minute de plus en public. Ça fait maintenant plusieurs semaines que j'attends, il n'y a sans doute plus aucun risque. De toute façon, ça ne peut pas être pire qu'une coupe en brosse. En tout cas, je serai débarrassée de cet épouvantable vert, ce sera déjà ça !

Elle frissonna et ajouta :

— Mon Dieu ! Je n'arrive toujours pas à y croire !

— Tu ne te doutais absolument pas qu'il était gay ? demanda Lorna.

— Eh bien, avec le recul, je suppose qu'il y avait quelques signes assez évidents. L'épilation des sourcils, les exfoliations… le fait qu'il ait regardé *Orgueil et Préjugés* avec moi trois fois de suite.

— Ah oui ? C'est avec qui, déjà ? Colin Firth, Matthew Macfadyen ou Laurence Olivier ?

— Colin Firth.

— Aïe ! C'est un signe qui ne trompe pas. Les hommes qui ont bon goût en ce qui concerne les autres hommes, c'est *toujours* drapeau rouge.

— Ne t'en fais pas, dit Joss. Il te reste toujours Carl.

Sandra rougit.

— Sauf que maintenant, je me pose des questions. Quel genre de type est-il *lui*, s'il veut sortir avec une lesbienne à cheveux verts ?

— Mais tu n'en es pas encore une ! protesta Joss. Dans dix minutes, tes cheveux seront de nouveau couleur châtaigne d'automne.

Un étrange silence s'imposa.

— Oh… Et tu ne le seras jamais ! ajouta Joss en pouffant de rire.

— Tu sais, Sandra, dit Hélène en l'observant. Tu as l'air de très bien t'en sortir. Je pensais que tu serais dévastée par cette histoire. Je veux dire… presque tout le monde le serait.

— C'est vrai, admit Sandra. Je ne sais pas ce qui cloche chez moi. C'est comme… Bon, d'abord ça m'a fichu un sacré coup. C'est décevant quand le garçon de tes rêves ne veut pas de toi. Mais d'autre part, s'il ne veut d'aucune autre femme, ça réduit un peu les dégâts.

— C'est clair, concéda Lorna. Tu ne peux pas te demander ce que tu aurais pu faire autrement, parce que en dehors de te laisser pousser un pénis, il n'y a rien qui aurait pu y changer quoi que ce soit.

— Exact. Cette fois j'ai la certitude que ce n'est absolument pas ma faute. Et puis, je crois avoir changé. D'ailleurs, autour de moi, il y a récemment eu beaucoup de changements. J'ai fait des progrès et je commence à croire que les choses finissent parfois par s'arranger d'elles-mêmes.

— Ce qui nous ramène à ce Carl, dit Lorna. Qui est-ce ? Ne nous cacherais-tu pas un jardin secret ?

— Et comment ! s'exclama Joss, tout excitée. Carl habite au-dessus de chez elle, il est très mignon et il est raide amoureux de Sandra. Il n'y a qu'à regarder ses yeux pour le savoir.

— Il t'a invitée à sortir ? demanda Hélène.

En voyant les changements dans la vie de Sandra, elle reprenait confiance et voulait croire que le destin pouvait également apporter des choses positives. Elle était impatiente d'entendre encore de bonnes nouvelles.

— Oh, oui ! L'autre jour, il l'a invitée au cinéma, s'empressa de préciser Joss.

Sandra lui jeta un regard amusé.

— Est-ce que je vais pouvoir en placer une ?

— Oh, désolée ! Mais je dois dire qu'il est vraiment très mignon.

— Donc, il t'a invitée et tu vas y aller, n'est-ce pas ? lui demanda Lorna, le sourcil interrogateur.

— Oui, s'il veut toujours de moi ! Et dire que j'ai refusé parce que je ne voulais pas que mon petit ami gay soit jaloux !

— Oh, zut ! Pas de chance ! commenta Lorna.

— Oui, décidément, j'ai tout faux !

— Alors dis-lui que tu as fait une erreur, suggéra Hélène. Que tu as beaucoup pensé à lui et que tu aimerais mieux le connaître.

Sandra lui jeta un regard admiratif.

— Génial ! C'est une super idée !

— Fais-le, la pressa Lorna. Au diable, ton petit ami homo !

— Amen, fit Hélène. Ce qui me fait penser que j'ai quelque chose à vous montrer.

Elle prit son sac à main et commença à farfouiller.

— On dirait Mary Poppins ! commenta Sandra. Est-ce que tu vas en sortir une lampe ?

— Mieux que ça.

Hélène brandit la photo d'un homme châtain foncé. L'ossature de son visage semblait taillée dans le marbre et ses yeux étaient sombres, terriblement sexy. Il était beau. Beau comme un dieu.

— Je vous présente... Phillipe Carfagni.

La nouvelle fut accueillie par un profond soupir collectif.

Puis une sonnerie retentit.

— L'heure de rincer ! annonça Lorna qui avait les yeux toujours rivés sur la photo.

— Bon, très bien...

Sandra se leva, resserra la serviette dont elle s'était enveloppée et passa devant Joss.

— ... quand vous me reverrez, je serai... c'était quoi, déjà ? Châtaigne machin chose ?

Elle disparut au fond de l'appartement.

— Laisse-moi voir cette photo, dit Lorna.

Et quand Hélène la lui tendit, elle l'observa consciencieusement quelques secondes et ajouta :

— Vous savez ce qu'il faut qu'on fasse, n'est-ce pas ?

— Le faire connaître du public, acquiesça Hélène. Je travaille déjà dessus. Il y a un dîner très important chez les Willard, la semaine prochaine, et toute la presse sera invitée. J'essaie de le faire venir en ville pour ça.

— Il faut qu'on diffuse des communiqués de presse, qu'on invente peut-être une histoire sympa... Oh, j'ai une idée ! Une idée super ! Il n'y a rien que les gens aiment mieux qu'une rumeur bien croustillante, pas vrai ?

Hélène fronça les sourcils.

— Où veux-tu en venir ?

Pendant un moment, Lorna ne comprit pas ce qui pouvait ainsi contrarier Hélène, puis elle eut un éclair de lucidité.

— Oh, pas à ton sujet, voyons. Au sujet de Phillipe !

la rassura-t-elle. On pourrait annoncer qu'un très beau styliste italien doit arriver en ville pour un événement important… Ce genre de truc, quoi. Euh… non. Il faut qu'on trouve mieux que ça.

— Je pense que c'est une très bonne idée, dit Joss. Mais qui publiera ça ?

Lorna éclata de rire.

— Avez-vous lu certains articles ? Ce ne sont généralement que de petits potins politiques sans intérêt. Les journalistes locaux seront ravis d'avoir quelque chose d'intéressant à se mettre sous la dent.

— On va le faire passer pour quelqu'un de très romantique, suggéra Hélène.

— Ce ne sera pas difficile, fit remarquer Lorna en montrant la photo. C'est Roméo en personne ! Et… ajouta-t-elle en se tournant vers Joss, c'est là que tu interviens.

— Moi ? Tu veux que j'aille le chercher à l'aéroport, c'est ça ?

Hélène éclata de rire.

— Ce serait déjà un bon début. Mais ce qu'il faut, c'est que tu l'accompagnes à ce dîner.

— Oh, non… *Moi* ?

Lorna et Hélène échangèrent un regard.

— Qu'est-ce qu'il y a, Cendrillon ? Tu ne veux pas sortir avec le Prince charmant ?

Joss considéra la photo du bel Adonis.

— Il est absolument impossible que je sorte en compagnie d'un type avec un physique pareil ! Je fondrais littéralement, c'est tout. Je serais comme de la gélatine dans mes souliers ringards. Non, non, non ! C'est hors de question !

— Tu serais parfaite. Tu es d'accord, Lorna ?

— Vous serez superbes, tous les deux. Les photographes vont devenir dingues.

Le visage de Joss tourna au rouge tomate.

— *Les photographes!* Mais vous vous rendez compte du risque que vous prenez ? Vous n'avez pas encore vu la photo sur mon permis de conduire…

— Ne t'inquiète pas. Au permis, ils sont payés pour te donner une sale tête ! dit Hélène en sortant son portable. Je vais te prendre un rendez-vous d'urgence avec Denise. On te présentera comme notre porte-parole. Le plus vite sera le mieux. Puis, quand Phillipe débarquera… ce sera le coup de foudre !

Hélène ne croyait pas si bien dire.

À l'instant où Joss posa les yeux sur Phillipe Carfagni, elle ressentit quelque chose d'inédit.

Un désir fulgurant.

Elle se tenait dans le hall d'arrivée du terminal principal de Dulles Airport, brandissant une pancarte avec son nom accompagné d'une grande esquisse de chaussure et scrutait les voyageurs à la recherche de son visage.

Quand il apparut enfin, elle se rendit compte qu'il n'était pas nécessaire de le chercher. On le voyait mieux que la lune dans un ciel étoilé. Il était encore plus beau que sur la photo et la foule s'écartait légèrement devant lui, sans doute pour mieux le regarder.

Quand ses yeux se posèrent sur Joss, il sourit et s'approcha d'elle avec un léger rire mélodieux.

— La chaussure, dit-il avec un accent très marqué. C'est joli. *Bene*.

Elle lui rendit son sourire.

— *Bene*.

— Vous est… Jocelyn ?

La manière dont il prononçait son nom la fit frissonner de délice.

— Oui. Phillipe ?

Il sourit. Éblouissant. Étourdissant. Entendait-elle de la musique ?

— Phillipe Carfagni.

Il prit sa main et la leva jusqu'à ses lèvres, les yeux plongés dans ceux de Joss. Puis il recula, la regarda de haut en bas, s'attardant bien sûr à ses chaussures.

— Vous avoir six pieds ?

Ses joues virèrent au cramoisi.

— Comment ? Non, j'en ai deux.

Elle bougea ses pieds de manière assez maladroite et dressa deux doigts. Doux Jésus ! La prenait-il pour un mille-pattes ?

— Deux ! répéta-t-elle.

Il sourit de nouveau et passa la main dans sa superbe chevelure bouclée qui descendait jusqu'au col de sa chemise.

— Non, non, *cara mia... misura.*

Il leva son pied et le tapa par terre.

Elle ne comprenait toujours pas.

— *Misura* ?

— *Scarpa.*

Il écarta ses mains, comme s'il lui montrait la taille du poisson qu'il avait pêché.

— *Numero.*

— *Numero...* Ah, *pointure* ?

Elle retira la chaussure et montra du doigt le 6 qui était tamponné sur la semelle intérieure.

— Pointure. Six.

Décidément, ils allaient avoir des problèmes pour communiquer !

Et alors ? Il était tellement beau !

Il fronça les sourcils. Une petite cicatrice gâchait à peine ce front parfait.

Puis il haussa les épaules.

— Cela n'a aucune importance, fit Joss. Les belles chaussures ne me vont de toute façon jamais bien.

— Ne me... vont pas ? répéta-t-il en secouant la tête.

Elle acquiesça et refit le geste du poisson, puis écarta un peu les mains.

— Trop grandes.

Elle se rappela un brin d'espagnol de sa seconde et espéra que cela ferait l'affaire.

— *Mucho grande.*

Elle fit une grimace et secoua la tête.

— *Grande ?*

Il éclata de rire.

— No, *bella*. Mes chaussures… pour vous. *Perfezione*, ajouta-t-il en embrassant le bout de ses doigts.

Ça, elle le comprit.

Et le conte de fées avait démarré du bon pied. Lorsque la chaussure est à la bonne taille, c'est qu'on a trouvé le Prince charmant…

Sauf que, dans son cas, elle avait dû trouver le Prince charmant pour que la chaussure lui aille.

Quand Hélène revint en ville à l'heure du déjeuner, la journée avait déjà été bien remplie. Tant d'émotions, tant de questions, tant de travail… Elle se sentait éreintée.

Elle aurait probablement mieux fait de rentrer directement chez elle pour s'allonger un peu, mais elle préféra d'abord s'arrêter au bureau de Jim pour lui raconter exactement ce qui se passait. S'il était au courant de ses nouveaux projets professionnels et si elle-même comprenait mieux les orientations politiques de son mari, peut-être pourraient-ils continuer encore quelque temps à montrer une espèce de façade devant les autres ?

Ce n'était pas l'option rêvée pour Hélène, mais maintenant qu'elle devait prendre en considération l'avenir d'un enfant… Et puis ce serait peut-être mieux pour le bébé d'avoir un semblant de foyer avec papa-maman durant ses premières années plutôt que d'être élevé par une mère seule.

C'était en tout cas ce que pensait Hélène avant

d'arriver dans l'immeuble de Jim. Garder une *façade*. Pour l'instant, cela ferait l'affaire.

Mais quand elle parvint à son lieu de travail, elle trouva le bureau de l'accueil complètement vide. N'importe qui aurait pu entrer, mettre de l'anthrax dans un dossier et ressortir sans le moindre problème.

En entendant les petits gloussements idiots qui provenaient du bureau directorial, elle comprit aisément que tout le monde n'était pas parti. Et elle eut également une idée précise de qui ne l'était pas.

Hélène s'attendait à ressentir une rage terrible, ce qui aurait été normal. Au lieu de cela, elle n'éprouva qu'un calme froid. Voilà qui apportait une réponse à toutes ses questions. L'envie de sauver la face de leur mariage tombait définitivement dans les oubliettes.

Le problème n'était pas *uniquement* qu'il la trompait avec son assistante, ou Chiara, ou toutes les autres qui passaient par là. Ses batifolages incessants avaient effectivement mis fin à leur mariage, bien sûr. Pourtant ce n'était pas la raison pour laquelle Hélène ne voulait même plus faire semblant.

Non. Seul le manque total de respect qu'il montrait en la trompant ouvertement, sans la moindre discrétion, faisait déborder le vase.

Elle entra brusquement dans son bureau, dont la porte n'était évidemment pas fermée à clé, et le trouva, pantalon sur les chevilles, penché sur une fille à moitié allongée sur le bureau et qui devait à peine avoir dix-huit ans.

Il sembla tellement choqué par la présence d'Hélène qu'elle ne put s'empêcher de pouffer de rire.

— Je suppose que tu ne t'attendais pas à me voir, fit-elle remarquer.

— *Merde !* Qu'est-ce que tu fous là, Hélène ?

Comme si c'était sa faute à elle !

— La raison pour laquelle je suis venue n'a plus

vraiment d'importance, dit-elle calmement. Cela va changer beaucoup de choses.

Il se tortilla pour remonter son pantalon.

— Oh, ne t'inquiète pas, ça ne va pas durer longtemps. Si je me souviens bien, *ça* non plus ne dure pas longtemps ! précisa-t-elle en désignant la fille d'un geste de la tête.

C'était la première fois qu'elle la voyait. Sans doute une nouvelle stagiaire.

— Désolée, mon petit, mais pourriez-vous vous couvrir et sortir un instant ? J'aimerais parler à mon mari.

La fille hocha frénétiquement la tête puis regarda autour d'elle, à la recherche de ses vêtements qu'elle ramassa. Elle ne tenta même pas de se rhabiller, se contentant de les serrer contre elle pour sortir du bureau en courant.

Hélène reporta son attention sur un Jim décidément secoué.

— Je demande le divorce.

— *Quoi ?*

Il la regardait, bouche bée.

— Tu ne vas quand même pas me dire que tu es surpris !

— Tu sais ce que cela peut représenter pour moi, politiquement ?

— Tss, tss, tss, mon cher. Ne t'en fais pas. Tu trouveras vite quelqu'un d'autre.

— Mais ça va me détruire.

— Bien sûr que non. Ce que toi et tes collègues devez apprendre, c'est que les gens comprennent des situations humaines normales, comme le divorce ou peut-être même l'infidélité. C'est le *mensonge* qu'ils détestent.

— Tu savais que j'avais des maîtresses.

Elle souleva un sourcil.

— Ah bon ?

— Qu'est-ce que tu cherches ? Tu veux me baiser ?

Elle éclata de rire.

— Il faut croire que je suis sans doute la seule à ne *pas* le faire. Bon, voilà ce qui t'attend : Je veux le divorce. Je veux la maison, sans les emprunts. Je veux également une somme compensatoire de deux millions nets, c'est-à-dire que tu prendras à ta charge les frais de transmission.

Il la fusilla du regard.

— Salope !

— Oh, tu n'as encore rien vu ! Essaie de me jouer un sale tour et je rendrai tes frasques publiques et là, tu n'auras vraiment plus d'avenir.

Ses lèvres se tordirent en un rictus méprisant.

— Mais tu viens de dire toi-même que les gens pardonneraient l'infidélité.

— Je ne parle pas d'un avenir politique. Grâce à ce détective que tu as grassement payé pour me suivre, je possède quelques photos excellentes de toi et de Chiara Mornini. Dans son lit de satin rouge. Tu t'en souviens, n'est-ce pas ?

Jim pâlit de trois tons.

— Je ne pense pas qu'Anthony prendra la nouvelle aussi bien que moi.

Puis elle se leva et ajouta :

— Alors je peux compter sur ton accord pour les conditions du divorce, n'est-ce pas ?

Il lui jeta un regard noir.

— Et moi je peux compter sur ta discrétion, n'est-ce pas ?

Hélène acquiesça, comme s'ils venaient simplement de convenir d'une date pour un dîner.

— Absolument. Je sais être discrète, *moi* !

Sur ce, elle tourna les talons et ajouta :

— Fais-moi savoir où tu vas habiter pour que mon avocat puisse te contacter.

Hélène n'attendit pas de réponse. Cela lui était

parfaitement égal, maintenant. Tous les atouts étaient entre ses mains.

Elle partait la tête haute.

Et elle allait droit chez Ormond's pour s'acheter ces superbes Bruno Magli.

Épilogue

Un an plus tard

— Je l'ai ! cria Lorna en déboulant dans les nouveaux bureaux agrandis de SAA, Inc.

Elle brandissait le dernier numéro de *Women in Business*, un mensuel national qui avait commandité deux mois plus tôt un portrait de Lorna, Sandra, Joss et Hélène pour leur édition d'octobre.

Sandra et Hélène accoururent vers elle, Hélène tenant la petite Hope Sutton Zaharis de six mois sur sa hanche, accrochée à son tailleur Armani à deux mille dollars.

— Quel titre ont-ils mis ? demanda Hélène en changeant le bébé de hanche afin de mieux pouvoir lire par-dessus l'épaule de Lorna.

Celle-ci feuilletait fébrilement le magazine.

— Distributeur exclusif… Ses chaussures à nos pieds… Parfait, commenta-t-elle en hochant la tête. C'est exactement ce qu'il fallait écrire.

— Où est Joss ? s'enquit Hélène. Elle devrait entendre ça.

Sandra pouffa de rire.

— Avec Phillipe, bien sûr ! Où voulez-vous qu'elle soit ?

Joss et Phillipe passaient beaucoup de temps ensemble. Non seulement Joss rayonnait de bonheur, mais ses goûts dans le domaine des chaussures avaient *énormément* évolué. Phillipe avait même baptisé sa dernière création – un adorable escarpin en satin à bout découpé et talon aiguille – la *Jocelyn*.

— Ils devraient se marier, commenta Lorna en lisant l'article en diagonale. Cela nous ferait une publicité d'enfer ! Ho ! Ho ! Écoutez-moi ça : « … des commandes records de Nordstrom, Macy's, Bergdorf Goodman, Saks, etc., etc., etc. » Et là, encore : « Avec l'œil créatif de l'ex-épouse du sénateur, Hélène Zaharis et la parfaite connaissance des habitudes d'achat des consommateurs de Lorna Rafferty, l'ex-dépensière compulsive, le groupe s'est ancré dans l'esprit et le cœur des accros aux chaussures de tout le pays. »

— Je suis impatiente de montrer à Holden que *Business Week* considère mes travers de panier percé comme un atout pour notre entreprise.

— Et moi alors ? geignit Sandra. Ce n'est pas parce que je ne suis pas apparentée aux grands de ce monde et que je ne fais pas brûler mes cartes de crédit qu'on ne doit pas parler de moi !

— Ne t'en fais pas. Te voilà : « Sandra Vanderslice, née à Potomac, est considérée comme la boussole morale du groupe. Elle maintient l'entreprise sur un terrain d'exigence environnementale et est à l'origine des initiatives de commerce équitable. » Qu'est-ce que vous pensez de ça ? Vous vous rendez compte ? Sandra est notre boussole morale !

— Beaucoup de mes anciens clients seraient d'accord avec ça.

Lorna rit et poursuivit sa lecture :

— Jocelyn Bowen, armée seulement de son diplôme de Felling-Garver Community College, a mis sur pied un projet commercial qui a tellement séduit les investisseurs que le financement fut entièrement bouclé au bout d'une heure de négociations… Et maintenant, elle est la muse du célèbre créateur Phillipe Carfagni, qui lui dédie sa collection du printemps prochain… Oh ! C'est pas mignon, ça ? commenta Lorna.

— Et en plus, elle le mérite, fit remarquer Sandra sans la moindre trace de jalousie. Ainsi, au moins une d'entre nous aura trouvé son Prince charmant sans avoir à embrasser tous les crapauds d'abord !

— Et elle a eu les chaussures en prime ! renchérit Lorna. Toutes les belles Carfagni dont elle peut rêver et sur mesure, en plus !

Hélène poussa Lorna du coude.

— Toi aussi, ma jolie ! C'est l'un des gros avantages de posséder cette entreprise.

Lorna éclata de rire.

— C'est vrai. Des chaussures gratuites à vie ! Je suppose que c'est un conte de fées qui se réalise pour nous toutes. Finalement, une addiction peut vous tuer ou vous enrichir.

— En ce qui me concerne, je préfère m'enrichir ! assura Hélène.

— Et moi donc ! approuva Sandra.

Et c'est ce qu'elle firent.

Sacrées pointures

(Pocket n° 12582)

À ma gauche : Rose Feller, avocate dans un grand cabinet. Toujours sur le point de commencer un régime. Un désir ? Rencontrer un homme qui la trouve belle. Un espoir ? Que sa sœur, Maggie, arrête de lui piquer argent et amoureux. À ma droite : Maggie Feller, serveuse, chanteuse, vendeuse. Un corps de rêve et un succès fou. Son rêve à elle ? Devenir une star. Son but ? Prouver qu'on peut être une bombe sexuelle intelligente. Leurs points communs ? Même ADN, même pointure, même revanche à prendre sur la vie…

Il y a toujours un Pocket à découvrir

Impression réalisée par

50670 – La Flèche (Sarthe), le 21-01-2009
Dépôt légal : février 2009

POCKET – 12, avenue d'Italie - 75627 Paris cedex 13

Imprimé en France